À brûle-pourpoing

LES ÉDITIONS DES INTOUCHABLES
5, rue Sainte-Ursule
Québec (Québec)
G1R 4C7
Téléphone : 418 692-0377
Télécopieur : 418 692-0605
www.lesintouchables.com

DISTRIBUTION : PROLOGUE
1650, boul. Lionel-Bertrand
Boisbriand (Québec)
J7H 1N7
Téléphone : 450 434-0306
Télécopieur : 450 434-2627

Impression : Marquis imprimeur inc.
Maquette de la couverture et mise en pages : Paul Brunet
Photographie de la couverture : Mathieu Lacasse
Retouche photo : Marie-Elaine Doiron
Révision : François Mireault
Correction : Corinne De Vailly

Les Éditions des Intouchables bénéficient du soutien financier du
gouvernement du Québec — Programme de crédit d'impôt pour
l'édition de livres — Gestion SODEC.

Nous reconnaissons l'aide financière du gouvernement du Canada
par l'entremise du Fonds du livre du Canada (FLC) pour nos activités
d'édition.

Société
de développement
des entreprises
culturelles
Québec ✦✦

Dépôt légal : 2013
Bibliothèque et Archives nationales du Québec
Bibliothèque nationale du Canada
ISBN : 978-2-89549-603-8
        978-2-89549-625-0 (ePub)
        978-2-89549-626-7 (ePDF)

Normand Lester

À BRÛLE-
POUR-
POING

LES INTOUCHABLES

Du même auteur :

Contrepoing. Chroniques 2011 et écrits polémiques,
Les Éditions des Intouchables, Montréal, 2012.

Poing à la ligne. Chroniques 2010 et écrits polémiques,
Les Éditions des Intouchables, Montréal, 2011.

Les secrets d'Option Canada (en collaboration avec Robin Philpot),
Les Éditions des Intouchables, Montréal, 2006.

Verglas (en collaboration avec Corinne De Vailly),
Éditions Libre Expression, Montréal, 2006.

Mom. Biographie non autorisée du chef des Hells Angels
(en collaboration avec Guy Ouellette),
Les Éditions des Intouchables, Montréal, 2005.

Le Livre noir du Canada anglais 3,
Les Éditions des Intouchables, Montréal, 2003.

Le Livre noir du Canada anglais 2,
Les Éditions des Intouchables, Montréal, 2002.

Chimères (en collaboration avec Corinne De Vailly),
Éditions Libre Expression, Montréal, 2002.

Le Livre noir du Canada anglais,
Les Éditions des Intouchables, Montréal, 2001.

Prisonnier à Bangkok (en collaboration avec Alain Olivier),
Éditions de l'Homme, Montréal, 2001.

Alerte dans l'espace (en collaboration avec Michèle Bisaillon),
Les Éditions des Intouchables, Montréal, 2000.

Enquêtes sur les services secrets,
Éditions de l'Homme, Montréal, 1998.

L'affaire Gérald Bull. Les canons de l'apocalypse,
Éditions du Méridien, Montréal, 1991.

Sommaire

À BRÛLE-POUR-POING

Trois fois par semaine, j'écris une chronique d'actualité sur le site Internet Yahoo! Québec (http://fr-ca.actualites.yahoo.com/blogues/la-chronique-de-normand-lester/). Les textes qui suivent ont été publiés au cours de l'année 2012. J'y ai ajouté un texte sur le terrorisme publié en 2005 dans le magazine Summum, qui garde toute sa pertinence. Les lecteurs qui voudraient me communiquer des informations au sujet de questions abordées dans ces pages sont priés de le faire sur mon site Internet : http://www.normandlester.com

La Russie de Poutine est un pays plus juste que les États-Unis d'Obama

2 janvier 2012

L'image que les médias projettent de la Russie est celle d'un pays où des milliardaires corrompus associés à Poutine accaparent les immenses richesses du pays et laissent croupir dans la pauvreté la plus abjecte les 142 millions de Russes qui n'ont pas de «connexions» politiques. La preuve, me direz-vous, ce sont les manifestations massives qui ébranlent le pays depuis plusieurs semaines.

Pourtant, la réalité sociale en Russie est sensiblement différente. C'est vrai que le pays compte actuellement plus de milliardaires en dollars que tout autre pays de la planète. Mais les plus récentes statistiques indiquent que les revenus y sont plus équitablement répartis qu'aux États-Unis.

Pour mesurer les inégalités économiques dans un pays, le statisticien italien Corrado Gini a imaginé un coefficient qui porte son nom. Il tient compte des revenus, mais aussi de la propriété de la résidence.

Dans une société égalitaire idéale, tout le monde aurait le même revenu, ce qui se traduirait par un coefficient de Gini de zéro. Dans une société parfaitement inégale où un seul individu posséderait toute la richesse, le coefficient de Gini serait de 1.

De la théorie, passons à la pratique. Actuellement, selon la Central Intelligence Agency (CIA), la Suède, la Hongrie et la Norvège sont les trois pays les plus équitables de la planète avec un coefficient de Gini autour de 0.24. La Namibie ferme la parade des inégalités (140e rang) avec un coefficient de 0.70.

Le Canada se situe au 36ᵉ rang avec un indice de 0.32 comme la France, mais derrière l'Allemagne (0.27) au 11ᵉ rang. La Russie, 88ᵉ rang (0.42), surclasse les États-Unis, 100ᵉ rang (0.45). Parmi les pays avec un coefficient semblable à celui des États-Unis (0.44-0.45), on trouve le Mozambique, l'Iran, le Cambodge et l'Ouganda.

Au cours de la dernière décennie, l'écart s'est creusé entre les riches et les pauvres aux États-Unis. En Russie, les riches ont accru massivement leur richesse, mais le boum économique qui a commencé avec l'arrivée au pouvoir de Vladimir Poutine a fait que l'accession des pauvres à la classe moyenne s'est faite encore plus rapidement.

Le blogueur Ben Aris de *Russia Beyond the Headlines* explique que depuis l'an 2000, le produit intérieur brut (PIB) russe a augmenté de 7,5 fois au cours, alors que les salaires moyens ont augmenté de 14 fois, passant de 50 $ à environ 700 $ par mois. Si les États-Unis connaissaient une croissance comparable, le revenu par habitant passerait de 40 000 $ actuellement à 560 000 $ avant la fin de la décennie.

Aris signale que l'excellent score de la Russie s'explique aussi par le fait que tout le monde est devenu propriétaire de son logement après l'effondrement de l'Union soviétique. Des spécialistes estiment que c'est le plus important transfert de richesse d'un État à son peuple de l'histoire de l'humanité.

La classe moyenne émergente russe, estimée à 60 % de la population, a le plus à perdre d'un gouvernement inefficace et corrompu. Cela explique en partie les manifestations actuelles. Mais il ne faut pas oublier que le régime jouit d'un appui important de la population russe à cause de la prospérité extraordinaire qu'il lui a apportée. Les opposants qui descendent dans la rue ne constituent pas une force politique cohérente. Avec 49 % des suffrages, le parti de Poutine, Russie unie, a écrasé la principale formation de l'opposition, le Parti communiste de Russie, qui a obtenu 19 % des voix lors des législatives de 2011. Russie juste, un parti à la fois communiste et nationaliste, en a remporté 13 % et le Parti libéral-démocrate d'extrême droite, 11 %. L'Union des forces de droite (SPS), qui prône un capitalisme à l'occidentale, n'a même pas réussi à faire élire un député.

Il y a eu fraude électorale en Russie, mais cette fraude ne peut expliquer que Poutine obtienne 20 % plus de voix que ses plus proches adversaires. La prise du pouvoir en Russie par l'une ou l'autre des formations politiques d'opposition ferait rapidement regretter Poutine, tant à l'intérieur du pays qu'à l'extérieur. S'il veut remporter les élections présidentielles de cette année avec des suffrages accrus, Poutine se doit de prendre des initiatives spectaculaires en faveur de la société civile.

C'est quand même un signe des temps que la Russie de Poutine soit une société moins inéquitable que l'Amérique d'Obama.

Un général américain coule la flotte américaine du golfe Persique

4 janvier 2012

Les États-Unis ont écarté du revers de la main les appels de l'Iran pour qu'ils cessent d'envoyer des navires de guerre dans le golfe Persique et, en particulier, pour qu'ils ne remplacent pas le porte-avions nucléaire *John-C.-Stennis* qu'ils ont récemment déplacé vers la mer d'Oman. La Maison-Blanche a présenté la demande iranienne comme un signe de faiblesse et la preuve que les nouvelles sanctions faisaient mal à l'économie iranienne.

Les Américains devraient se méfier. En 1993, une organisation terroriste islamiste s'est attaquée au World Trade Center de New York, lui infligeant des dégâts considérables, mais sans réussir à renverser les deux tours. Convaincus que les terroristes musulmans seraient incapables de refaire le coup, ils se sont refusés à mobiliser vraiment leur appareil de renseignements et à renforcer de façon draconienne leurs mesures de sécurité... jusqu'au 11 septembre 2001.

Actuellement, ils rêvent d'en découdre avec l'Iran au point de rechercher le *casus belli* pour détruire son système de défense antiaérienne et ses installations nucléaires.

Les généraux américains considèrent que les forces armées iraniennes ne sont pas de taille à affronter la plus grande puissance militaire de l'histoire de l'humanité.

Vous ne connaissez sans doute pas le général à la retraite Paul Van Riper du corps des Marines. Il est pourtant fameux dans le cercle fermé des analystes militaires et détesté par les dirigeants du Pentagone. Van Riper doit sa notoriété à une simulation stratégique, Millennium Challenge 2002, organisée pour tester les stratégies et les tactiques américaines dans le cas d'une confrontation avec l'Iran dans le golfe Persique. On lui avait confié le rôle du commandant en chef des forces armées iraniennes dans le jeu de guerre.

À la consternation du Pentagone, Van Riper a réussi dans les deux premiers jours de l'exercice à couler la majorité des navires du groupe aéronaval de la US Navy dans le golfe Persique. Devant le désastre, comparable à plusieurs Pearl Harbor, le Pentagone a arrêté la simulation. Le jeu de guerre devait durer 15 jours.

Dans les 24 premières heures de l'exercice, à l'approche de la flotte américaine, Van Riper a utilisé des embarcations de plaisance iraniennes pour déterminer sa position, ses capacités et ses déplacements. Ensuite, il a lancé une attaque aérienne et navale massive contre la US Navy comprenant des fusées, des missiles de croisière, mais aussi des centaines de petits avions de tourisme bourrés d'explosifs, pilotés par des volontaires prêts au suicide. Parallèlement, des centaines de petites embarcations civiles rapides, également conduites par des volontaires suicidaires, sont lancées contre la flotte américaine. Cette frappe préventive par des milliers d'aéronefs et d'embarcations a débordé les capacités de défense électroniques des navires américains. Bilan : un porte-avions, dix croiseurs et cinq navires amphibies envoyés par le fond. Dans un véritable conflit, les pertes américaines se seraient chiffrées à plus de 20 000 morts en deux jours de conflit.

Devant le désastre, le Pentagone a suspendu l'exercice, pour « reflotter » les navires coulés et modifier les règles du jeu. Après la réinitialisation de la simulation, les deux côtés ont été contraints de suivre un scénario rédigé pour assurer une victoire des États-Unis.

Van Riper affirme que les officiers qui dirigeaient maintenant la force Rouge (les Iraniens) n'avaient plus l'autorisation d'utiliser certaines tactiques et certains systèmes d'armes contre la force Bleue (les Américains). Ils étaient obligés de divulguer l'emplacement de leurs forces afin de faciliter des attaques des Bleus. Cette fois, le résultat a été une écrasante victoire américaine. Van Riper a confié à l'émission *Nova* de PBS que l'exercice, qui a coûté 250 millions de dollars, a été un gaspillage complet. La simulation ne visait plus à vérifier si la doctrine d'emploi de la force du Pentagone était la bonne, mais à démontrer sa validité.

Le problème est la confiance arrogante du Pentagone dans la supériorité de ses stratégies et de son armement devant des adversaires considérés comme inférieurs, inintelligents, incapables d'initiatives et donc faciles à vaincre. Cela, malgré le Viêt Nam, malgré l'Irak, malgré l'Afghanistan.

Les grandes oreilles d'Ottawa écoutent la mafia et, sans doute, vous aussi

6 janvier 2012

J'avais écrit dans ma chronique de l'année dernière sur la vulnérabilité du BlackBerry à l'écoute électronique que l'appareil était « devenu un outil de travail indispensable pour beaucoup de gens riches et puissants. Et, aussi, pour beaucoup de gens malveillants. »

Voilà qu'on en a maintenant la preuve : *La Presse* révèle que c'est en décodant les communications d'un des chefs de la mafia montréalaise, Raynald Desjardins, avec son BlackBerry, que la police a pu soupçonner qu'il était derrière l'assassinat du mafioso new-yorkais expulsé des États-Unis, Salvatore Montagna, qui tentait de prendre le contrôle de la filiale locale.

Les mandats judiciaires d'écoute électronique obtenus par la Gendarmerie royale du Canada (GRC) dans cette affaire sont toujours sous scellés. La clé de décryptage n'a pu être obtenue que de deux sources possibles.

D'abord, du BlackBerry. Le fabricant ontarien Research In Motion (RIM) utilise un système de chiffrement qui lui est propre et toutes les communications orales ou textuelles de ses clients partout dans le monde passent par son serveur installé à son siège à Waterloo en Ontario. En principe donc, une simple autorisation judiciaire aurait pu permettre à la GRC d'avoir accès au serveur de RIM pour y retirer les communications de Desjardins et de ses complices utilisant le BlackBerry. Ce serait la première fois que la compagnie collaborerait avec la police à la recherche de renseignements sur un BlackBerry. Si l'information est confirmée, la réputation de confidentialité absolue de ses appareils va en prendre tout un coup.

Comme je le révélais l'année dernière, RIM a créé son BlackBerry Enterprise Server avec la collaboration du Centre de la sécurité des télécommunications (CST) du Canada et de la National Security Agency (NSA) des États-Unis, les organismes d'espionnage électronique des deux pays.

Il est certain, surtout depuis les attentats du 11 septembre 2001, que ces deux services de renseignements électroniques ont les clés de chiffrement pour accéder aux communications des BlackBerry. Dans leur cas, lorsqu'il s'agit d'écoutes électroniques qui touchent la sécurité nationale du Canada et des États-Unis, ils n'ont besoin d'aucune permission judiciaire pour agir.

Mais il y a plus. Le CST et la NSA possèdent les ordinateurs les plus puissants et les plus modernes de la planète avec des capacités de mémoire inimaginables. Il est donc probable qu'ils ont même stocké l'intégralité des communications qui ont transité sur le serveur BlackBerry de RIM. Ça veut dire que, théoriquement, les autorités ont accès à la totalité des échanges BlackBerry de Raynald Desjardins et de ses acolytes depuis qu'ils ont acquis leur appareil. Pourraient-elles légalement utiliser ces informations ? Encore une fois, il faudra voir dans quelles conditions la police y a eu accès.

Je trouve incroyable que le chef d'une organisation criminelle de cette importance avec les ressources à sa disposition n'ait pas été mieux informé sur la sécurité de son BlackBerry. Il est vrai que la mafia montréalaise n'est pas très futée dans ce domaine puisque la police a réussi à faire fonctionner pendant des années des micros et des caméras au club social Consenza de la rue Jarry qui était le QG de l'organisation Rizzuto. Ce sont ces écoutes légales qui ont permis à la police de détruire le clan.

Pourtant, la vulnérabilité des BlackBerry était connue depuis des années. En 2007, les services de contre-espionnage français avaient averti le gouvernement et les grandes entreprises du pays que l'appareil de RIM était vulnérable à la surveillance électronique. Mieux, les services de sécurité informatique du gouvernement du Canada lui-même ont émis un avis en ce sens.

Enfin, rappelons que tous les téléphones mobiles sont des mouchards électroniques potentiels parce que les gouvernements imposent aux concepteurs et aux entreprises de télécommunications des normes pour faciliter la surveillance des utilisateurs. Ces normes sont régulièrement mises à jour lors de rencontres secrètes connues sous l'acronyme ILETS, International Law Enforcement Telecommunications Seminar. Le Service canadien du renseignement de sécurité (SCRS) a déjà été l'hôte de l'une d'elles à son siège d'Ottawa.

Dites-vous que toutes les communications qui sont passées depuis au moins dix ans sur tous les téléphones mobiles que vous avez possédés sont probablement emmagasinées dans le serveur du CST à Ottawa.

J'espère que ça ne vous empêche pas de dormir !

Génocides : tu y crois ou tu fais semblant, sinon on te met en prison

9 janvier 2012

La France, l'un des pays qui se targue le plus d'être la patrie de la liberté et en particulier de la liberté d'expression, s'apprête à adopter une loi dite mémorielle* qui interdit à ses citoyens de nier une vérité officielle.

Après avoir interdit aux Français sous peine de sanction légale de douter publiquement de l'Holocauste et des méfaits de la colonisation et de l'esclavage, voilà maintenant qu'ils ne pourront plus mettre en doute le génocide des Arméniens par les Turcs durant la Première Guerre mondiale.

Ranimer actuellement le débat est particulièrement stupide. Il rend impossible le courageux travail des chercheurs turcs qui témoignent de la réalité du massacre des Arméniens. La Turquie, elle, emprisonne ceux qui affirment que le génocide des Arméniens a eu lieu.

L'affaire des lois mémorielles provoque une montée aux barricades des juristes, des historiens et des écrivains qui considèrent que la répression légale n'est pas la meilleure façon ni un moyen acceptable pour lutter contre une aberration. Avec raison, ils estiment que la confrontation ouverte et la libre discussion permettent à la fin à la vérité de triompher du mensonge et de l'erreur.

Mais c'était sans compter sur la bassesse des politiciens, vulnérables aux pressions des lobbies et contraints à la rectitude politique. L'une des juristes les plus éminentes de France, Anne-Marie Le Pourhiet, condamne la classe politique française « tombée, dans sa quasi-totalité, dans la lâcheté, le clientélisme et la compassion à vocation électoraliste ». Les Arméniens constituent un électorat non négligeable en France.

La première loi mémorielle adoptée en 1991, la loi Gayssot, du député communiste du même nom, interdisait toute opinion au sujet de l'Holocauste qui ne correspondait pas à la version reçue, quasi officielle. Le chiffre de six millions de morts ne pouvait même pas être contesté. Elle créait ainsi un dogme d'État.

Les lois mémorielles sont contre-productives. L'interdiction légale d'une idée amène les esprits curieux et contestataires (en particulier les jeunes), les sceptiques et les non-conformistes de nature à s'y intéresser et à lui attribuer une certaine vraisemblance. Elles ne réussissent même pas à étouffer l'information erronée qu'on veut réprimer puisque celle-ci est facilement accessible sur Internet. Dans notre monde informatisé où la réalité virtuelle occupe presque autant de place dans la vie des gens que la réalité elle-même, ces lois liberticides n'ont pas de sens.

Mais pourquoi s'arrêter là? Il y plein de pseudo-vérités qui devraient être crues par les citoyens sous peine de sanctions. Caustique, le philosophe Philippe Nemo propose aux juges français un aide-mémoire des règles fondamentales de la correction politique afin qu'ils puissent plus facilement décider si des propos sont contraires à l'ordre public. Remplacez France par Québec et vous allez constater que ce bêtisier s'applique à ce que nous vivons ici. Une partie significative de nos élites singe les modes intellectuelles françaises et américaines :

1) la « diversité » est désormais la norme en France, que la France n'a d'ailleurs jamais été autre chose qu'une « terre d'immigration », sans histoire propre et sans culture autochtone ;

2) que les nations ou même les civilisations sont dépassées, que le métissage universel, culturel aussi bien que racial, doit devenir la règle ;

3) que la colonisation n'a eu que des effets criminels et dramatiques pour les peuples concernés ;

4) que le mariage et la famille ne sont plus et n'auraient jamais dû être une norme sociale valide ;

5) qu'il n'y a aucune distinction morale ni sociale à faire entre l'hétérosexualité et l'homo-, la bi- et la trans-sexualité et que la généralisation de mœurs sexuelles et de comportements jadis tenus en marge est bonne

et souhaitable et ne peut avoir aucun effet néfaste d'aucune sorte sur les psychologies individuelles ni sur l'équilibre social d'ensemble, d'où il résulte que toute affirmation du contraire menace l'ordre public.

(Philippe Nemo, *La régression intellectuelle de la France*, Bruxelles, Éditions TEXQUIS, juin 2011, 95 p.)

Imaginez ce qui arriverait si la population était appelée par référendum à se prononcer sur ce bataclan idéologique idiot. Imaginez tout ce que le peuple enverrait à la poubelle, du Conseil du statut de la femme à la Commission des droits de la personne. C'est pour cela que ça ne se fera pas. Trop de bien-pensant(e)s, peu intelligent(e)s et inemployables ailleurs qui s'y sont casé(e)s, se retrouveraient au chômage.

* Mise à jour : L'Assemblée nationale française a adopté la loi pénalisant la négation du génocide arménien, le 23 janvier 2012. Heureusement, le Conseil constitutionnel a invalidé cette loi le 28 février suivant, la considérant inconstitution-nelle au nom de la liberté d'expression.

L'Américain condamné à mort en Iran est-il un espion ?

11 janvier 2012

Amir Mirzaei Hekmati a été déclaré coupable d'es-pionnage au profit de la CIA à Téhéran. Il a 20 jours pour en appeler de sa condamnation à la peine capitale. C'est un jeune Américain d'origine iranienne dont le père et les amis disent qu'il est innocent, comme des porte-parole des organisations anti-iraniennes, le corps des Marines et le gouvernement américain. Les articles publiés dans les grands médias américains penchent également dans cette direction. Rien de très surprenant.

On affirme qu'il allait simplement en Iran voir sa grand-mère et que, pour ce faire, il avait demandé son passeport iranien. Sa condamnation ne serait qu'une manipulation montée par le gouvernement, de plus en plus paranoïaque, de Téhéran.

Selon ses proches, dès sa sortie de l'école secondaire, il se joint aux Marines. Il participe à la guerre d'Irak comme simple fantassin en Irak. On apprend aussi qu'il passe un certain temps à la Defense Language Institute de Monterey en Californie et qu'il a travaillé sur un projet de la Defense Advanced Research Projects Agency, l'organe de recherche scientifique du Pentagone. Curieux pour un simple fantassin, non?

Après son service chez les Marines qu'il quitte avec le grade de sergent, il devient un «entrepreneur privé» au service du Pentagone qui l'envoie en mission au quartier général du Central Command au Qatar, qui a la responsabilité de l'ensemble des opérations militaires américaines au Moyen-Orient. C'est du Qatar qu'il a pris l'avion pour l'Iran. Une fois arrivé à Téhéran, s'est-il rendu chez ses grands-parents? La famille ne veut rien dire. Les Iraniens affirment qu'il a plutôt pris contact avec le ministère iranien des Renseignements à qui il a offert ses services en tant qu'espion. Selon une déclaration télévisée qu'il a faite et dans son témoignage en cour, il a donné, sur ordre de la CIA, aux services iraniens, des documents secrets américains. Certains des documents étaient authentiques, alors que d'autres étaient des faux, une technique classique pour établir la crédibilité d'un «walk-in». Dans l'argot du métier, un «walk-in» est un espion qui propose ses services à l'adversaire sans avoir été approché.

Les Américains affirment que tout cela est faux et que le jeune homme a été forcé de faire ses déclarations sous la contrainte. Durant son procès les autorités iraniennes ont également soutenu que leurs espions l'avaient identifié sur la base américaine de Bagram en Afghanistan.

Le *New York Times* révèle que Hekmati a aidé une entreprise nommée Kuma Games à obtenir un contrat du Pentagone. Parmi ses réalisations, Kuma a créé une simulation d'une attaque américaine contre une installation nucléaire iranienne appelée *Assault on Iran* sur laquelle Hekmati affirme ne pas avoir travaillé. Par contre, il admet avoir développé chez Kuma pour la CIA des jeux d'ordinateur et des vidéos pour convaincre l'opinion publique du Moyen-Orient que l'intervention américaine était avantageuse pour les peuples de la région.

De deux choses l'une. Ou bien Hekmati est d'une naïveté extrême. Sachant que toutes ces informations préjudiciables à son sujet sont facilement accessibles, il se rend quand même en Iran pour voir sa grand-mère alors que les deux pays sont sur le bord d'une confrontation militaire.

Ou bien ces informations le liant au Pentagone ont été savamment ébruitées par la CIA afin d'établir sa crédibilité comme source de renseignements. Ainsi appâtés, les services secrets iraniens n'auraient dû avoir aucune difficulté à le croire lorsqu'il leur a proposé des documents secret-défense des États-Unis.

Qu'en pensez-vous ?

* Mise à jour : Le 5 mars 2012, la Cour suprême d'Iran a annulé la condamnation à mort de Hekmati et ordonné un nouveau procès.

Quand des États se comportent comme des terroristes

13 janvier 2012

Avez-vous remarqué? Dans les quatre cas récents où des scientifiques iraniens ont été assassinés, le mot terrorisme n'est presque jamais utilisé dans les dépêches des agences et les articles des grands médias. Pour CNN, le *New York Times*, le *Guardian*, Agence France Presse (AFP), Reuters, *Le Figaro*, et je ne mentionne que ceux-là, ce qui s'est passé à Téhéran est un assassinat probablement commis par des agents israéliens pour nuire au programme de recherche nucléaire iranien. Rien d'autre.

Terrorisme (ma définition): acte de violence, souvent spectaculaire, perpétré pour forcer un État à adopter une ligne de conduite notamment en effrayant son opinion publique («cessez vos recherches nucléaires»). Le terme est péjoratif. Donc réservé à l'adversaire, à l'ennemi, à la «mauvaise cause».

Le mot est tabou lorsque le crime est commis par Israël, les États-Unis ou un pays de l'Organisation du traité de l'Atlantique Nord (OTAN). La Grande-Bretagne, la France ne peuvent pas commettre d'actes de terrorisme. Pourtant, il arrive que les services secrets de ces pays assassinent des ennemis de l'État, commettent des attentats ou posent des bombes. Ce fut le cas, dans un passé récent, pour l'Angleterre dans sa lutte contre l'Armée républicaine irlandaise (IRA) et pour la France contre divers adversaires au Liban, en Afrique ou ailleurs. Le Rainbow Warrior, ça vous rappelle quelque chose?

Il n'y a de doute pour personne qu'Israël est à l'origine des attentats actuels contre l'Iran dans certains cas, avec la complicité des États-Unis. Comme pour le développement du virus informatique Stuxnet qui a détruit une partie des centrifugeuses iraniennes. Il s'agissait là de la première attaque de cyberterrorisme de l'histoire. Israël et les États-Unis ont ainsi créé un instrument technologique de pointe que des organisations terroristes islamistes vont pouvoir adapter pour s'attaquer aux systèmes industriels des pays technologiquement avancés. Brillante innovation !

Ça fait 60 ans qu'Israël a recours à l'assassinat pour entraver le développement technologique des pays arabo-musulmans afin de conserver sa supériorité militaire au Moyen-Orient.

En 1990, des assassins du Mossad ont tué un scientifique canadien à Bruxelles alors qu'il travaillait à développer pour l'Irak des canons géants capables de mettre des satellites en orbite. J'ai raconté son histoire dans mon livre *Gerald Bull. Les canons de l'Apocalypse* (Montréal, Éditions du Méridien, 1991).

Au début des années 1960, le Mossad a assassiné plusieurs personnes dans le cadre de l'opération Damoclès qui visait des scientifiques allemands travaillant pour le programme de recherche égyptien sur les missiles. À la fin des années 1970, le Mossad a lancé une opération semblable contre les projets scientifiques à applications militaires irakiens. En 1980, Yahia Al-Mashad, un des responsables du programme nucléaire irakien, a été tué dans une chambre d'hôtel de Paris. Al-Mashad a été torturé avant d'avoir le crâne défoncé. La prostituée qui a servi d'appât a elle-même été assassinée par la suite.

Le Mossad a également assassiné à l'étranger au cours des années des dizaines de membres d'organisations palestiniennes considérées comme terroristes. Depuis les attentats du 11 septembre 2001, la CIA s'en est inspirée pour procéder à des dizaines d'enlèvements et d'assassinats un peu partout dans le monde. Le président Obama a de plus autorisé l'utilisation des drones malgré les importants dommages collatéraux qu'ils occasionnent. On n'assassine pas seulement le suspect, mais on tue aussi tous ceux qui se trouvent à proximité, qui n'ont souvent rien à voir avec le terrorisme. Régulièrement aussi, il y a erreur sur la personne et un innocent est tué.

D'autres pays qui avaient abandonné ces méthodes de gangsters, comme la Russie, y reviennent. Il est particulièrement affligeant que les grands pays démocratiques d'Occident, comme les États-Unis, s'y adonnent.

Dans notre monde, la raison d'État a de plus en plus raison de l'État de droit.

Crimes de guerre, illégalités : Obama n'est pas mieux que Bush

16 janvier 2012

Les frappes de drones américains ont repris la semaine dernière au Pakistan. Elles avaient été suspendues à l'automne après qu'une attaque des États-Unis contre un poste militaire pakistanais eut tué 24 soldats. L'affaire avait soulevé la colère et l'indignation du pays.

Les frappes de drones américains vont finir par provoquer un coup d'État au Pakistan et installer au pouvoir à Islamabad les pires ennemis de Washington. Déjà, sondage après sondage, depuis dix ans, tout indique qu'une majorité de Pakistanais considèrent les États-Unis comme un pays ennemi.

Les personnes ciblées et tuées dans ces attaques n'ont jamais été accusées de quoi que ce soit devant quelque tribunal que ce soit. En fait, les États-Unis ne reconnaissent même pas officiellement qu'ils en sont les responsables. Il s'agit purement et simplement d'assassinats extrajudiciaires et c'est pourquoi un rapporteur spécial des Nations Unies s'intéresse aux exécutions à l'aide de drones.

Obama et ses conseillers s'arrogent le droit de décider de la mort d'individus soupçonnés d'être des ennemis des États-Unis. Au moins un Américain, Anwar al-Awlaki, a ainsi été tué au Yémen, devenant le premier citoyen américain exécuté par ordre direct de son président sans avoir été condamné par une cour de justice.

Combien Obama a-t-il fait exécuter de personnes partout dans le monde depuis qu'il est président ? Comme la CIA couve ces meurtres du secret d'État, impossible de savoir. Mais dans le cas du Pakistan, des statistiques compilées par des ONG existent. Une étude révèle que les 75 frappes de drones lancées en 2011 ont tué 609 personnes. Soulignons que seulement trois de celles-ci ont été identifiées comme étant des « commandants » d'al-Qaida. Dommages collatéraux ? Selon le Bureau of Investigative Journalism, plus de 175 enfants figurent parmi les 2 347 personnes tuées depuis 2004, dont au moins 392 civils qui se trouvaient à proximité des individus ciblés par les frappes décidées par Obama. On parle de 10 à 15 personnes tuées, pour chaque suspect visé.

Au cours de 2010, l'année la plus meurtrière de l'histoire des attaques de drones au Pakistan, les avions sans pilote de la CIA ont tiré 242 missiles Hellfire qui ont, notamment, détruit 38 maisons, 37 véhicules et une école coranique.

Un jeune Pakistanais de 16 ans, Tariq Aziz, dont la famille a été exterminée dans une attaque de drone, a pris des photos des cadavres de ses proches. Il a fait de même pour plusieurs autres attaques. Il a donné les photos à des journalistes et à des ONG. Les photos de bébés, de vieillards et de femmes enceintes assassinés ont grandement embêté les Américains. Tariq et son cousin âgé de 12 ans ont eux-mêmes été assassinés par un drone quelque temps après que son témoignage et ses photos eurent été rendus publics. Un avocat pakistanais, soutenu par l'ONG britannique Reprieve, envisage de porter plainte contre les États-Unis pour l'assassinat de Tariq Aziz et de son cousin. La politique étrangère criminelle d'Obama, comme celle de Bush avant lui, est possible à cause de l'ignorance crasse de la majorité des Américains des questions internationales et leur conviction intime qu'ils sont le peuple choisi par Dieu pour diriger le monde.

À l'étranger, aucun gouvernement, même pas le Canada harperien, n'a apporté son soutien aux assassinats par drones. Obama n'a pas offert à ses alliés inquiets ou à l'Organisation des Nations Unies (ONU) d'informations permettant d'établir que ces exécutions sont l'aboutissement d'un processus judiciaire normal. Dans une lettre à Obama, l'organisation humanitaire Human Rights Watch considère comme sans fondement et totalement inadéquates les prétentions de son administration selon lesquelles les «exécutions par drones de la CIA» sont conformes au droit international.

La communauté internationale et l'ONU doivent intervenir contre les États-Unis. L'impunité d'Obama pour son utilisation extrajudiciaire de drones au Pakistan et ailleurs dans le monde ouvre la porte à d'autres pays pour faire la même chose.

L'affaire d'espionnage de Halifax : les secrets qu'Ottawa dissimule au public

18 janvier 2012

La mystérieuse affaire qui implique Jeffrey Paul Delisle, un sous-lieutenant de la marine canadienne affecté à la base HMCS Trinity dans le port de Halifax, pourrait sortir d'un roman d'espionnage datant de la guerre froide*. Elle semble être un *remake* d'une histoire sur laquelle j'ai enquêté comme correspondant à Ottawa il y a plus de 20 ans.

Le HMCS Trinity est un site intégré de renseignement naval de l'OTAN. Il a pris la relève de la base américaine d'Argentia à Terre-Neuve, fermée dans les années 1990, comme principal centre de surveillance électronique de l'Atlantique Nord. C'est à HMCS Trinity qu'aboutissent les données provenant de capteurs déployés dans les profondeurs océaniques. Ces dispositifs électroacoustiques sont constitués de centaines d'hydrophones placés sur les fonds marins ou flottant entre deux eaux à la profondeur la plus propice à la propagation du son. Ils sont branchés sur des câbles posés sur les hauts-fonds qui acheminent vers Trinity des informations captées par les hydrophones. Portant le nom SOSUS, le système ultrasecret de détection et de surveillance acoustiques des grands fonds a été inauguré en 1966 et est constamment mis à jour. Il a depuis été complété par un réseau mobile appelé SURTASS (drones ?) et relié au système de surveillance sous-marine intégré IUSS.

Le système d'écoute sous-marine est particulièrement dense entre le Groenland et l'Islande et entre l'Islande et l'Écosse, les lieux de passage inévitables des sous-marins russes qui sont basés dans la péninsule de Kola dans la mer de Barents. Chaque sous-marin et d'ailleurs chaque navire de surface a une signature acoustique unique qui permet de l'identifier et de le suivre ensuite partout sur la planète. L'OTAN actualise ainsi constamment un catalogue complet de la flotte russe et de tous les autres submersibles qui passent dans l'Atlantique Nord.

Lorsque j'ai enquêté sur le sujet à la fin des années 1980, les Russes voulaient savoir si les nouvelles hélices de technologie Toshiba qu'ils avaient acquises rendaient leurs submersibles indétectables. Le service de renseignements militaires soviétique GRU avait recruté un Canadien d'origine hongroise, Stephen Ratkai, comme intermédiaire pour recevoir des informations provenant d'une militaire américaine travaillant à la base d'Argentia. Elle était un agent double. Ratkai a été arrêté alors qu'il lui remettait 1 000 dollars pour des documents sur le système de surveillance SOSUS. Il a plaidé coupable d'espionnage au profit de l'URSS et a été condamné en mars 1989 à neuf ans de prison**.

Les Américains n'avaient pas apprécié que la société japonaise Toshiba vende à l'Union soviétique sa technologie avancée de propulsion sous-marine. Pour la punir, le Congrès américain lui a interdit de vendre ses produits électroniques aux États-Unis pendant deux ans.

Ottawa avait décidé d'expulser 17 diplomates russes, dont 12 attachés au consulat de Montréal, parce qu'ils étaient impliqués dans le dossier Ratkai ou s'étaient livrés à d'autres activités d'espionnage. Comme le gouvernement conservateur de Mulroney voulait maintenir de bonnes relations avec Moscou, l'expulsion devait se faire secrètement. Mis au courant de ce qui se tramait, j'ai révélé l'affaire qui était manifestement d'intérêt public.

La diffusion de mon reportage a provoqué une énorme embrouille diplomatique avec les Russes qui, comme représailles, ont expulsé des diplomates canadiens de Moscou, provoquant ainsi de nouvelles expulsions de Russes du Canada. Je soupçonne que c'est pour éviter un tel cirque que le Canada refuse d'identifier la Russie comme étant à l'origine de la nouvelle affaire d'espionnage.

Pourquoi dans ce dossier les autorités ont-elles déclaré qu'il n'y avait pas de menaces directes pour la sécurité des Canadiens? Parce que tout porte à croire que les Russes étaient encore une fois à la recherche de renseignements sur la surveillance de leurs sous-marins par l'OTAN. La sécurité du Canada n'était donc pas directement en cause.

* Mise à jour: En octobre 2012, Delisle a plaidé coupable aux accusations d'abus de confiance et d'avoir transmis des informations secrètes à une entité étrangère. En février 2013,

il a été condamné à 20 ans d'emprisonnement et à une amende de 111 000 dollars.

** J'ai raconté l'affaire Ratkai dans mon livre *Enquêtes sur les services secrets* (Montréal, Éditions de l'Homme, 1998).

Le suicide du ripou Davidson : que cache la police de Montréal ?

19 janvier 2012

Le suicide du sergent-détective Ian Davidson quelques jours après que son nom fut divulgué dans les médias comme un pourri qui voulait vendre à la mafia la liste des informateurs du Service de police de la Ville de Montréal (SPVM) au sein du milieu criminel soulève plusieurs questions troublantes.

Mais réglons d'abord un cas de désinformation. Certains journalistes, peut-être téléguidés par des policiers, avancent qu'on n'aurait sans doute pas pu porter d'accusations criminelles contre lui. Comment peut-on être aussi stupide ou aussi ignorant ? Il a manifestement volé des informations hautement confidentielles à la police qui valaient plus que 5 000 dollars puisqu'il les a offertes à la mafia pour un million. Affirmer que la preuve aurait été difficile à faire est tout aussi idiot puisque c'est un avocat de la défense qui a alerté les autorités et qu'il a reconnu publiquement avoir eu l'offre de Davidson. Il aurait été obligé de témoigner*. Mais le fait de dire que des journalistes complaisants servent de porte-voix à la police n'est pas plus une primeur que d'affirmer qu'il y a des ripoux en uniforme.

Il est certain que des membres importants du SPVM ont dû participer à plusieurs conciliabules pour discuter de la façon de cacher le scandale à l'opinion publique. On a peut-être même envisagé de supprimer Davidson ou de l'encourager à le faire. Ce ne serait pas la première fois que ça arrive.

Il y a une vingtaine d'années, alors que j'enquêtais sur des ripoux au sein de la section des stupéfiants de la GRC à Montréal, le sergent d'état-major Paul Sauvé, qui purgeait alors une peine d'emprisonnement, avait révélé qu'un de ses supérieurs l'avait encouragé à se suicider au moment de son arrestation. On lui avait proposé de le laisser seul 15 minutes avec son arme «pour laver ton déshonneur et éviter le déshonneur de la force». Quelques années plus tard, le même officier, alors cadre supérieur de la GRC, avait eu un bref entretien avec un autre ripou de la force, Claude Savoie. La sécurité interne de la police fédérale était en route vers son bureau au quartier général d'Ottawa. Savoie s'est tiré une balle dans la tête avant qu'on puisse l'interroger sur les intelligences qu'il entretenait avec une organisation criminelle par l'intermédiaire de l'avocat Sidney Leithman. Lui-même sera mystérieusement assassiné par la suite.

Pour en revenir au cas Davidson, comment se fait-il qu'on était au courant depuis le mois d'avril de sa trahison et qu'il était toujours en liberté? Dans quelles circonstances l'a-t-on empêché de prendre l'avion pour le Costa Rica en octobre 2011? Certains médias affirment qu'on l'a enlevé. Est-ce vrai? Pourquoi ne l'a-t-on pas arrêté si on a saisi dans ses valises des documents compromettants? Pourquoi a-t-il été relâché puisqu'on savait depuis des mois qu'il possédait des informations qui pouvaient mettre la vie de centaines de personnes en danger?

Était-il pris en filature 24/7 depuis avril? Depuis octobre? Sinon, pourquoi? Si oui, ça veut dire qu'il était pris en filature lorsqu'il a quitté son domicile pour aller se suicider au Best Inn.

À combien de reprises et dans quelles circonstances a-t-il rencontré des membres du SPVM entre le mois d'octobre et son suicide? Était-ce des rencontres informelles ou des interrogatoires?

Combien d'actes criminels autorisés (C-24) la police a-t-elle commis dans cette affaire? Lesquels? Quelle est l'autorité supérieure qui a donné les autorisations?

Est-ce qu'on a demandé à la police du Costa Rica de perquisitionner sa résidence dans ce pays? Sinon, pourquoi ne l'a-t-on pas fait? Encore une fois, il s'agissait d'une affaire gravissime où de nombreuses vies humaines étaient en cause.

Quel a été le rôle de la GRC dans cette affaire? On peut penser que c'est elle qui a découvert ce que Davidson tramait par son écoute électronique du clan sicilien qui a mené à l'arrestation de Raynald Desjardins pour le meurtre du mafioso new-yorkais Montagna. Le SPVM, même s'il l'a envisagé, ne pouvait plus alors cacher qu'il y avait un retraité ripou qui voulait monnayer les secrets les mieux gardés de l'organisation.

Des réponses précises à ces questions risqueraient d'exposer des comportements illégaux, inacceptables ou contraires à la déontologie policière. Les flics vont tout faire pour étouffer l'affaire et ils vont sans doute réussir. Une enquête indépendante? N'y pensez même pas. Ni Tremblay ni Charest ne veulent les indisposer par les temps qui courent.

* Mise à jour: Pourquoi le SPVM n'a-t-il pas immédiatement monté une opération d'agent infiltré contre Davidson? On aurait pu ainsi l'arrêter au moment de l'échange d'argent contre les documents.

Le Parti républicain américain a perdu les pédales

23 janvier 2012

Dans une des grandes démocraties occidentales, un parti d'extrême droite appuyé par des fanatiques religieux talonne présentement le parti au pouvoir en vue des prochaines élections présidentielles. Non, ce n'est pas la France avec le Front national, mais le Parti républicain aux États-Unis. Le parti de

Lincoln, en pleine dérive, se situe maintenant carrément à l'extrême droite de l'échiquier politique. Comparativement à lui, le parti de Marine Le Pen est un parti centriste. Les conservateurs de Stephen Harper se situent carrément à gauche.

Depuis le début de sa campagne à l'investiture républicaine, Newt Gingrich, un menteur, un hypocrite, ne se gêne d'ailleurs par pour qualifier de « modérés » ses adversaires et, en particulier, le moron… pardon, le mormon Mitt Romney. Être un « modéré » est l'insulte suprême que Gingrich et les autres dingues de son acabit utilisent pour salir leurs adversaires auprès des électeurs républicains.

La preuve que Romney est un vendu aux étrangers et qu'il est presque aussi dangereux qu'Obama, selon Gingrich, c'est qu'il parle français. Une publicité télévisée de Gingrich se contente de le montrer en train de dire quelques phrases dans notre langue. De quoi le discréditer à jamais auprès des demeurés qui participent aux primaires républicaines.

Bon, il y a peu de risques que Gingrich obtienne l'investiture républicaine. Ça va sans doute être Romney, le « moins pire » du groupe de bizarroïdes qu'on croirait sortis d'une émission satirique de télévision comme *Saturday Night Live*. Rappelez-vous : Gingrich est l'hypocrite qui voulait chasser Bill Clinton de la Maison-Blanche pour sa relation avec la stagiaire Monica Lewinsky, alors que lui-même était impliqué dans une relation adultère. Il dénonce les grands groupes de prêts hypothécaires Freddie Mac et Fannie Mae, alors qu'il a reçu plus d'un million de dollars de frais de consultation de leur part. Comme faux jeton, c'est dur à battre !

Le Parti républicain renoue avec la vieille tradition américaine des ignorants fiers de l'être, de l'ignorance comme une vertu. Encore de nos jours l'anti-intellectualisme est une valeur sûre pour une partie significative de l'électorat américain « de l'intérieur », cette vaste étendue entre le Nord-Est et la

Californie. La triste réalité est qu'il y a des dizaines de millions d'Américains qui croient au ramassis d'inepties que colporte l'extrême droite messianique américaine, qui a pris le Parti républicain en otage. Au cœur de leur «plate-forme», les «*reaganomics*».

J'espère que vous ne pensez pas que Ronald Reagan a été un grand président. C'est sous Reagan que le Parti républicain a perdu les pédales. Les années Reagan ont été caractérisées par d'énormes déficits budgétaires provoqués par des augmentations des dépenses militaires accompagnées de baisses d'impôts radicales. Les problèmes économiques actuels des États-Unis ont pour origine le programme de déréglementation des institutions financières de Reagan imaginé par Alan Greenspan qu'il a nommé patron de la réserve fédérale. *Time Magazine* le place troisième dans sa liste des 25 personnes à blâmer pour la débâcle financière de 2008.

Et Obama, me direz-vous, n'a rien de particulièrement inspirant. L'homme a trahi ses engagements et les idéaux de toute une génération de jeunes qui pensaient qu'il allait changer la politique. Mais il est lucide, intelligent et cultivé. Il risque d'être réélu par défaut. Simplement parce que ses adversaires préconisent des politiques insensées.

La force d'Obama, cette année, est le crétinisme certifié des républicains et de leur plate-forme électorale.

Gouvernance souverainiste : Marois et le PQ n'ont pas le choix

25 janvier 2012

Bernard Landry est malheureux parce qu'il a abandonné la chefferie du PQ alors que 76 % des membres du parti l'appuyaient. C'était insuffisant pour un homme de sa trempe. Il n'en finit pas de le regretter. Et il aime nous rappeler régulièrement comment il aurait fait mieux que ceux qui l'ont suivi.

Il dénonce la «gouvernance souverainiste» de Pauline Marois comme l'élément toxique à la racine des problèmes du parti et claironne que «l'heure du réveil a sonné». Je crois au contraire que la publication de sa lettre démontre que le mouvement indépendantiste est encore profondément empêtré dans des querelles sur le sexe des anges alors que le bateau menace de couler.

Pourquoi la « gouvernance souverainiste » est-elle inappropriée? N'est-ce pas ce qu'ont fait tous les premiers ministres indépendantistes de René Lévesque à Bernard Landry? Comme l'a noté le député de Jonquière, Sylvain Gaudreau, c'est avec la gouvernance souverainiste que René Lévesque a fait adopter le projet de loi 101 et négocié une entente sur le partage des responsabilités en immigration.

Le programme de Marois est ambitieux: «Nous allons repousser à sa limite le carcan constitutionnel canadien. Nous allons exiger de nouveaux pouvoirs, le rapatriement d'espaces fiscaux, les budgets dans des domaines comme la langue, l'environnement, la culture, le développement économique, l'immigration»*. Il sera difficile pour les néodémocrates, les libéraux et les conservateurs de s'opposer à la compétence exclusive du Québec en matière de culture, de communications et de langue.

Les adversaires de la gouvernance souverainiste contestent-ils que l'adoption d'une Constitution et d'une citoyenneté québécoises, comme le propose la chef du PQ, va faire monter le Canadien anglais moyen dans les rideaux?

Une telle stratégie braquerait le Canada harperien contre le Québec et favoriserait une prise de conscience nationale des Québécois. S'engager à réaliser des projets d'affirmation nationale dès la prise du pouvoir au sein même du Canada est d'ailleurs la seule façon de convaincre un peuple québécois vieillissant, pas très audacieux de nature et en déclin démographique, d'accorder son vote au PQ.

Bernard Landry a-t-il regardé récemment la courbe d'âge des francophones, celle de la baisse de leur démographie ? Dans la région de Montréal, l'immigration rend à chaque élection un nouveau comté imprenable au PQ.

Landry affirme que « les sondages mettent la souveraineté plus haut aujourd'hui que 10 mois avant le référendum de 1995 ! » ET IL S'EN CONSOLE ! Ça veut dire qu'en 17 ans, l'idée n'a fait pratiquement aucun progrès dans la population. Elle stagne.

Le prochain référendum doit être le bon parce qu'il va être le dernier. La minorisation des francophones dans leur propre État est à l'horizon. Au Canada anglais, l'indépendance du Québec ne fait plus peur parce qu'on croit qu'elle est déjà impossible.

N'en déplaise à Bernard Landry, non seulement la « gouvernance souverainiste » n'est pas à l'origine des difficultés actuelles du mouvement indépendantiste, mais elle est la seule option possible pour le faire progresser. Promettre simplement un référendum dès la prise du pouvoir est la meilleure façon pour le PQ de se condamner à rester dans l'opposition jusqu'à sa disparition.

La rage d'autodestruction actuelle du mouvement indépendantiste québécois est à la fois fascinante, tragique et difficile à comprendre. Pendant que l'équipage se chamaille, le bateau fonce vers une côte rocheuse. On semble oublier que le temps, la démographie, l'immigration jouent irrémédiablement contre nous. À l'heure actuelle, je ne vois vraiment pas comment nous allons nous en sortir.

* Mise à jour : L'élection d'un gouvernement minoritaire a obligé Mme Marois à repousser la plupart des projets liés à la « gouvernance souverainiste ».

L'embargo pétrolier : Washington vise l'Iran et frappe l'Europe dans le mille

27 janvier 2012

Les Américains croyaient avoir fait un bon coup en imposant un embargo contre les exportations pétrolières iraniennes et en convainquant leurs alliés européens réticents d'y adhérer. L'Europe en proie à des difficultés économiques majeures avait convaincu Washington de retarder l'imposition de l'embargo au 1er juillet. Il fallait permettre à plusieurs pays, dont la Grèce, l'Italie et l'Espagne, de se trouver d'urgence de nouveaux fournisseurs et de mieux se préparer au choc pétrolier qui allait s'ensuivre. Le Fonds monétaire international (FMI) estime que l'arrêt des livraisons de l'Iran, cinquième plus grand producteur mondial, pourrait faire grimper le prix du pétrole de 20 à 30 % en Europe.

Plutôt que d'attendre le coup, Téhéran a décidé de frapper le premier et d'arrêter immédiatement ses livraisons de pétrole à l'Europe. Le Parlement iranien doit adopter dimanche une loi en ce sens. En marchant au son du tambour américain, les dirigeants européens vont accroître les difficultés économiques des plus pauvres de leurs citoyens.

Comme la Chine, la Russie et d'autres pays asiatiques n'ont pas l'intention de respecter l'embargo américain, ses effets sur la pérennité du régime iranien sont encore à démontrer.

Jusqu'ici les sévères sanctions imposées par les États-Unis contre l'Iran touchent d'abord les Iraniens ordinaires. Elles se traduisent par un accroissement important du chômage et une inflation galopante. Le prix de la viande et du lait a augmenté jusqu'à 50 %. Mais au lieu de faire pression sur leur gouvernement pour qu'il se conforme aux diktats de Washington, les Iraniens le soutiennent. Les sanctions ont renforcé le régime. Jamais l'Iran n'a été aussi calme, jamais l'opposition n'a été aussi silencieuse. Les Iraniens détestent encore plus les États-Unis que les mollahs à barbe grisonnante qui les dirigent.

Un régime draconien de sanctions similaires imposé dans les années 1990 à l'Irak avait eu pour résultat la mort de centaines de milliers d'Irakiens pauvres, les privant de biens essentiels, et n'avait pas vraiment ébranlé le régime dictatorial de Saddam Hussein. Des sanctions contre la dictature haïtienne à la même époque s'étaient révélées tout aussi inefficaces. Les sanctions économiques adoptées contre un pays frappent d'abord les classes sociales les plus démunies, incapables de faire face à l'accroissement des coûts des matières et des services de première nécessité. Dans ces deux cas, les États-Unis finirent par envahir le pays et l'occuper militairement pour se débarrasser du régime.

Pourquoi alors décréter de telles sanctions si elles se révèlent inefficaces ? C'est essentiellement une question de prestance. Particulièrement pendant une année électorale, faut montrer qu'on ne nargue pas la première puissance militaire et (encore pour quelques années) économique de la planète sans conséquence.

Dans le cas de l'Iran, le message de détermination s'adresse à Tel-Aviv et au lobby israélien aux États-Unis. Obama espère ainsi gagner ses élections et aussi retarder le plus possible l'attaque israélienne contre les installations nucléaires iraniennes.

Les sanctions sont supposées empêcher l'Iran de développer des armes nucléaires. Il n'existe aucune preuve qu'un tel programme existe. Des rapports récents de l'Agence internationale de l'énergie atomique (AIEA) et des services secrets américains concluent que le programme d'enrichissement d'uranium est mené à des fins civiles.

Encore une fois, les Américains ont sous-estimé leur adversaire. Et le coup qui visait l'Iran risque de frapper l'Union européenne en pleine face, elle qui est confrontée à une crise économique qui menace son existence même. Tout un dommage collatéral !

Le NPD face au gouffre entre le Québec et le Canada

30 janvier 2012

Toute l'affaire des prétendus détournements de fonds du Parlement par Gilles Duceppe à des fins partisanes a de plus en plus les allures d'un coup de salaud monté par des personnes qui ne voulaient pas le voir à la tête du PQ*. La collaboration empressée de *La Presse* à l'opération de salissage allait évidemment de soi. Même le candidat le plus en vue au leadership néodémocrate, Thomas Mulcair, pense que c'est un pétard mouillé. Dans un point de presse après le dernier débat des candidats à la direction du parti, il a déclaré que rien jusqu'ici ne lui permettait de croire que Gilles Duceppe a contrevenu aux règlements de la Chambre des communes. Il a souligné que les députés avaient beaucoup de latitude dans l'emploi des allocations qu'ils reçoivent du Parlement.

Mulcair comprend qu'il n'est pas dans son intérêt et dans celui du parti de mener une vendetta contre Duceppe qui va leur mettre le Québec à dos. Les derniers sondages indiquent que le NPD est en chute libre au Québec. Il a perdu 15 points depuis les dernières élections fédérales et est maintenant nez à nez avec le Bloc québécois : 28 % contre 27 %.

Le Bloc est de nouveau le premier parti des francophones. Les poteaux que le NPD a fait élire ne sont pas seulement, à quelques exceptions près, nuls, mais ils sont aussi transparents, inodores et incolores.

Le recul du parti de Jack Layton au Québec se fait en partie au détriment du Parti libéral. Même les «anglo-ethniques» se lassent d'appuyer le parti de Trudeau, de Chrétien et de la mafia.

Ces chiffres confirment mes analyses sur le caractère irrationnel et impulsif du vote massif des francophones en faveur du NDP le 2 mai 2011. Ils ont voté Jack pour faire comme tout le monde. La volonté collective qui se manifeste lors d'élections est l'agrégat des comportements individuels modulés en fonction des attitudes des proches (famille, amis, etc.), des personnalités médiatiques valorisées, de la propagande des partis et des groupes de pression. Jack faisait l'unanimité.

Si le vote avait été basé sur un choix rationnel, par exemple sur sa non-représentativité des aspirations de l'électorat, comment aurait-on pu expliquer son regain de faveur en si peu de temps? Rappelez-vous les sondages d'opinion qui plaçaient le Bloc en première place jusqu'à ce que Jack Layton participe à l'émission *Tout le monde en parle* et que les médias commencent à mousser unanimement le «phénomène Jack».

Je suis toujours convaincu que c'est l'irrationalité des électeurs québécois qui explique l'effondrement du Bloc. Les comportements irrationnels collectifs sont une caractéristique humaine aussi vieille que l'espèce elle-même. Accompagnés d'emballements spontanés, ils peuvent être manipulés et canalisés par des charlatans ou des héros charismatiques. Connaissez-vous *Le viol des foules par la propagande politique* de Serge Tchakhotine (Paris, Gallimard, 1992)?

Certains néodémocrates pensent que tout cela va changer, une fois Thomas Mulcair élu chef du NPD. Son élection n'est pas assurée. Et il ne pourrait que ralentir l'effritement des appuis du parti au Québec.

Dix pour cent des membres du NPD proviennent du Québec, alors que sa représentation aux Communes est composée de près de 60 % de députés québécois. Comment le prochain chef du NPD va-t-il pouvoir défendre aux Communes les intérêts souvent inconciliables de ses électeurs canadiens et québécois ? Il aura même de la difficulté à défendre au Canada anglais la position officielle du NPD sur le Québec, la fameuse «déclaration de Sherbrooke» qui affirme qu'un vote de cinquante pour cent plus un est suffisant pour réaliser la sécession du Québec.

L'homme compatissant au sourire charmeur n'est plus là !

* Mise à jour : Fin novembre 2012, Gilles Duceppe a été blanchi des allégations d'utilisation illégale des ressources fournies par le Parlement par le Bureau de régie interne de la Chambre des communes.

Les compteurs d'Hydro : le SCFP entraîne le PQ et QS dans une bataille obscurantiste

1er février 2012

On n'arrête pas le progrès, même si, des fois, on réussit à le retarder. Ça doit faire 20 ans que Hydro a les moyens d'établir à distance notre consommation d'électricité, mais n'ose pas le faire pour éviter une confrontation syndicale. Elle a finalement décidé de mettre son réseau à jour et d'affronter la furie réactionnaire du SCFP.

Si les innombrables grèves sauvages dans les transports en commun des grandes villes du Québec depuis 40 ans ne vous ont pas convaincus de l'irresponsabilité sociale des syndicats et de leur corporatisme effréné, en voici un nouvel exemple.

Le syndicat des employés d'Hydro-Québec, le SCFP, mène une campagne de grande envergure pour s'opposer au passage aux compteurs électroniques. En cause, des centaines d'emplois n'exigeant presque aucune qualification, sauf savoir lire et écrire.

Le SCFP devrait plutôt s'assurer que les employés touchés soient replacés ailleurs dans l'entreprise, prennent une retraite anticipée ou obtiennent une indemnité de départ intéressante. Mais l'intérêt des leaders syndicaux passe avant l'intérêt de la société et des syndiqués. Le SCFP ne peut pas perdre de cotisations syndicales. Dans l'ordre, les syndicats sont là pour défendre les chefs des syndicats, les intérêts corporatistes des syndicats et, enfin, leurs membres.

Le problème du SCFP est que cette bataille n'intéresse jusqu'ici que peu de monde. Pour empêcher Hydro d'installer ses compteurs électroniques, le SCFP a donc décidé de faire peur au monde au sujet des « ondes électromagnétiques dangereuses » que dégageraient ces appareils. Par le biais d'une obscure « Coalition québécoise de lutte contre la pollution électromagnétique », on veut vous faire croire que ces ondes menacent votre santé et pourraient être cancérigènes.

Ça risque de marcher. Pour 90 % des gens, « les ondes électromagnétiques », c'est mystérieux et donc inquiétant. Si, en plus, vous y associez le mot cancer, mission accomplie. Vous aller mobiliser l'opinion publique dans l'équivalent contemporain d'une campagne de défense des ouvriers de la chandelle contre l'électricité. « Attention ! l'électricité dans vos maisons, c'est dangereux ! Ça peut électrocuter à mort ceux qui s'y trouvent : vous, vos vieux parents et vos enfants ! » Le refus des progrès technologiques destructeurs d'emplois n'est pas un phénomène nouveau. Au XIXe siècle, de crainte que les machines à tisser les remplacent, les ouvriers jetaient leurs sabots dans les engrenages en bois des appareils pour les détruire. D'où le mot sabotage.

Vous êtes déjà noyés dans une mer d'« ondes électromagnétiques ». Vos micro-ondes, vos radios, vos téléviseurs, vos ordinateurs avec leur souris, leur clavier et leur réseau, tous sans fil, en irradient. Comme votre GPS et, surtout, vos téléphones mobiles que vous portez constamment à votre bouche. Les « ondes électromagnétiques » des compteurs électroniques d'Hydro ne représenteront pas le millième de ce tsunami quotidien qui submerge vos organes vitaux. Et vous n'allez tout de même pas vous mettre à embrasser à bouche que veux-tu votre compteur électronique d'Hydro !

Comme c'était prévisible, QS et le PQ se mobilisent en faveur de cette campagne passéiste. Amir Khadir et Bernard Drainville sont déjà sur les barricades. Ça m'attriste, mais ça ne me surprend pas (solidarité avec les camarades syndiqués) de la part de ces types intelligents qui ne doivent pas croire un mot de ces sornettes.

Le Syndicat canadien de la fonction publique a d'autres batailles à mener que ce combat réactionnaire et d'arrière-garde. Hydro-Québec défend dans cette affaire les intérêts de ses clients et actionnaires que nous sommes tous.

Le SCFP et la soi-disant Coalition sont totalement silencieux sur les dangers d'être à proximité des lignes à haute tension d'Hydro-Québec. Pourquoi donc ? Des centaines de syndiqués-cotisants y travaillent et il faut protéger leurs emplois.

La mort de Chantal Lavigne : que faire contre les charlatans qui exploitent les femmes ?

3 février 2012

« L'heure est venue de mourir à ce corps que vous croyez être. Cessez de craindre. La mort est la liberté, la mort est la vérité, le retour à Dieu... » Ce sont les dernières paroles qu'a entendues Chantal Lavigne avant de cuire à l'étouffée avec une boîte de carton sur la tête, selon le ruban sonore de la séance de « croissance personnelle » à laquelle elle participait, obtenu par Radio-Canada.

Cela ne s'est pas passé dans un pays arriéré où des populations ignorantes sont assujetties à des sorciers. Cela est arrivé à Durham-Sud au Québec en juillet 2011. Âgée de 35 ans et mère de deux jeunes enfants, Chantal Lavigne faisait partie d'un groupe de huit femmes qui se sont, en toute lucidité, soumises à ce traitement sadomaso complètement idiot.

On suppose qu'elles avaient vérifié les compétences de la responsable du programme, Gabrielle Fréchette, avant de payer pour s'inscrire au « traitement » de plusieurs heures. À la radio, pour se justifier, elle a fièrement expliqué à Paul Arcand qu'elle avait suivi une formation de huit mois auprès d'un « shaman-druide » en Bretagne. Ses clientes/adeptes/victimes ont cru que cette référence était suffisante pour lui permettre de les faire cuire. La connerie humaine est sans limites !

L'éducation généralisée au Québec depuis deux générations a fait reculer chez nous l'ignorance. Malheureusement, elle n'a rien fait contre la bêtise et la stupidité. On se dit que dans une société avec un haut niveau de scolarité comme la nôtre, les guérisseurs, les féticheurs et autres sorciers sont contraints de se recycler dans d'autres combines comme la vente d'autos usagées. Mais non, ils semblent avoir un auditoire grandissant comme l'indique la popularité des sectes, des thérapies ésotériques et des médecines alternatives. Dans leur grande majorité, leurs victimes consentantes sont des femmes.

C'est affligeant. Même celles avec une bonne éducation sont souvent dénuées de jugement. Une partie importante de la population où l'on trouve encore une fois plus de femmes que d'hommes croit aux horoscopes, aux diseuses de bonne aventure, s'inscrit à des cours de «croissance personnelle» ou adhère à des sectes «scientifiques» comme les raëliens et les scientologues ou plus traditionnelles comme les Enfants de Marie. La vieille religion catholique a été remplacée par n'importe quoi. On croit aux esprits, aux fantômes, aux revenants, aux extraterrestres, aux extratemporels, aux voyageurs d'autres univers.

L'irrationnel mène toujours le monde. Il ne fait que prendre de nouvelles formes dégradées de la religion. Les impulsions, les émotions, l'appât du gain, la peur de la mort, l'amour, la haine, le besoin d'affection dictent les comportements de la plupart des gens. Les considérations rationnelles viennent ensuite. Tout est là pour faire la fortune des «thérapeutes», des pop-psychologues et des autres charlatans.

Que faire? Pas grand-chose de possible. Les Gabrielle Fréchette vont continuer à exploiter les Chantal Lavigne de ce monde, protégées par la liberté de culte et les libertés individuelles. On pourrait quand même renforcer l'autorité des ordres professionnels et de l'État sur ceux qui offrent des traitements et des thérapies ou qui prétendent parler au nom d'entités surnaturelles.

Pour les futures générations, il faut développer l'esprit critique des jeunes. Mais c'est probablement peine perdue. Regardez la Russie. Après 75 ans d'imposition de la science comme religion d'État, la religion orthodoxe est revenue en force dès la dissolution du régime communiste.

L'homme est un singe croyant, c'est dans sa génétique, ça lui donne sans doute un avantage au niveau de la sélection naturelle. Les sceptiques, les cartésiens constitueront toujours une minorité.

Jean-François Lisée est-il d'abord indépendantiste ou de gauche ?

6 février 2012

Jean-François Lisée a bien mérité de la patrie. C'est lui qui a exposé comme tricheur et naufrageur du Québec le méprisable *wheeler-dealer* Robert Bourassa après avoir habilement gagné sa confiance. Quand je l'ai entendu à la radio vendre les mérites de son nouveau livre, je me suis dit que ce maître de l'autopromotion avait réussi à convaincre son petit éditeur Boréal de dépenser une fortune en publicité.

Quel ne fut pas mon étonnement en achetant la plaquette de constater qu'elle était publiée chez Quebecor Media. Dans son livre, Lisée accuse des filiales de cet empire médiatique de propager des mensonges sur de prétendues tares et déficiences des Québécois. C'est une bien petite compromission avec la droite pour assurer à l'opuscule une notoriété méritée. Curieusement, l'activité non négligeable de Radio-Canada dans ce domaine est passée sous silence. Je me demande pourquoi ?

Le titre du pamphlet, *Comment mettre la droite K.-O. en 15 arguments*, ne correspond pas à son contenu. Il n'y a rien là-dedans pour terrasser le monstre visé par Lisée. L'auteur se contente de réfuter avec pertinence, habileté et une certaine ironie des mensonges propagés par des commentateurs dont la principale caractéristique est d'être opposés à l'indépendance du Québec. Les gens qu'attaque Lisée sont des fédéralistes avant d'être de droite. D'ailleurs, contrairement à ce qu'affirme le titre, Lisée ne veut pas mettre la droite K.-O. mais le fédéralisme. La preuve ? Il consacre lui-même plusieurs pages (p. 126-132) à proposer une grande coalition des indépendantistes de droite et de gauche. Il ne veut pas assommer la droite, il veut l'embrasser ! Mais le titre ne serait pas vendeur.

Lisée ne s'en prend vraiment qu'au petit segment de la droite d'ici que j'appellerais « fédéraliste apatride » en partie coagulée autour du Réseau Liberté-Québec : Duhaime, Marcotte et Cie (d'autres souillent les pages de *La Presse* et du *Soleil*). Ces épigones québécois du Tea Party singent la droite anglo-canadienne incarnée par le *National Post* et son fondateur-idéologue en chef, le fraudeur emprisonné Conrad Black.

Cela dit, le livre de Lisée mérite d'être lu. J'ai applaudi sa réfutation des pisse-vinaigre de l'Institut économique de Montréal et des pleure-misère des autres cénacles fédéralistes qui ne trouvent jamais rien de bon à dire sur le Québec. D'ailleurs ces prophètes de malheur traversent actuellement une mauvaise période. Depuis trois ans, l'économie québécoise performe mieux que celle de la plupart des pays de la planète.

Jean-François Lisée a raison d'insister sur le fait que notre société est plus juste et plus égalitaire que celles qui nous entourent en Amérique du Nord et de souligner que c'est à cause du rôle de notre État. C'est une immense réalisation qui nous honore. On paie plus d'impôts qu'ailleurs et on a plus de services de l'État qu'ailleurs. Et moins de pauvreté. Si seulement notre État pouvait maintenir sa liberté d'action face aux lobbies patronaux et syndicaux...

Ne comptez pas sur Lisée pour dénoncer les abus syndicaux. C'est un homme de gauche, il le proclame presque à chaque page de son livre. Ça m'agace, ce besoin de la plupart des intellectuels indépendantistes de constamment se proclamer, haut et fort, « de gauche », comme si cela était un sceau de probité ou une incantation magique qui les protège contre les erreurs de jugement et les dévoiements.

Le plus grand appui international que le mouvement indépendantiste ait jamais eu est venu d'un vieux général issu de la droite classique, Charles de Gaulle. Seul en 1940, il a incarné la France, alors que les députés socialistes à la Chambre des députés votaient à l'unanimité les pleins pouvoirs au maréchal Pétain. Québec solidaire est plus solidaire que québécois, comme Amir Khadir l'a démontré en recommandant de voter NPD contre le BQ. C'est d'ailleurs le drame du Bloc d'avoir trop voulu être à gauche au point d'en oublier parfois d'être québécois. Il a ainsi fait le lit de Jack Layton.

Peut-on, doit-on faire l'association syndicats-gauche-indépendance ? L'appui inconditionnel des grands syndicats québécois au BQ, dont Gilles Duceppe était si fier au début de la campagne électorale, a montré que leurs véritables capacités de mobilisation auprès de leurs membres sont à peu près nulles. Une question au sujet du syndicalisme et de la gauche : à quel courant progressiste appartiennent les nombreux amis syndicalistes et parfois aussi associés d'affaires de Tony Accurso qui se retrouvaient sur son yacht ?

Tortures ou assassinats de masse ? Il n'y a pas de place pour l'hypocrisie

8 février 2012

Le ministre de la Sécurité publique Vic Toews l'a écrit en 2010 au directeur du SCRS, Richard Fadden. Dans certains cas, où une « menace pour la vie humaine ou la sécurité publique » existe, des informations émanant de services secrets étrangers qui ont recours à la torture peuvent être utilisées.

Il s'agit d'une volte-face pour le gouvernement Harper qui avait affirmé en 2009 que ses services secrets ne devaient pas avoir recours à des renseignements étrangers obtenus par la torture, même si cela pouvait éviter une catastrophe et sauver des vies.

Je dis, pour une fois : bravo ! les conservateurs.

Bon, la torture n'est pas une façon moralement acceptable ou même une façon efficace d'obtenir des renseignements de prisonniers. La victime va finir par dire n'importe quoi à ses tortionnaires pourvu que la douleur cesse. Elle va leur dire ce qu'ils veulent entendre. Les Américains ont fait la preuve de cela avec des prisonniers membres d'al-Qaida. L'information ainsi obtenue est par définition douteuse. Et quand cela implique des événements passés, aucune intervention opérationnelle n'est possible.

Mais si un service secret étranger, disons, par exemple, égyptien ou syrien, avise le SCRS qu'un de ses suppliciés a révélé des informations sur un événement planifié par son organisation terroriste et pas encore réalisé, que doit-on faire ?

On parle ici de renseignements circonstanciés. Une bombe placée à bord de tel avion qui doit bientôt décoller. Une valise piégée dans une gare ou un aéroport précis qui doit sauter dans les prochaines heures. Une voiture bourrée d'explosifs stationnée dans un endroit identifié dans une rue achalandée à une heure de pointe.

La vie de centaines ou de milliers de personnes est en cause. Dans ces « circonstances exceptionnelles », peut-on vraiment dire non merci, nous ne voulons pas de vos sales renseignements que vous avez soutirés de façon abjecte à votre prisonnier ?

Le simple bon sens dicte qu'on prenne immédiatement les mesures nécessaires pour vérifier la véracité du renseignement et, s'il est fondé, sauver les vies humaines menacées. Je ne comprends vraiment pas la logique des gens qui voudraient qu'on refuse ce genre de tuyau. On procède régulièrement à l'évacuation de lieux publics à la suite d'appels anonymes.

À ceux qui disent qu'une telle directive fait du Canada le complice des tortionnaires, je réponds que dans des cas comme ceux évoqués ici, mieux vaut la complicité à un acte de torture que la complicité à une tuerie de masse. Dans la vie, il y a des occasions où les choix éthiques ne sont pas clairs. Le réel est souvent ambigu et les êtres bornés ou dotés d'un esprit de système ont beaucoup de difficultés avec ce genre de situation.

Si je lis entre les lignes des condamnations du NPD et des groupes qui ont dénoncé la directive du ministre Toews, ils auraient mieux aimé que cela ne soit pas écrit sur papier. Qu'on le fasse sans le dire.

Bande d'hypocrites! C'est justement le genre d'attitude qui a été à l'origine de dérives de la part des services secrets canadiens dans le passé. «Faites ce qu'il faut faire. On ne veut pas le savoir. Pourvu que ça finisse bien.» La porte est ainsi ouverte aux pires abus comme on l'a vu à l'époque Trudeau.

Si Amnistie internationale et le NPD préfèrent qu'on laisse sauter la bombe qui va tuer des centaines de personnes plutôt que d'agir sur une information, qu'ils le disent clairement.

Les USA et les élections en Égypte: de quoi je me mêle?

10 février 2012

Le gouvernement égyptien vient d'arrêter 19 Américains, les accusant en vertu des lois électorales d'être intervenus illégalement dans la politique intérieure du pays en conseillant et finançant certains partis politiques. Le Caire allègue que des ONG américaines ont dépensé 65 millions de dollars pour influencer les résultats électoraux, contrevenant ainsi à la loi qui interdit aux étrangers de participer aux élections.

L'affaire provoque un extraordinaire raffut aux États-Unis qui menacent l'Égypte de représailles si les procédures judiciaires ne sont pas abandonnées. On parle de la tension la plus vive entre les États-Unis et l'Égypte depuis des décennies.

Le sénateur John McCain, un interventionniste compulsif, s'indigne de l'« affront national » que l'Égypte inflige aux États-Unis. McCain menace d'interrompre le versement de 1,3 milliard de dollars en aide militaire américaine à l'Égypte. Le premier ministre égyptien Kamal El-Ganzouri a rétorqué que ces menaces n'auront aucune influence sur le processus judiciaire en cours.

Imaginez l'algarade si la Russie, l'Égypte ou, encore pire, la France se mettait à conseiller et à financer un parti politique américain en vue de la prochaine élection présidentielle. D'ailleurs, les États-Unis ont des lois pour empêcher les ingérences étrangères dans leur politique intérieure. Les lobbies contrôlés de l'extérieur doivent s'inscrire en tant qu'agents d'une puissance étrangère auprès du gouvernement et lui faire annuellement un compte rendu complet de leurs activités*. Washington interdit les contributions étrangères aux activités électorales sur le sol américain. La violation de la Foreign Agents Registration Act (FARA) est punissable d'une peine de cinq ans de prison et d'une amende de 10 000 dollars.

Mais, bien sûr, ces restrictions ne peuvent s'appliquer aux Américains à l'étranger. Par leur exceptionnalisme, leur destinée manifeste d'avoir été choisis par Dieu pour diriger la planète, ils s'arrogent le droit d'intervenir dans les choix politiques de pratiquement tous les pays de la Terre. Ils ont même des organisations spéciales qui se consacrent à ce genre d'ingérence. Non, je ne parle pas ici de la CIA, mais de groupes comme le National Democratic Institute (NDI), affilié au Parti démocrate, et l'International Republican Institute (IRI), qui dépend du Parti républicain. Les 19 Américains inculpés en Égypte font partie de ces deux organisations.

Les États-Unis sont déterminés à faire triompher leur Nouvel Ordre mondial par tous les moyens, de l'intervention militaire à la subversion des choix électoraux des pays visés. En décembre 2011, Vladimir Poutine a affirmé que des centaines de millions de dollars, provenant surtout de sources américaines, ont été dépensés pour influencer les élections législatives récentes. Elles ont financé la Révolution orange en Ukraine il y a quelques années pour faire annuler l'élection d'un dirigeant prorusse et le remplacer par un prooccidental favorable à l'OTAN. La Révolution orange a finalement échoué.

L'opposition, largement financée par les États-Unis, a battu le président Edouard Chevardnadze de Géorgie en 2002. Une fois au pouvoir, l'homme des Américains, Mikhaïl Saakachvili, a tenté sans succès de chasser les Russes d'Ossétie du Sud, croyant que l'OTAN interviendrait pour tirer ses marrons du feu.

Les Américains croient qu'ils ont le droit inhérent d'intervenir dans les pays qui ne partagent pas leurs opinions et leurs valeurs. Le problème est qu'en s'immisçant dans les affaires des autres peuples, ils provoquent une réaction nationaliste et contribuent à faire élire leurs adversaires. Les millions qu'ils ont dépensés en Égypte n'ont pas empêché les Frères musulmans, salafistes et autres islamistes de gagner les élections.

* Il y a une seule exception à la règle. L'American Israel Public Affairs Committee (AIPAC), téléguidé de Jérusalem, intervient activement dans la politique américaine, mais c'est là une tout autre histoire.

Les Dupond & Dupont enquêtent sur Tintin au pays des Libéros

llllllllllllllllllllllllll

13 février 2012

La Sûreté du Québec (SQ) n'a pas grand succès dans ses enquêtes sur la corruption à la Ville de Montréal et au gouvernement du Québec*. Même si de gros bataillons d'enquêteurs sont sur le dossier depuis des années, elle ne réussit pas à épingler de politiciens, de mafieux ou de confrères policiers dans une multitude d'enquêtes touchant l'industrie de la construction ou de la sécurité privée.

La voilà maintenant qui va enquêter sur les fuites journalistiques qui humilient policiers et politiciens en montrant comment ils se révèlent incapables quand il s'agit de mettre la main au collet d'individus « connectés » au Parti libéral du Québec et à une clique de ses anciens militants appelée l'administration Tremblay.

Les courageux policiers qui ont divulgué l'information aux médias ne méritent pas de sanctions. Au contraire, ils méritent la Médaille de l'Assemblée nationale du Québec et toutes les autres décorations et primes que l'État décerne à ceux qui mettent l'intérêt collectif avant des considérations personnelles et même leur sécurité physique.

J'ai moi-même dans cette chronique encouragé cette pratique. La divulgation aux médias est au Québec la seule marche à suivre pour s'assurer qu'un dossier soit diligenté par la police quand des policiers ou des politiciens sont impliqués.

N'eût été de journalistes d'enquêtes de Radio-Canada, du *Devoir* et de *La Presse*, et de leurs sources au sein des services de police, on ne saurait encore pratiquement rien sur la façon dont la mafia étrangle l'industrie de la construction, en contrôlant les prix, les soumissions et les dépassements de coûts. On ne saurait rien non plus des activités étranges de l'agence de sécurité BCIA de Luigi Coretti, ami de ministre et de chef de police qui a obtenu à répétition des contrats même si rien dans l'expertise de l'agence ou la compétence de son patron ne le justifiait, sauf des accointances avec des libéraux influents.

L'affaire Davidson a fait déborder le vase. La règle de l'omerta existe autant dans la police que dans la mafia. Et voici qu'un membre de la confrérie, dégoûté par ce qu'il voyait et entendait, a décidé de se vider le cœur à des journalistes. Pour faire bonne mesure, il a raconté son histoire en parallèle et en simultané à trois médias importants. C'est ainsi que le Québec a appris qu'un groupe de policiers au SPVM tentait par tous les moyens d'étouffer l'affaire (sinon Davidson lui-même) avec, peut-être, l'assentiment de la direction du service.

Les faits connus grâce aux confidences de la source policière pointent en direction d'une série d'illégalités dans la conduite de cette enquête interne. Sans la source policière, tout cela aurait été caché. Davidson serait, sans doute, quand même mort, mais dans des circonstances plus ténébreuses et moins dramatiques. Quand on lave son linge sale en famille, on le fait discrètement.

Doit-on se rassurer et se dire que les mêmes Dupond-Dupont, qui s'enfargent dans leurs lacets de bottines depuis trois ans dans les enquêtes sur la mafia, la FTQ et le PLQ, ne vont pas être plus futés dans leurs recherches de l'homme estimable en leur sein par qui le scandale est arrivé?

Quelque chose me dit qu'ils vont procéder ici avec une célérité et une efficacité qui ont manqué dans les enquêtes de corruption. Cette fois, ils ont l'encouragement de leurs supérieurs à la SQ et du gouvernement libéral. Pas de danger de mettre en cause pension et promotion.

Cela, à mon avis, ne se traduira pas par l'inculpation de journalistes. Mais quel extraordinaire prétexte pour justifier la mise sous surveillance légale de certains confrères qui sortent des exclusivités particulièrement agaçantes pour les pouvoirs en place! Et qui sait? En épiant des journalistes, les flics vont peut-être apprendre la façon de mener des enquêtes qui donnent des résultats.

* Mise à jour : La défaite des libéraux, l'arrivée au pouvoir du PQ et des changements à la direction du corps policier ont, semble-t-il, donné un électrochoc qui a relancé les enquêtes.

La petite bourgeoisie d'ici, l'une des plus fainéantes et peureuses de la planète

15 février 2012

Dix mille étudiants de l'Université du Québec à Montréal (UQÀM) ont débrayé pour une période illimitée afin de protester contre la hausse des droits de scolarité. Issus pour une bonne partie de la petite bourgeoisie, ils fréquentent surtout les facultés des arts, des sciences humaines et de sciences politiques. Les «travailleurs de l'esprit» de l'UQÀM ont toujours été à l'avant-garde du prolétariat intellectuel du Québec. Rassurez-vous : la cessation des activités de ces trois facultés, même pour une période prolongée, ne mettra pas en péril l'avenir culturel du Québec et de l'humanité. Ces indigents cérébraux ne vont nuire qu'à eux-mêmes.

Ils sont à la fois rigolos et pitoyables, ces petits bourgeois qui se travestissent en révolutionnaires. Imaginez : ils ont même trouvé un mot emblématique de la logomachie marxiste derrière lequel ils vont se pavaner dans les rues du Québec : CLASSE pour Coalition large de l'Association pour une solidarité syndicale étudiante. Wow ! il fallait y penser ! Travailleurs de l'esprit, que je vous disais !

Mener la lutte des classes, c'est s'en prendre à eux. Ils veulent que l'État continue à subventionner outrageusement leur classe sociale au détriment des pauvres, des vieux et des autres laissés-pour-compte de notre société.

Même une grève générale illimitée dans les universités et collèges du Québec ne fera pas broncher le gouvernement. Avec raison. Pourquoi ces enfants privilégiés de la classe moyenne ne contribueraient-ils pas plus largement à s'assurer un avenir qui va être meilleur que celui de la majorité des Québécois qui n'a pas une éducation universitaire ?

La petite bourgeoisie québécoise domine les classes moyennes grâce aux syndicats de cadres, de professionnels et d'enseignants. Elle a réussi à prendre le contrôle de la fonction publique et veut continuer à la gérer dans son intérêt de classe. En tant que nation minoritaire en Amérique, nous avons besoin d'un État fort, mais qui est géré dans l'intérêt national. Pas dans l'intérêt de la classe bureaucratique et de son bras armé, les syndicats du secteur public. Les « grévistes de l'esprit » actuels sont les rejetons arrogants de ces accapareurs de la richesse collective.

La petite bourgeoisie bureaucratisée québécoise est une classe particulièrement avide et âpre dans la défense de ses intérêts. Ses rejetons bénéficient des droits de scolarité les plus bas au Canada et veulent protéger ce privilège. Contrairement à ce qu'ils affirment, il n'y a pas de lien de causalité entre la fréquentation universitaire et les droits de scolarité. Le taux de fréquentation des universités ailleurs au Canada est comparable à celui du Québec, même si les études universitaires y sont beaucoup plus chères.

Il faut moduler les droits de scolarité en fonction des savoirs que l'étudiant recherche. Il me paraît évident qu'on devrait demander plus d'un étudiant en médecine ou en génie que de celui qui étudie en arts à l'UQÀM. On pourrait abaisser les frais pour les domaines comme la philo ou la littérature. Il faut assurer l'accession au savoir de tous ceux qui sont brillants et entreprenants tout en pénalisant les étudiants éternels sans ambition. Qu'ils se rendent socialement utiles en vendant des autos usagées ou en conduisant des souffleuses à neige.

Plus qu'ailleurs, nos petits bourgeois tètent les mamelles de l'État. C'est devenu pour eux une accoutumance. Impossible de les sevrer. Année après année, les sondages de la Fondation de l'entrepreneurship indiquent qu'il y a moins de volonté de se lancer en affaires au Québec qu'ailleurs au Canada. Ici les jeunes rêvent de passer leur vie dans la chaleur oisive d'un bureau de fonctionnaire en attendant la retraite, si possible bien avant 65 ans. On a une peur viscérale du risque. Normal pour des *losers*. L'ambition n'est une qualité que pour moins de 20 % des Québécois contre 30 % ailleurs au Canada. Réussir financièrement est perçu négativement par 40 % des répondants au Québec (28 % dans le *Rest of Canada* ou ROC). Si on ne retenait les réponses que des Québécois de souche, les résultats seraient encore plus affligeants.

Inutile de s'étendre sur le déficit général de productivité de cette classe oisive qui doit se comparer à celle de son équivalent grec. Chez les enfants de la petite bourgeoisie, on aspire surtout, comme l'a dit Yvon Deschamps, à « une *job steady* pis un bon *boss* ». Et le meilleur de tous, c'est le gouvernement du Québec.

Voilà l'image grotesque de notre petite bourgeoisie fonctionnarisée à l'os et fière de l'être. Voilà les extraordinaires ambitions des «révolutionnaires étudiants» qui vont marcher durant les prochaines semaines sous la bannière CLASSE en scandant des slogans éculés.

L'État peut favoriser la croissance, mais il ne peut pas la créer, c'est la PME qui génère le développement économique. Ce n'est pas dans ce troupeau de brebis et de chèvres bêlantes qu'on va trouver nos entrepreneurs de demain. Heureusement que nous avons une petite classe supérieure extrêmement dynamique et que nos pauvres, souvent immigrants, triment dur pour améliorer leur condition.

La hausse des droits de scolarité n'est pas une solution miracle au problème du financement des universités. C'est une mesure nécessaire de justice sociale. Le gel des droits de scolarité est un cadeau onéreux des contribuables à la petite bourgeoisie québécoise, une des plus fainéantes et peureuses de la planète. Et qui, en plus, a le culot de se prétendre de gauche.

Le sondage Leger Marketing : une lueur au fond du tunnel politique

17 février 2012

Les Québécois changent d'opinion comme de petites culottes. Un jour, c'est Legault à la vie à la mort, comme cela a déjà été Dumont à la vie à la mort. Maintenant, c'est de nouveau Pauline. Elle n'est pas si mal après tout. On la voit mieux maintenant que les hommes et les femmes autour d'elle ont cessé de l'agresser.

Le dernier sondage Leger Marketing place les trois principales formations politiques du Québec à égalité 29-29-28 dans les intentions de vote des Québécois « si des élections avaient lieu maintenant », comme dit la chanson.

Ces chiffres mettent beaucoup de monde de la mouvance péquiste dans l'embarras. Ceux qui misaient, ouvertement ou secrètement, sur le départ de Pauline Marois vont devoir repenser leur stratégie. Ceux qui ont quitté le bateau péquiste par opportunisme parce qu'ils avaient peur d'être battus aux prochaines élections se désolent maintenant d'avoir agi trop vite. Enfin, les vrais indépendantistes qui ont quitté le parti parce qu'ils détestaient la chef et la ligne « gouvernance souverainiste » vont devoir se poser une question. Si elle a de bonnes chances de gagner, n'est-ce pas trahir l'idéal indépendantiste que de la combattre ou même de s'abstenir aux prochaines élections ?

Les vrais indépendantistes vont devoir revenir au bercail si la tendance favorable à Pauline Marois se maintient pendant un certain temps*. Même Jean-Martin Aussant devra dissoudre son parti nouvellement fondé, Option nationale, et demander poliment à Mme Marois de le reprendre. À moins bien sûr qu'il mette la haute considération qu'il a de lui-même avant l'intérêt national.

À cause des tendances démographiques lourdes, les élections à venir vont sans doute être les dernières à pouvoir être remportées par une formation indépendantiste. De plus en plus vieux et de moins en moins nombreux, les francophones du Québec vont être de plus en plus réticents à prendre le risque de l'indépendance. Ils vont plutôt opter pour la pente douce du dépérissement tranquille de notre nationalité.

Ce seront les élections de la dernière chance de Pauline Marois et du mouvement indépendantiste. Pour les gagner, elle doit mettre au point une stratégie pour attirer les électeurs qui lorgnent du côté de François Legault et de ses

« caciques ». C'est donc une politique ouverte au centre qu'elle doit mener. Là se trouvent les votes qui vont faire d'elle la première femme à diriger le Québec et, si elle en a la détermination et l'habileté, la première ministre d'un pays souverain.

L'erreur funeste pour elle serait d'aller à gauche vers QS où il n'y a pas vraiment beaucoup de votes à gagner. Tout au plus pourrait-elle se permettre, par réalisme politique, de discrètes ententes de non-concurrence tacites dans certaines circonscriptions afin d'accroître le nombre de députés indépendantistes à l'Assemblée. Mais des accords de grande portée avec Québec solidaire claironnés publiquement seraient catastrophiques. Le Québec a besoin d'un, de deux et peut-être de trois Amir Khadir, mais pas plus.

Le sondage démontre également que le Parti libéral du Québec n'est pas parvenu à se ressaisir malgré des mois de déboires et de déconvenues pour le PQ. Le PLQ comme son pendant fédéral est condamné aux poubelles de l'histoire. Une répartition des votes selon les résultats du sondage le confine à une quinzaine de circonscriptions anglo-ethniques de la région de Montréal.

La situation est d'autant plus dramatique pour les libéraux que la fameuse commission Charbonneau va, sans l'ombre d'un doute, être l'occasion de révélations qui ne seront pas à l'avantage du consortium mafia-PLQ-FTQ dans lequel le parti de Jean Charest joue un rôle crucial.

* Mise à jour : Malheureusement les indépendantistes ne sont pas revenus au bercail et le PQ n'a pas fait d'ouverture au centre avec le résultat désastreux d'un gouvernement minoritaire impuissant.

20 février 2012

Robert Bourassa était-il un mangeur de hot dogs ?

Robert Bourassa, le portrait hagiographique de Georges-Hébert Germain, a été acheté à Quebecor Media par une fiducie « parents et amis » de l'ancien premier ministre pour une somme non déclarée. Le groupe médiatique a ensuite sous-traité la *job* à forfait à Germain. Convergence oblige, le *Journal de Montréal* a publié sur deux pages des extraits parfaitement insipides du livre.

Vous avez entendu Germain hurler de colère parce que Lisée a décidé de publier une version écourtée de son exposé sur Bourassa dans « son » espace promotionnel ? Comme si Lisée était un pilleur de tombes. Pourtant Germain a été payé à forfait, pas en fonction du volume de ventes. Donc ça n'aura aucune influence sur le fric qu'il va en tirer.

Je souhaite un immense succès à Lisée. J'ai hâte de lire sa mise à jour de son œuvre classique. Rappelons donc comme Bourassa a trahi le Québec.

Les accords du lac Meech de 1987 donnaient au Québec un droit de *veto* constitutionnel, un droit de consultation sur les nominations à la Cour suprême, une formule d'*opting out* de programmes fédéraux avec compensation financière. Le Canada anglais ne voulait absolument pas une telle dévolution de pouvoir à Québec consentie par ses politiciens.

Bourassa s'est écrasé sur toute la ligne aux dires mêmes de sa principale conseillère, Diane Wilhelmy, dans le dossier de l'entente de Charlottetown de 1992 qui a étouffé Meech. C'est un tricheur qui a fait semblant de considérer l'option souverainiste, alors qu'en privé, il rassurait les autres premiers ministres qu'il n'en était pas question. Il fallait laisser le temps à la colère et à l'humiliation des Québécois de se dissiper. L'idée d'indépendance était à son apogée. Bourassa le savait. Il a temporisé, il a fait semblant d'hésiter, il a tergiversé. Il a menti et il a vendu le peuple québécois.

Après l'effondrement du processus qui a suivi Meech, la molle belette qui nous servait de premier ministre a simplement affirmé : « Quoi qu'on dise, qu'on fasse, le Québec est aujourd'hui et pour toujours une société distincte, libre et capable d'assumer son destin et son développement ». Le poltron n'a même pas osé parler de la nation québécoise, il a préféré un vocable minable et gris de son invention et à son image.

Certains se demandent si Robert Bourassa s'est écrasé devant Ottawa parce que la GRC avait des dossiers sur sa bisexualité.

Dans les années 1970, pratiquement tout le monde dans le milieu journalistique avait sa rumeur au sujet de la liaison de Bourassa avec tel ou tel de ses conseillers politiques dont l'homosexualité était connue. Le fait que Bourassa était toujours accompagné par son coiffeur personnel d'origine française, dont il payait le salaire, confortait ces rumeurs.

Pierre Elliott Trudeau y aurait-il fait allusion en le traitant de mangeur de hot dogs ? Cela me surprendrait. Trudeau, au sujet duquel des rumeurs de bisexualité couraient depuis des années, aurait été mal placé pour ironiser sur ce secret de Bourassa.

Interrogé à ce sujet le 19 février à *Toute le monde en parle*, Georges-Hébert Germain s'est contenté de dire qu'il avait posé la question à des personnes dans l'entourage de Bourassa et qu'elles avaient nié. Le portraitiste Germain s'en est satisfait. Au sujet de la rumeur qu'il serait mort du sida, Germain a déclaré à *TLMP* qu'il n'avait jamais abordé cette question dans ses entrevues pour son livre. Le centre médical où Bourassa a été traité à Washington était considéré à l'époque comme le plus avancé au monde dans le traitement du sida et ses médecins américains étaient des spécialistes de cette maladie.

Ce qui est certain, c'est que le service de sécurité de la GRC s'intéressait à la sexualité des personnalités politiques qu'il surveillait et que Bourassa était de celles-ci. Le SS/GRC a déjà placé dans les années 1970 des micros dans la chambre à coucher de Louise Beaudoin.

L'homosexualité, la bisexualité ou les autres pratiques sexuelles minoritaires des personnes ciblées étaient indiquées sous la rubrique « faiblesse de caractère » dans les dossiers de la police fédérale. Elle justifiait son intérêt pour ce genre d'informations par le fait que les services secrets étrangers tentaient de compromettre ceux qui n'étaient pas sortis du placard. La GRC s'était ainsi intéressée à la bisexualité de Lester Pearson.

La GRC a-t-elle fait chanter Bourassa sur sa sexualité ? C'est possible, mais peu probable.

La question mérite d'être soulevée et fouillée à fond.

La folie meurtrière passagère est une maladie de riches

22 février 2012

Victor Manuel Martinez Morales, un travailleur mexicain sans histoire et sans le sou, a plaidé coupable d'avoir tué une prostituée dont il était amoureux lorsqu'elle est venue lui réclamer 20 dollars « d'heures supplémentaires » non payées. Il avait régulièrement recours à ses services tarifés. Elle était accompagnée de son collecteur/fier-à-bras.

Morales affirme que la prostituée avait un sourire narquois aux lèvres et qu'un sentiment de joie se lisait sur son visage et celui de son garde du corps. Saisi de rage, il a pris un couteau et a frappé la prostituée 14 fois. Son compagnon a réussi à donner des coups de poing à Morales avant de s'enfuir devant sa fureur meurtrière. Connu sous le nom de *Murder*, le fier-à-bras était en liberté conditionnelle pour des accusations de trafic de stupéfiants. La scène a duré moins d'une minute. Morales s'est effondré en pleurant devant sa victime et a demandé à ses voisins d'appeler la police à qui il s'est rendu sans résistance. Il risque la perpétuité.

Démuni, ne parlant ni français ni anglais, l'accusé n'avait pas les moyens de se payer un banc d'avocats de haute volée et des psychiatres-mercenaires – oh! pardon! – des témoins experts pour venir lui diagnostiquer une folie passagère et lui conférer, sous serment, une défense d'aliénation mentale temporaire. C'est une défense, en passant, qui pourrait être invoquée dans la plupart des drames passionnels ou familiaux.

Victor Morales n'est pas Guy Turcotte. L'affaire n'a pas traîné. Les avocats de la poursuite et de la défense se sont entendus pour réduire l'accusation de meurtre à homicide involontaire en échange d'un plaidoyer de culpabilité. Vite fait bien fait. On n'est pas pour embourber le système judiciaire avec des affaires qui impliquent des pauvres comme lui. Un immigrant à part ça. Le dossier a été fermé. Cause suivante!

C'est connu de tout le monde : seuls les riches ont des folies instantanées qui les poussent au meurtre. Des fois, ils tuent même leurs propres enfants. Seuls les riches ont les ressources pour se payer ces folies foudroyantes. Les pauvres sont toujours sains d'esprit lorsqu'ils commettent un homicide avec ou sans préméditation. Une lucidité totale caractérise les membres des classes inférieures lorsqu'ils ont le malheur de tuer. Pas les moyens de se faire certifier «fou au moment de l'acte» par un spécialiste patenté. D'ailleurs, les pauvres, incités par leurs avocats de l'aide juridique, ont le bon sens de plaider coupables. Avec eux, pas besoin de procès avec jury qui n'en finissent pas et qui coûtent les yeux de la tête à l'État.

Morales va payer ses deux crimes sans doute par de longues années en prison. D'abord celui d'avoir pris la vie d'un être humain dans un moment de folie haineuse et, aussi, celui d'être pauvre.

Si j'avais été son avocat, j'en aurais fait une cause célèbre. J'aurais réclamé un procès devant jury à qui j'aurais présenté une défense d'aliénation mentale temporaire. J'aurais appelé à la barre des témoins le Dr Guy Turcotte, la personne idéale pour expliquer en détail ce qu'est la folie meurtrière instantanée non récurrente.

Ensuite, j'aurais lancé un appel public aux témoins experts qui ont, moyennant des honoraires professionnels charnus, attesté la folie de Turcotte d'examiner Morales à titre gracieux. J'aurais aussi demandé, par voie de communiqué aux médias, aux avocats de Turcotte qui ont fait de belles recettes avec ce client, de venir, *pro bono*, m'aider dans la défense de Morales.

Je rêve en couleur. On le sait, la justice est aveugle, c'est pourquoi elle se trompe souvent. Et, sauf exceptions notables, son balancier penche normalement du côté du fric.

Les Américains en Afghanistan : une guerre sans but et sans fin

29 février 2012

Ça fait 10 ans maintenant que les Américains et leurs alliés de l'OTAN occupent l'Afghanistan. Les Américains ont envahi le pays pour capturer Ben Laden et détruire ses camps d'entraînement de terroristes. En 2001, par pure stupidité, ils l'ont laissé fuir des grottes de Tora Bora vers le Pakistan où ils l'ont finalement tué l'année dernière.

Entre-temps, ils ont ravagé l'Afghanistan. La puissance de feu de leur aviation et de leur artillerie, comme leur complète indifférence aux pertes civiles, ont causé la mort de dizaines de milliers d'Afghans, la destruction de milliers de maisons et de villages entiers. Mais la plus puissante armée de l'histoire n'a pas réussi à écraser une bande de paysans analphabètes en pyjamas et en sandales armés de vieux fusils et de bombes artisanales.

Le dégoût hautain des Américains pour les Afghans, leur mode de vie, leur culture et leur religion vient finalement de provoquer un incident qui va sans doute marquer un point de non-retour dans cette guerre. Des officiers américains de la prison de Bagram ont fait jeter des Corans dans une fosse avec des immondices pour les brûler. C'était l'équivalent transculturel d'un musulman qui défèque sur la Bible et se torche avec le drapeau américain un dimanche à la sortie des fidèles d'un temple baptiste au Texas.

Les Afghans ont pété les plombs. Des dizaines de civils ont été tués dans les émeutes qui ont ensanglanté la capitale et toutes les régions du pays. Deux officiers supérieurs américains ont été exécutés d'une balle à la tête par un collègue afghan dans un centre de commandement sécurisé du ministère de l'Intérieur de Kaboul. Le tueur a pu traverser plusieurs postes de contrôle et quitter les lieux sans être inquiété. Les Américains et leurs alliés, dont le Canada, ont immédiatement retiré leur personnel affecté à des ministères afghans.

Toute la stratégie de Washington qui prévoit que ses unités de combat seront graduellement remplacées par de petits groupes d'instructeurs et de conseillers au sein de l'armée et de la police afghanes est en péril.

Comme les talibans, les alliés afghans de Washington vomissent les Américains. Depuis 2007, les forces des États-Unis et de l'OTAN ont subi 47 attaques meurtrières de soldats ou de policiers afghans qu'ils entraînent ou qu'ils conseillent.

Le *New York Times* a publié en janvier une étude préparée par un psy des forces américaines en Afghanistan qui contredit les mensonges officiels voulant qu'il s'agisse d'« incidents isolés ». Il écrit que ces attaques fratricides sont en pleine croissance et qu'elles sont peut-être d'une ampleur sans précédent entre alliés dans l'histoire militaire moderne.

Il attribue la haine grandissante des Afghans envers les Américains à un ensemble de facteurs : l'insouciance américaine devant les pertes civiles causées par leur armée et leur aviation ; les raids nocturnes meurtriers souvent basés sur des renseignements erronés ; la violation de la vie privée des femmes lors de perquisitions ; la grossièreté, l'irrespect et l'arrogance dans le traitement des soldats et des civils afghans par les militaires américains ; l'abattage à l'arme automatique d'animaux de ferme pour le simple plaisir par des soldats américains.

Depuis la rédaction de ce rapport, une vidéo sur YouTube a montré quatre Marines américains urinant sur les cadavres d'Afghans et des hélicoptères américains ont pulvérisé à la roquette et au canon mitrailleur huit bergers afghans, âgés de six à dix-huit ans, qui ramassaient du bois de chauffage. Plusieurs mariages ont subi le même sort au cours des années après que des invités eurent tiré en l'air en signe d'allégresse selon la coutume afghane. Les Afghans n'oublieront jamais cette accumulation de gaffes, d'humiliations et de mépris qui se poursuit toujours.

Dans ces conditions, placer des conseillers américains dans des unités afghanes les condamne à mort. Mais Obama est trop faible pour forcer les généraux du Pentagone à revoir cette stratégie et leur imposer un retrait rapide d'Afghanistan. Ils ne peuvent pas admettre que des pouilleux mal armés leur tiennent tête avec succès, comme au Viêt Nam. Leur seul objectif maintenant est de retarder le plus possible l'échéance inéluctable, quelles que soient les pertes chez leurs propres soldats et chez les Afghans.

Netanyahou : un faucon tourne autour de la Maison-Blanche

2 mars 2012

Le premier ministre israélien Benyamin Netanyahou visite, ce week-end, les deux seuls pays de la planète qui appuient inconditionnellement la politique militaire agressive de son gouvernement d'extrême droite. Washington et Ottawa ont refusé de condamner les invasions de Gaza et du Liban et les nombreux crimes de guerre qui y ont été perpétrés par l'armée israélienne. Maintenant, c'est l'Iran qui est dans son collimateur.

Israël veut l'empêcher de développer l'arme atomique et ainsi briser le monopole nucléaire qui lui permet de dominer ses voisins.

La réalité est que l'Iran n'a pas encore décidé de se doter de telles armes, aux dires mêmes des services de renseignements américains. Mais le seul fait pour ce pays d'en avoir la possibilité à court terme est inacceptable pour Netanyahou. La plupart des analystes militaires sont de plus d'avis qu'une frappe contre les installations de recherche nucléaire iraniennes ne ferait que retarder de quelques mois le développement de telles armes si Téhéran le décidait. Pire, une telle attaque inciterait probablement les mollahs à s'en doter afin de « sanctuariser » leur pays contre de nouvelles attaques.

L'administration Obama est parfaitement consciente de l'inutilité d'une telle attaque qui pourrait avoir des conséquences catastrophiques, comme une guerre générale dans la région et une crise économique mondiale déclenchée par une hausse spectaculaire des prix du pétrole. Même le recours aux armes nucléaires n'est pas totalement exclu puisque le Pakistan, la seule puissance nucléaire islamique, a annoncé qu'il appuyait l'Iran.

Netanyahou n'est pas content. Imaginez : certains hauts responsables américains, dont le général Martin Dempsey, le chef d'état-major interarmées, ont osé dire publiquement leur opposition à une attaque contre l'Iran. La population américaine dans son ensemble ne veut pas d'une nouvelle guerre. Mais le puissant lobby proisraélien, incarné par l'AIPAC, l'American Israel Public Affairs Committee est déterminé à y entraîner les États-Unis.

Un exemple parmi de nombreux autres. Le magnat des casinos Sheldon Adelson finance à la fois l'AIPAC, le Likoud de Netanyahou et la campagne présidentielle de Newt Gingrich. Adelson a dit qu'il financerait tout candidat républicain, pourvu qu'il défende les intérêts israéliens aux États-Unis et qu'il soit favorable à une guerre contre l'Iran.

Netanyahou est à Washington pour rappeler le président Obama à l'ordre et lui montrer qui mène le jeu en cette année électorale. Avec le soutien de la très grande majorité des membres du Congrès et des candidats républicains dans la course à la présidentielle (à l'exception de Ron Paul), il va faire pression sur Obama pour qu'au minimum il soutienne une frappe israélienne contre l'Iran et qu'il s'engage militairement aux côtés d'Israël dans la guerre générale qui risque de suivre.

L'arrêt à Ottawa est plus qu'une visite de courtoisie pour son nouvel et seul allié véritable à part Washington. Netanyahou veut aussi l'appui public de Harper pour une guerre contre l'Iran. Il veut aussi avoir, discrètement, l'engagement que les forces canadiennes soient, elles aussi, du côté d'Israël dans le cas d'un embrasement général à la suite d'une attaque israélienne. L'homme de Jérusalem à Ottawa, le ministre Peter Kent, a déjà déclaré publiquement que nous étions les alliés militaires d'Israël. D'ailleurs, les dirigeants militaires canadiens se rendent régulièrement à Tel-Aviv pour des rencontres de coordination stratégiques avec leurs vis-à-vis israéliens.

Soulignons que les Israéliens ne sont pas non plus très enthousiastes à l'idée d'aller en guerre contre l'Iran. Ils sont moins de 20 % à vouloir y aller seuls et près de 45 % si les États-Unis s'y engagent à leurs côtés. Pour gagner son opinion publique, Netanyahou se doit d'obtenir d'Obama un soutien public à sa politique va-t-en-guerre. On va voir si le molasse président américain va, pour une fois, défendre les intérêts de son propre peuple et dire non au diktat israélien. Cela me surprendrait énormément.

Lors du dernier voyage de Benyamin Netanyahou dans la capitale américaine, les représentants et sénateurs se sont levés 30 fois pour l'applaudir durant son discours au Capitole. Du jamais-vu dans l'histoire des États-Unis: des élus américains qui applaudissaient à tout rompre un dirigeant étranger venu à Washington pour saper les politiques de leur propre gouvernement. Sur instructions de l'AIPAC, ils sont prêts à recommencer.

Poutine est élu sans avoir recours à des robots téléphoniques

5 mars 2012

L'élection présidentielle a été «clairement biaisée» en faveur de Vladimir Poutine, ont conclu les observateurs internationaux du scrutin du week-end en Russie. Ce rapport n'était pas nécessaire pour attiser la colère des partis d'opposition enragés par son retour au pouvoir.

Dans une belle manifestation de *pack journalism*, de journalisme de meute, la presse internationale a entonné à l'unisson la rengaine des élections frauduleuses sans donner d'explications.

Même sans tricher, l'affaire était dans le sac. Poutine, tous les sondages indépendants l'indiquaient, était le candidat le plus populaire. Disons que si les élections n'avaient pas été manipulées, il les aurait gagnées avec 50 % des voix au lieu de 64. C'est que les adversaires de Poutine sont divisés idéologiquement et ne font pas le poids. Dans le cas de deux d'entre eux, ils sont des menaces directes autant pour les Russes que pour la communauté internationale. Est-ce que quelqu'un en Occident préférerait vraiment le retour au pouvoir à Moscou du Parti communiste de Guennadi Ziouganov, encore le principal parti d'opposition qui a recueilli 18 % des voix ? Ou le mal nommé Parti libéral-démocrate de Russie de Vladimir Jirinovski dont l'idéologie est une forme de néonazisme à la mode slave ?

L'analyse des résultats indique que l'opposition à Poutine se concentre à Moscou, où il n'a obtenu que 47 % des voix. L'un de ses rares candidats présentables, le milliardaire Mikhaïl Prokhorov, s'y est classé deuxième avec un peu plus de 20 % des voix. Les formations qui incarnent les valeurs occidentales en Russie ne recueillent qu'un appui médiocre dans l'électorat.

La Russie n'est pas la France ou l'Angleterre. Il a fallu combien de siècles et de tribulations à ces deux pays pour passer de la monarchie absolue à la démocratie ? Plus qu'un pays, la Russie est une civilisation. Le système politique russe reflétera toujours une réalité culturelle et historique bien différente de celle de l'Europe de l'Ouest. La Grande Russie, faut-il le rappeler, s'est déjà étendue jusqu'à la côte ouest américaine.

Après 1 000 ans de despotisme, les Russes s'initient au pluralisme depuis 20 ans. La démocratie dirigée de Poutine est une étape sur la voie d'un système politique ouvert. La Russie à ce niveau est plus avancée que la Chine où la libéralisation politique n'a pas suivi la vertigineuse libéralisation de l'économie.

Après ces élections manipulées, à 12 ans de sa première accession au pouvoir, Poutine n'est plus le leader tout-puissant qu'il a déjà été. De scrutins présidentiels en scrutins législatifs, lui et son parti reculent d'élection en élection. Vladimir Poutine revient affaibli au Kremlin. Il fera face à une opinion publique plus critique et plus revendicatrice que durant son précédent exercice du pouvoir. Le résultat des élections «paquetées» ne va qu'accroître les demandes de l'opposition, plus aguerrie et plus déterminée, pour des réformes politiques. Si Poutine, qui se veut le sauveur de la nation, comprend son rôle historique, il va engager lui-même les réformes réclamées.

On est mal placés, ici au Canada, sous le coup d'un scandale électoral impliquant l'utilisation de robots téléphoniques sur une grande échelle, pour faire la morale aux Russes. Harper et les conservateurs pourraient donner des tuyaux à Poutine sur la façon de s'y prendre pour tricher aux élections en utilisant les plus récentes techniques occidentales. Bourrer les boîtes de scrutin de bulletins de vote et faire voter plusieurs fois des électeurs : quelles méthodes moyenâgeuses pour voler des élections !

Les conservateurs ciblent l'escroquerie des « bébés-passeports ». Bravo !

8 mars 2012

Le ministre de l'Immigration, Jason Kenney, a décidé de sévir contre le « tourisme obstétrique » grâce auquel des étrangères viennent accoucher au Canada pour s'assurer que leurs rejetons obtiennent passeport et citoyenneté canadiens.

Lorsque j'étais à Radio-Canada dans les années 1990, j'avais été mis au courant de l'escroquerie des «bébés-passeports» qui semblait alors concentrée à l'hôpital Royal Victoria de Montréal. Des sources du secteur de la santé m'avaient signalé que des étrangères, surtout des Maghrébines, venaient enfanter dans des hôpitaux montréalais et retournaient dans leur pays avec un bébé citoyen canadien tout en refilant la facture aux contribuables du Québec.

En 2009, la Société Radio-Canada (SRC) avait diffusé un excellent reportage sur la question. Vingt-cinq étrangères étaient venues accoucher à l'hôpital Sainte-Justine l'année précédente. À Saint-Luc, 40 Nord-Africaines auraient accouché, dont les deux tiers sans payer. Radio-Canada révélait que des femmes vantaient même sur des blogues d'Afrique du Nord les avantages d'accoucher gratos au Québec avec une nationalité en prime.

Le phénomène est en pleine croissance. D'après *Le Soleil*, elles étaient 561 en 2011 à venir accoucher dans les hôpitaux du Québec, donnant à leurs rejetons le beau cadeau de la nationalité canadienne.

Selon l'Association des obstétriciens et gynécologues du Québec, certaines sont venues accoucher jusqu'à trois fois aux frais des contribuables québécois. Ces fraudeuses font perdre au minimum 5 000 $ par jour d'hospitalisation à l'institution et 400 $ au médecin traitant qui ne sera pas payé par la Régie de l'assurance maladie du Québec.

L'escroquerie a maintenant gagné la Colombie-Britannique où ce sont de riches Chinoises enceintes qui affluent. Elles peuvent du même coup contourner la politique de l'enfant unique de leur pays, en procréant des citoyens canadiens. Certaines de ces femmes fortunées sont les épouses de hauts responsables chinois. L'Agence QMI a découvert l'existence de centres d'hébergement qui se spécialisent dans leur accueil. On leur demande de 55 $ à 70 $ par jour pour chambre, repas et garde d'enfants afin qu'elles puissent vivre en toute quiétude la fin de leur grossesse frauduleuse.

Le Canada est l'un des très rares pays (avec les États-Unis) à accorder automatiquement la citoyenneté à tous les enfants qui naissent sur son territoire. Pratiquement partout ailleurs sur la planète, on exige que les parents aient le statut de résidant ou qu'un d'entre eux soit citoyen.

Ça encourage aussi une autre combine utilisée celle-là par les demandeuses du statut de réfugiée et les immigrantes illégales. La manigance consiste à faire le plus possible de bébés pendant que leur cause traîne devant le tribunal de l'immigration. Si le tribunal ordonne leur expulsion, elles font appel à la compassion du ministre comme mères de deux ou trois citoyens canadiens. Chaque année des journalistes naïves pondent des articles larmoyants sur ces abuseuses du système, photographiées, l'air piteux, entourées de leur marmaille. Le *Journal de Montréal* en rate rarement une. Généralement, ça marche !

Jason Kenney doit être félicité pour le courage dont il fait preuve dans sa lutte contre le puissant lobby de l'industrie de l'immigration presque aussi criminalisée que l'industrie de la construction au Québec. Jamais les libéraux et les néodémocrates pour des raisons idéologiques et électoralistes n'auraient considéré les multiples initiatives qu'il a prises contre ceux qui profitent du système.

Évidemment tous les escrocs, les crapules et autres avocats véreux qui pullulent dans le lucratif *business* de l'immigration vont monter une campagne contre la modification de la loi sur la citoyenneté. Avec, sans doute, l'appui du NPD et surtout du Parti libéral du Canada (PLC). Les multiples irrégularités et illégalités qui caractérisent l'industrie de l'immigration ont tellement favorisé les libéraux et les favorisent toujours, même s'ils ne sont plus au pouvoir. Regardez ! Les rares circonscriptions au Québec d'où il est encore impossible de récurer les élus libéraux au fédéral ont une significative population immigrante.

Les malheurs de l'Afrique centrale et les sanglots de la planète Internet

12 mars 2012

L'ONG américaine Invisible Children a réussi par Internet et YouTube à mobiliser l'attention de dizaines de millions de personnes, surtout des jeunes, contre Joseph Kony et son Armée de résistance du Seigneur (LRA). La secte militaro-mystique ougandaise a commis en Afrique centrale d'épouvantables crimes de guerre et des crimes contre l'humanité. Kony a contraint au combat des milliers d'enfants esclaves enlevés dans les régions qu'il pille. On demande aux gens de faire pression sur leur gouvernement et sur leurs célébrités favorites pour qu'ils se joignent à la marche dont l'objectif est la capture de Kony cette année.

On ne peut qu'applaudir qu'on réussisse à attirer l'attention de la planète entière sur un des multiples drames qui ensanglantent l'Afrique centrale. Kony n'est que le plus connu des nombreux seigneurs de la guerre qui ravagent la région. Si l'agitation actuelle mène à son arrestation, on doit s'en féliciter et remercier Invisible Children dont on aimerait cependant plus de transparence dans la gestion des millions de dollars recueillis durant la campagne « Kony 2012 ». Seul le tiers environ de l'argent récolté va sur le terrain.

Je crois malheureusement qu'il ne s'agit que d'une mode Internet, d'une cause du mois vite oubliée dans notre monde qui privilégie l'éphémère et le clinquant*. Après Kony, qui sera la prochaine cible ? Je suggère Robert Mugabe, le vieux dictateur fou du Zimbabwe, qui dirige avec une stupidité déterminée l'autodestruction de son pays. Même après sa descente prochaine en enfer – il approche 88 ans –, les 12 millions d'habitants du Zimbabwe mettront des décennies à se remettre de sa démence criminelle. C'est un cas parmi d'autres. Les cibles ne manquent vraiment pas.

L'Armée de résistance du Seigneur est née en pays Acholi, une tribu du nord de l'Ouganda. Les Acholis constituaient le fer de lance du dictateur ougandais Milton Obote même s'il n'était pas lui-même de la tribu. Le président actuel, Yoweri Museveni, est issu du coup d'État militaire qui a renversé Obote dans les années 1980. Il se maintient au pouvoir avec le soutien des États-Unis, grâce à un système électoral profondément vicié.

Lorsqu'il a pris le pouvoir, Museveni a lancé une répression brutale contre les Acholis. Parmi eux est apparue une Jeanne d'Arc africaine, Alice Auma, et son Mouvement du Saint-Esprit. Agissant sur ordre de l'esprit Lakwena, elle conférait l'invincibilité à ses soldats fanatisés et imbus d'une foi mystique. Avant de les lancer à l'attaque, munis seulement de pierres, contre un contingent militaire venu les arrêter, Alice assure ses militants que leurs pierres vont se transformer en grenades lorsqu'ils les lanceront. Ils ont été hachés menu à l'arme automatique quand ils se sont attaqués aux soldats de Museveni. C'est de ce massacre qu'est née la LRA. Kony est un parent éloigné d'Alice Auma.

Invisible Children aide l'armée nationale ougandaise dans sa lutte contre Kony. Cette armée commet les mêmes exactions que la LRA. L'ONG est certainement au courant que le gouvernement ougandais actuel a pris le pouvoir en utilisant des enfants soldats et que son armée appuie des milices constituées d'enfants en République démocratique du Congo.

Depuis 2007, Kony opère à l'extérieur de l'Ouganda. Invisible Children finance donc les opérations de l'armée ougandaise au Soudan, en Centrafrique et au Congo où la LRA a massacré 620 civils et enlevé plus de 120 enfants en janvier 2010.

En octobre 2011, Barack Obama a envoyé 100 soldats des forces spéciales pour aider l'armée ougandaise à traquer la LRA. Espérons que les Américains règlent rapidement le cas de Kony.

Au moins 6 millions de personnes ont été torturées, violées, massacrées en Afrique centrale depuis 15 ans sans que la communauté internationale s'en préoccupe outre mesure. D'autres conflits, dans des régions du monde plus stratégiques, plus importantes du point de vue militaire et économique, ont mobilisé l'attention des grands médias internationaux. L'Afrique subsaharienne n'est une priorité pour personne. Les populations soumises à des monstres comme Joseph Kony sont trop pauvres, trop isolées, trop arriérées pour même connaître l'existence de téléphones portables vidéo et d'Internet.

Et si l'on ne voit pas d'images à la télévision ou sur Internet, c'est que ça n'existe pas. La vidéo d'Invisible Children a permis une prise de conscience. Pourvu que ça dure.

* Mise à jour : Au bout de deux semaines, l'affaire s'est volatilisée pour ne plus jamais réapparaître dans le cyberespace. Kony poursuit toujours ses activités monstrueuses. Voilà ce que valent les mobilisations Internet !

|||||||||||||||||||||||||| # Le scandale des commandites : 10 ans d'enquêtes de la GRC. Bilan : rien !

14 mars 2012

Ma première chronique sur Yahoo! Québec s'intitulait « Huit ans d'enquêtes sur les commandites : bon anniversaire, la GRC ! » Deux ans plus tard, rien. Absolument rien.

J'ai téléphoné hier à la GRC pour savoir où en était le dossier. Je leur ai demandé si l'unité spéciale chargée d'enquêter sur les commandites existait toujours. On n'a pas voulu me le dire. Le porte-parole de la GRC a simplement déclaré et je cite : « L'enquête se poursuit », et a absolument refusé de dire quoi que ce soit d'autre.

Sont-ils encore une grosse vingtaine installés dans des bureaux de l'autre côté de la rue, en face du QG de la GRC à Westmount, à attendre la retraite, en surfant sur Internet ? Ou la police fédérale a-t-elle dissous le groupe, mais a peur de le dire publiquement et ainsi d'avouer son incompétence ? Ou ainsi confirmer sa complicité de toujours avec les libéraux fédéraux. La GRC a toujours été au service du parti, même quand les conservateurs sont au pouvoir. Exactement comme Radio-Canada.

Les commandites, c'est le plus important scandale politique de l'histoire canadienne. Deux cent cinquante millions de dollars distribués aux amis du Parti libéral du Canada pour acheter de la visibilité pour la feuille d'érable au Québec à la suite du référendum de 1995. Vous vous rappelez, à la commission Gomery, tous ces vieux amis de Chrétien venus déclarer sous serment qu'ils ne se souvenaient plus très bien de ce qu'ils avaient fait ?

Après 10 ans d'enquêtes, le bilan de la GRC est lamentable. Quelques porteurs de valises, des deux de pique et un raton-laveur sont allés en prison. Mais aucun des responsables politiques de la manigance n'a été épinglé. Les sous-fifres et les lampistes ont payé pour les crimes de leurs maîtres libéraux. Pas un politicien rouge, photographié de face et de profil pour sa fiche signalétique de criminel. Des flics ont consacré une bonne partie de leur carrière à une enquête qui ne mène nulle part. Il va falloir attendre combien de temps avant d'avoir des résultats tangibles ? 20 ans ? 25 ans ?

30 ans ? Combien de générations de flics vont être affectées au dossier ?

Dans l'affaire de l'attentat d'Air India, le plus important acte de terrorisme de l'histoire du Canada, 329 morts, les principaux coupables ont été acquittés... après 18 ans d'enquêtes de la police fédérale. Beau fiasco !

Les vrais responsables des crimes des commandites, ceux qui ont imaginé la combine, les ministres, les conseillers politiques, les hauts placés dans les instances politiques ou financières du PLC, vieillissent, en se racontant, pépères hilares, comment ils ont fourré les Québécois. Les libéraux et leurs amis ont fait du fric dans les commandites. Beaucoup de fric. Seule une partie minime du quart de milliard de dollars a été récupérée par l'État canadien. Pas surprenant que les libéraux soient en voie d'extinction. Pour une fois les électeurs se souviennent. Et pour cause.

Influence Communication rappelle dans un communiqué que le scandale des commandites est la plus importante nouvelle des années 2000 au Québec, en termes de volume et de longévité avec quelque 30 000 articles de journaux. Les stations de radio et de télévision ont diffusé 11 263 heures de temps d'antenne, soit 469 jours de diffusion. La boîte de Jean-François Dumas souligne que si l'on convertissait tout ça en publicité (négative pour les libéraux), ça frôlerait le milliard de dollars.

La destruction des libéraux fédéraux à la suite de leur propre malfaisance est le seul aspect réjouissant de cette affaire.

Comment tout ce cirque va-t-il finir ? En queue de poisson sans doute. Comme me l'a dit un ancien de la GRC, l'enquête va se poursuivre tant que Chrétien et ses acolytes seront vivants. Il est convaincu que la police fédérale attend que les principaux responsables politiques du scandale meurent afin de ne pas être obligée de les traîner devant les tribunaux.

Il est temps de casser les casseurs. Où donc est Harper ?

16 mars 2012

Quatorze fois au cours des 15 dernières années, des hooligans malpropres se sont livrés à des actes de vandalisme, sans raison autre que le plaisir de détruire. Le prétexte est de manifester contre la brutalité policière. On cherche plutôt à la provoquer. De nombreux citoyens qui observent les saccages annuels de la horde de barbares masqués souhaitent sans doute dans leur for intérieur que ces ti-culs reçoivent des forces de l'ordre une brutale correction. Mais la charte de Trudeau protège les casseurs comme elle privilégie les droits des criminels au détriment des droits des victimes. Voilà ce que PET et son parti libéral nous ont laissé en héritage. Combien d'années encore va-t-on laisser ces crapoteux et les intellectuels dévalués de l'UQÀM qui les encouragent et les inspirent s'adonner à leur cirque annuel ?

N'a-t-on pas au pouvoir à Ottawa un gouvernement qui fait de la loi et de l'ordre sa devise favorite ? Il est temps, n'en déplaise à Julius Grey, que le Canada ait sa loi anticasseurs. Après les émeutes de Toronto et de Vancouver, c'est électoralement très avantageux pour les conservateurs. Ça serait en tout cas une excellente façon pour eux de redorer leur blason au Québec. Ça mettrait le PQ dans la position inconfortable de devoir se prononcer sur un tel projet de loi qui aurait, à n'en pas douter, un soutien populaire massif.

Harper et les conservateurs pourraient s'inspirer de la loi française « sur les violences en bande » adoptée en mars 2010 par l'Assemblée nationale. La France avait déjà eu une loi anticasseurs dans les années 1970 qui avait par la suite été abrogée au début des années 1980.

La loi française vise à «renforcer la lutte contre les violences de groupes et la protection des personnes chargées d'une mission de service public.» Distincte des lois préexistantes ciblant les associations de malfaiteurs et les bandes criminelles organisées, elle criminalise la participation à une «bande violente».

La loi française stipule que

[l]e fait pour une personne de participer sciemment à un groupement, même formé de façon temporaire, en vue de la préparation, caractérisée par un ou plusieurs faits matériels, de violences volontaires contre les personnes ou de destructions ou dégradations de biens est puni d'un an d'emprisonnement et de 15 000 euros d'amende.

La France connaît encore plus souvent que nous ce type de violence de la part d'individus chez qui l'extrémisme politique associé au nihilisme déclenche un besoin addictif de violence physique. Une déviance caractéristique des jeunes hommes entre 15 et 25 ans qui, on le sait, ont de nombreux comportements semblables à ceux des grands singes anthropomorphes.

Bien évidemment la gauche française s'est opposée à la nouvelle loi. Tout le bataclan habituel de collectifs, de coalitions, de regroupements et d'organisations populaires, associé aux syndicats, est monté aux barricades. Sans succès. On assisterait ici à la même mobilisation.

Comme la nouvelle loi française, il faudrait absolument que notre loi anticasseurs contienne une disposition faisant une circonstance aggravante du fait de dissimuler sa physionomie afin d'éviter d'être identifié dans une manifestation violente*. Comme la vieille loi anticasseurs française d'il y a 40 ans, notre nouvelle loi devrait prévoir des peines plus sévères pour les organisateurs de ces manifestations et les rendre civilement responsables des dégâts causés.

On a déjà des lois particulières pour lutter contre le crime organisé, il faut maintenant créer un délit spécifique pour les infractions commises en groupe lors de manifestations. Je vois déjà d'ici les avocats spécialisés qui imaginent le pactole qu'ils vont tirer des contestations juridiques et constitutionnelles entourant l'adoption d'une telle loi au Canada.

* Mise à jour : Le ministre fédéral de la Justice, Rob Nicholson, a annoncé en mai que le gouvernement appuierait le projet de loi d'initiative parlementaire C-309, la loi sur la dissimulation d'identité, ce qui signifie qu'elle est assurée d'être adoptée. Elle prévoit, pour les manifestants qui portent un masque, des peines de prison pouvant atteindre 10 ans et des amendes maximales de 5 000 $.

Massacre de 16 civils en Afghanistan : défense de folie temporaire ?

19 mars 2012

Ce n'est qu'avec des réticences extrêmes que les États-Unis punissent leurs soldats qui se rendent coupables de crimes de guerre. Le cas du sergent-chef Robert Bales devrait suivre la tendance générale. À Washington on cherche présentement comment justifier l'assassinat de sang-froid de 16 civils, la plupart des femmes et des enfants. Bales les a tués en leur logeant proprement une balle dans la tête. Normal pour un tueur... pardon, un tireur d'élite. Déjà les agences de presse rapportent qu'il est considéré comme un héros dans son patelin.

Pour l'Américain moyen, le meurtre de civils afghans ou irakiens n'est même pas une bavure puisqu'ils sympathisaient probablement avec l'ennemi. Dix ans de guerre en Irak et en

Afghanistan démontrent clairement que les soldats et les mercenaires engagés comme sous-traitants par le Pentagone et qui commettent des crimes, drapés dans la bannière étoilée, bénéficient d'une complicité manifeste des autorités et des tribunaux militaires, les rares fois qu'ils sont traduits en justice. Aucun soldat américain n'a été sévèrement puni pour avoir assassiné des civils dans ces deux guerres.

Il va être instructif de comparer le traitement offert au sergent Bales à celui réservé au soldat Manning, le militaire qui a divulgué à WikiLeaks les documents du gouvernement américain qui démontrent la perfidie, l'hypocrisie et la duplicité qui caractérisent le comportement des États-Unis sur la scène internationale. Avant même d'être accusé, Manning a été emprisonné pendant un an dans des conditions telles que le commissaire des droits de l'homme de l'ONU s'est dit préoccupé par son sort. Washington s'est opposé à ce qu'il rencontre Manning en tête-à-tête.

On va présenter Bales comme un soldat qui a perdu la tête. Son avocat a laissé entendre qu'il envisage une défense de folie provoquée par des missions répétées dans des zones de guerre et une vieille blessure à la tête. Le fait qu'un de ses meilleurs amis a été grièvement blessé dans les jours qui ont précédé sa tuerie aurait été l'événement déclencheur.

Pourtant, tout indique qu'il a soigneusement planifié son crime de masse. Avant de quitter sa base, il a attendu que les sentinelles soient presque à la fin de leur quart de nuit pour tromper plus facilement leur vigilance. Bales avait aussi pris soin de se munir de lunettes de vision nocturne pour bien se diriger. Après avoir tué ses victimes dans des maisons différentes, il a essayé de se réintroduire discrètement dans la base. Selon CBS News, Bales a déclaré : « Je veux un avocat » quand il a été capturé. Il avait non seulement planifié l'assassinat de masse, mais il avait même pensé à sa défense devant la cour martiale.

Le fait d'avoir choisi des civils sans défense démontre bien sa lucidité et sa couardise. Les talibans sont nombreux dans le secteur où il était stationné. En héros américain, il aurait pu facilement planifier une attaque contre eux. Mais il était trop lâche pour s'en prendre à des hommes armés et aguerris. Rambo, c'est pour les films de propagande guerrière produits par Hollywood.

L'épouvantable crime du sergent Robert Bales s'apparente à celui du lieutenant William Calley. Pour avoir dirigé l'assassinat de 507 paysans vietnamiens sans armes en mars 1968, à My Lai au Viêt Nam, il a été condamné à la prison à vie pour meurtres prémédités. Il a été libéré après deux jours sur ordre du président Nixon. L'opinion publique américaine considérait le meurtrier de masse Calley comme un héros national.

Les tueurs islamistes, la police et le choc des civilisations

21 mars 2012

La piste pointait dans la direction de ce que les Français appellent l'ultra-droite. Vers les néonazis et les suprématistes blancs avec des antécédents militaires et amateurs d'armes à feu. Les analystes des médias privilégiaient cette explication qui permettait de dénoncer au passage Marine Le Pen et son parti. La police était plus circonspecte, se limitant à souligner que l'antisémitisme de l'assassin était incontestable.

À la vérité, le meurtrier des enfants juifs et des soldats musulmans était un tueur qui se réclame d'al-Qaida et qui s'est rendu au moins à deux reprises en Afghanistan et au Pakistan pour y recevoir une formation de terroriste. D'où son habileté remarquée avec les armes de poing.

Lors de l'attentat contre l'édifice fédéral d'Oklahoma City en 1995, qui a tué 168 personnes, les médias américains avaient fait l'hypothèse contraire. Parce qu'il venait après le premier attentat meurtrier contre le World Trade Center de New York, c'était la piste du terrorisme islamique qui avait été privilégiée jusqu'à l'arrestation de Timothy McVeigh. Le *All American Boy* était devenu un ennemi fanatique du gouvernement fédéral américain. En Afghanistan, le sergent Bales, lui, voulait « tuer du musulman » pour on ne sait trop quelle raison.

Les événements de Toulouse vont accroître en France et en Occident la méfiance et l'animosité envers les musulmans qui y sont établis. Et le ressentiment des populations d'accueil va à son tour radicaliser de jeunes hommes issus de cette communauté. C'est vrai en France comme c'est vrai en Allemagne, en Angleterre et au Canada. Pensez aux 17 Pakistanais de Toronto. À l'Algérien Ahmed Ressam de Montréal, arrêté alors qu'il s'en allait faire sauter l'aéroport de Los Angeles. L'Islam et l'Occident sont engagés dans une spirale de violence, dont il est impossible de voir la fin.

Les conséquences de ces actes de terrorisme, on les vit depuis le début du millénaire. Adoption de lois accordant plus de pouvoirs aux services de renseignements et aux forces de police. Renforcement des mesures de surveillance de l'État et en particulier des populations « à risque » les plus susceptibles d'abriter des terroristes. Résultat : un effritement des libertés et une mentalité de siège dans les communautés musulmanes des pays occidentaux.

Avec la plus importante population musulmane d'Europe, la France est en première ligne du conflit entre l'Occident moralement décadent et l'Islam de plus en plus gagné par le fanatisme religieux. Les seuls bénéficiaires de cette situation sont les islamistes fanatiques regroupés derrière le logo d'al-Qaida. Que faire ?

Il n'y a malheureusement rien à faire. À part renforcer les mesures de surveillance et de police. Pire : la situation va nécessairement s'envenimer au cours des prochaines décennies entre l'Occident et le monde islamique. Les printemps arabes, s'ils sont vraiment représentatifs et démocratiques, ne vont pas porter au pouvoir des formations sympathiques à l'Occident. Au contraire, partout, du Maroc à l'Indonésie, des partis favorables à la charia montent en puissance.

Et c'est sans compter les guerres à venir entre l'Occident (les États-Unis, l'OTAN et Israël) et des pays musulmans. On pense d'abord à l'Iran, mais il y a aussi à l'horizon un conflit presque inévitable avec un Pakistan radicalisé de 180 millions d'habitants avec des armes nucléaires et les vecteurs appropriés. Comment la situation va-t-elle se détériorer dans l'espace syro-libanais ? Là encore, les islamistes sont en position de force pour en profiter.

Sommes-nous engagés dans un choc de civilisations avec l'Islam, pour reprendre l'expression controversée de Samuel Huntington ? Les années qui viennent vont apporter une réponse à cette question. La radicalisation des masses arabo-musulmanes va-t-elle se poursuivre ? Une chose est certaine, c'est que l'Islam radical, le salafisme djihadiste et al-Qaida se considèrent comme engagés dans une guerre à finir contre la civilisation mondiale actuelle qui s'inspire des valeurs occidentales. L'objectif : la remplacer par un état islamique universel basé sur le Coran et la charia.

Floride : la chasse aux Noirs est rouverte. Pas besoin de permis

23 mars 2012

L'auxiliaire civil de police blanc d'Orlando avait des doutes sur les intentions de Trayvon Martin, 17 ans. Il avait le tort évident d'être Noir. Pourtant c'était un bon élève qui n'avait aucun casier judiciaire. Malgré les directives de ses supérieurs par radio de ne rien faire, le gardien de quartier l'abat froidement, même si le jeune n'est pas armé et que rien chez lui n'indique une intention criminelle.

Le pseudo-flic, George Zimmerman, affirme avoir agi en vertu de la loi *Stand Your Ground* sur la légitime défense de l'État de Floride. Trayvon Martin a pourtant été assassiné d'une balle dans le dos. La police ne porte aucune accusation contre le meurtrier.

L'affaire soulève maintenant une tempête aux États-Unis. Plus d'un million de personnes ont, jusqu'ici, signé une pétition en ligne réclamant que des accusations soient portées contre l'assassin de Trayvon Martin*.

Cette affaire est une nouvelle illustration tragique des conséquences de l'aliénation mentale collective qui sévit aux États-Unis autour des armes à feu auxquelles une majorité de la population voue un amour fétichiste.

La Floride, qui permet à tous ses résidents de porter une arme à feu dissimulée, a adopté en 2005 la loi *Stand Your Ground* qui autorise quiconque se sent menacé à utiliser son arme et à invoquer la légitime défense. La Floride était alors gouvernée par Jeb Bush, aussi taré que son frère aîné, George W. L'idiotie et la bêtise se propageant rapidement dans les assemblées législatives américaines, 21 autres États ont depuis suivi l'exemple de la Floride sur ordre de la National Rifle Association (NRA).

La NRA dépense plus de 200 millions par année pour s'assurer qu'aucune loi ne nuit aux ventes d'armes. Les fabricants et les vendeurs d'armes à feu contribuent largement à sa caisse.

À la suite de pressions de la NRA, la Virginie a aboli récemment sa loi qui interdisait à un individu d'acheter plus d'une arme de poing par mois. Ça nuisait au marché. La Virginie est à l'origine d'un important trafic d'armes à feu en direction de certains États du Nord-Est qui imposent un contrôle sur la possession et la vente d'armes à feu. La limitation de la Virginie rendait plus difficile aux petits criminels qui se spécialisent dans ce trafic d'en acquérir pour les revendre aux gangs de rue et aux autres organisations criminelles de New York. Quarante pour cent des armes utilisées à des fins criminelles dans cette ville proviennent de Virginie, selon les autorités policières.

L'empressement des législateurs d'État à adopter les lois les plus démentielles proposées par la NRA s'explique par le fait que la majorité des Américains y est favorable. Fous des armes à feu comme d'autres sont fous de Dieu.

J'exagère, pensez-vous ? Je vous le demande : dans quel autre pays de la planète y a-t-il des projets de loi en discussion autorisant le port d'armes à feu dissimulées dans les garderies, les autobus scolaires et les églises ?

L'Arizona a mis à l'étude une loi permettant le port d'armes dissimulées dans les collèges et les universités. Cet État permet déjà à ses résidants de porter une arme dissimulée sans besoin d'obtenir de permis (c'est aussi le cas du Vermont et de l'Alaska). La législation de l'Arizona abolit aussi la vérification des antécédents des acquéreurs d'armes à feu et toute nécessité pour eux de suivre une formation au maniement et à la sécurité de leur pistolet automatique bien-aimé. Vive la liberté !

Comme le suggère un lecteur du *New York Times*, aucun État ne devrait passer de loi autorisant le port d'armes à feu dans les écoles et les églises à moins de les avoir précédemment autorisées dans les galeries publiques de l'Assemblée législative. Le lecteur ajoute que le fait que les électeurs qui regardent les élus légiférer soient armés pourrait les amener à réfléchir avant de passer des lois insensées.

Je n'en suis pas sûr vu l'état avancé de la folie collective concernant les armes à feu dans ce pays.

* Mise à jour : Un procureur spécial a finalement accusé George Zimmerman de meurtre non prémédité le 11 avril 2012. Il a plaidé non coupable et a été libéré sous une caution d'un million de dollars en attendant son procès. Il entend invoquer en défense la loi *Stand Your Ground*. Son procès doit commencer en avril 2013.

Thomas Mulcair écartelé entre le Québec et le Canada

26 mars 2012

À la suite de son élection comme chef du Nouveau Parti démocratique, Thomas Mulcair devrait remercier discrètement Gilles Duceppe et ses principaux lieutenants du Bloc québécois. Pendant 20 ans, ils se sont trop souvent comportés comme la filiale québécoise du NPD, alors qu'ils avaient été élus pour constituer un bloc national du Québec à Ottawa. La confusion idéologique entre le Bloc et le NPD a sans doute été un des éléments qui ont amené les électeurs québécois à voter Jack...

Le nouveau chef du Bloc, Daniel Paillé, va-t-il enfin comprendre cette réalité et cesser de donner la priorité aux intérêts des centrales syndicales et des différents lobbies de gauche au détriment de l'intérêt national du Québec ? Paillé ne doit jamais rater une occasion de se démarquer de Mulcair et du NPD. Il se doit de rappeler constamment la longue tradition centralisatrice de ce parti. De la nuit des longs couteaux au rapatriement unilatéral de la Constitution, en passant par le refus des accords du lac Meech, les agissements du NPD contre la volonté d'affirmation nationale du Québec ne manquent pas.

Il devrait aussi se fixer comme objectif de convaincre les députés néodémocrates du Québec (au moins ceux qui comprennent le français) de se joindre à sa formation.

Des trois partis politiques anglo-canadiens, le NPD est celui qui a le moins de racines chez nous, bien que la majorité de ses députés soit du Québec. Mulcair sait bien que le raz-de-marée Layton ne se reproduira plus jamais. Sa stratégie électorale à long terme doit être de gagner des sièges au Canada pour compenser ceux qu'il va perdre au Québec. Cela l'oblige à attirer les électeurs du Parti libéral. Ça va l'empêcher de défendre des causes québécoises qui pourraient braquer contre lui l'opinion publique anglophone et en particulier l'électorat libéral.

La stratégie du Bloc doit être de placer Mulcair dans la position insoutenable de défendre les intérêts du Québec sur des questions où il y a des divergences inconciliables entre le Québec et le reste du Canada. Il pourra ainsi rappeler à Mulcair que son parti s'est engagé à reconnaître la souveraineté du Québec après un référendum qui donnerait un appui à l'indépendance de 50 % plus un des électeurs. Cette position est rejetée par l'immense majorité des Canadiens et va à l'encontre d'un jugement de la Cour suprême du Canada qui a statué sur cette question à la demande de Stéphane Dion.

Après avoir été désarçonné par le vote d'humeur qui a presque détruit le Bloc, le PQ est de nouveau en position pour prendre le pouvoir lors du prochain scrutin québécois dans moins d'un an. Le PQ, selon les derniers sondages, a fait le plein de votes de gauche en s'emparant de la moitié des électeurs potentiels de Québec solidaire. L'objectif de Marois doit maintenant être de siphonner ce qui reste des électeurs de François Legault. En un mot, faire du PQ un véritable rassemblement pour l'indépendance nationale plutôt que la succursale locale de l'internationale socialiste ou le porte-voix des syndicats de la fonction publique.

Il devient de plus en plus évident que la gibelotte Legault-Sirois n'a pas pris. Que les excités et les autres impatients de l'indépendance se rassurent. Le retour au pouvoir de Marois, même avec la «gouvernance nationale» la plus timide, va braquer le Canada anglais contre le Québec. L'élection à Ottawa d'un gouvernement majoritaire sans aucun appui du Québec l'a convaincu qu'on peut dorénavant ignorer toutes ses revendications, même les plus anodines.

Le Parlement fédéral issu de l'élection du 2 mai, malgré l'effondrement du Bloc, reflète toujours l'affrontement séculaire entre les deux nations. Une majorité des électeurs du Canada anglais a voté à droite, alors que les Québécois ont voté à gauche. La fissure politique fondamentale du Canada a resurgi, alors même qu'on croyait, du côté des Anglais, l'avoir fait disparaître.

Cette même fissure va écarteler Thomas Mulcair au sein même de la formation qu'il dirige.

Il faut intégrer les futurs bordels légaux au réseau de la santé

28 mars 2012

Cinq juges de la Cour d'appel de l'Ontario, peut-être motivés par des expériences personnelles négatives pour certains, ont décidé de légaliser les bordels et le métier de souteneur. L'affaire ne va pas en rester là juridiquement et politiquement. Ça va sans doute aboutir en Cour suprême. Une des plus vieilles activités lucratives de l'humanité, pratiquée surtout par des femmes, la prostitution, est, en soi, avilissante. Personne ne dit avec fierté: «Je vous présente ma fille, ma femme, ma mère, c'est une putain». Mais, considérant la décadence avancée de nos sociétés, la disparition rapide de tous les interdits sexuels et le relativisme moral de nos élites, on y arrive.

La légalisation des bordels et des souteneurs va encourager la pratique dégradante de la prostitution. Dans le passé, les tentatives de l'éradiquer ont lamentablement échoué. Que faire pour dégoûter à la fois les clients et les prostituées de s'adonner à des échanges de fluides tarifés?

Ma solution est simple. Confier à l'État le commerce de la chair. Le gouvernement profite déjà largement d'autres pratiques néfastes, mais irrésistibles pour un grand nombre de citoyens. Vous pensez aux taxes sur le tabac, mais il y a aussi l'exploitation des jeux de hasard et du besoin d'ingurgiter des produits intoxicants. Mais il ne faudrait surtout pas impartir la gestion des bordels à Loto-Québec ou à la Société des alcools. Ces deux sociétés sont, en général, efficaces et administrées de façon compétente. On ne veut justement pas que la prostitution devienne une source intéressante de revenus pour l'État.

Ce qu'il faut faire, si l'on veut que la situation dans les futurs bordels légalisés soit vraiment bordélique, c'est de les rattacher au réseau de la santé et des services sociaux. L'activité sexuelle a de nombreuses et de graves implications sur la santé publique. Les bordels devraient donc être administrés comme des hôpitaux ou des centres locaux de services communautaires (CLSC). Ils seraient soumis aux réglementations de la santé et de la sécurité au travail. Toutes les pratiques des prostituées seraient scrupuleusement énumérées, décrites et codifiées; les procédures d'exécution, standardisées. Elles seraient rémunérées à l'acte en fonction du temps d'accomplissement. On tiendrait compte, bien sûr, de l'ancienneté de la praticienne. Pour assurer la conformité, on aurait recours aux mêmes inspecteurs que pour les centres d'hébergement et de soins de longue durée (CHSLD). Ils s'assureraient que les prostituées jouissent des mêmes extraordinaires conditions de vie matérielles et psychologiques que nos vieux.

Toujours dans l'esprit de rendre les conditions de pratique du métier de putain infernales, on les obligerait à se syndiquer et à respecter une convention collective inspirée de celles du secteur de la santé. De quoi décourager définitivement le client et rendre les bordels ingérables. Pour augmenter encore plus la discorde, on s'assurerait que les souteneurs soient aussi syndiqués, mais par une centrale concurrente. Certains bordels pourraient même être confiés au secteur privé en y intéressant des opérateurs de résidences pour personnes âgées. Un véritable partenariat public-privé de l'industrie du sexe.

Des amis du gouvernement en place se verraient accorder le monopole des distributrices de condoms dans les bordels sur une base géographique. La sécurité dans les maisons closes serait concédée à des agences proches du parti au pouvoir comme la défunte BCIA.

L'objectif serait une fusion complète du réseau des bordels publics et du réseau de la santé. On y serait accueilli comme aux urgences des hôpitaux. Avec la considération et l'empressement qu'on a dans un CLSC. Les clients auraient à s'habituer à de longues périodes d'attente dans les corridors de bordels, même pour les « traitements » les plus anodins administrés machinalement par des travailleuses du sexe épuisées par leur troisième quart de travail.

Vous imaginez : être traité dans un bordel comme un malade aux urgences du Québec. La prostitution confiée au secteur public, à ses administrateurs et à ses syndicats. Voilà comment faire fuir le client et décourager le recrutement.

De Ben Laden aux Minutes du patrimoine : je persiste et signe

30 mars 2012

Mes chroniques sont, semaine après semaine, parmi les plus populaires et les plus recommandées des lecteurs de Yahoo ! Québec. Certaines ont même dépassé le cap, tout à fait exceptionnel, des 1 000 recommandations.

Publiées sous le titre *Poing à la ligne* (Montréal, Les Intouchables, 2011), celles de l'année 2010 ont connu un succès qui m'a surpris. Le livre s'est maintenu en première place de la liste des meilleurs vendeurs des essais québécois du *Devoir* pendant cinq semaines. Mon éditeur, Les Intouchables, m'avise que les commandes des grandes surfaces pour *Contrepoing*, mes chroniques de 2011, laissent supposer un succès encore plus grand cette année.

Le journaliste est l'historien de l'actuel, disait Camus. Je tente de faire, au jour le jour, le bilan de notre temps dans une perspective qui m'est propre et avec une certaine ironie. J'essaie de placer l'événement dans la continuité qui l'a provoqué et de prévoir les conséquences qu'il va engendrer. Yahoo ! Québec me donne l'occasion de le faire depuis maintenant deux ans. Je remercie les responsables du site de leur confiance.

Je dis aussi merci à vous, mes lecteurs assidus. Y compris quelques-uns qui me détestent à en faire des maladies de peau. Ils m'accompagnent comme ces poissons parasites qui s'attachent au dos des requins. Le fait que des personnes qui me vouent aux gémonies aient un besoin viscéral de me lire me procure, je dois l'avouer, une satisfaction malsaine.

Deux ou trois de ces trolls répètent, de temps à autre, des propos diffamatoires à mon endroit que je me permets ici de rectifier.

Je n'ai pas été mis à la porte de Radio-Canada. L'ancienne ministre libérale Liza Frulla a fait cette affirmation diffamatoire durant la campagne électorale de 2006. Dans les heures qui ont suivi, mes avocats lui ont fait parvenir une mise en demeure de se rétracter. Ce qu'elle a fait rapidement. Rien ne m'empêchait de rester à Radio-Canada jusqu'à l'âge de la retraite, confortablement installé sur une tablette. Telle était la convention collective des journalistes. Mon différend avec la SRC n'avait rien à voir avec mes compétences professionnelles.

Je savais que je mettais ma carrière en péril lorsque j'ai décidé d'enquêter sur le financement par Ottawa des *Minutes du patrimoine*. Le ministère du Patrimoine utilisait la Fondation Bronfman comme paravent pour financer secrètement la série de messages publicitaires présentant une version à l'eau de rose de l'histoire du Canada. La fondation était dirigée par Robert Rabinovitch qui venait tout juste d'être nommé président de Radio-Canada. La SRC m'a avisé qu'elle ne diffuserait pas le résultat de mon enquête et m'a ordonné d'y mettre fin. J'ai protesté publiquement de cette tentative d'étouffer l'affaire. Il était temps pour moi, après 35 ans, de reprendre ma liberté de parole et d'aller exercer mon métier de journaliste ailleurs. Je suis quand même extrêmement satisfait de ma carrière radio-canadienne où j'ai occupé certains des postes les plus convoités du service de l'information : correspondant à Washington, à Paris et à Ottawa.

Un autre bobard revient de temps à autre dans des commentaires désobligeants qui suivent ma chronique. On affirme avec dérision que je croyais que Ben Laden se cachait à La Mecque en Arabie saoudite. Je n'ai jamais rien affirmé de tel.

Je suis particulièrement fier de ma chronique du 13 septembre 2011 sur Ben Laden. La plupart des médias répétaient alors qu'il se trouvait dans les zones tribales à la frontière entre le Pakistan et l'Afghanistan. J'étais un des rares à écrire, en me fondant sur ses messages vidéo, qu'il avait accès à tous les médias internationaux et qu'il vivait probablement dans une ville, peut-être au Pakistan. J'ajoutais qu'il n'y avait qu'un seul endroit au monde où il serait à l'abri d'une attaque américaine et c'était La Mecque. Son exécution à Abbottabad par les forces spéciales américaines a confirmé la justesse de mon analyse.

Le bras d'honneur des jeunes Anglo-Montréalais à la majorité francophone

2 avril 2012

René Lévesque les appelait les « Rhodésiens blancs », allusion aux colons britanniques d'Afrique australe. Depuis la Conquête, ils constituent la classe dominante à Montréal où une bonne partie des rues, des places et des lieux publics portent des noms destinés à rappeler leur suprématie sur leurs serviteurs francophones : de Nelson à Wellington en passant par Victoria.

Ce sont eux qui constituèrent les féroces milices supplétives du général Colborne qui mirent à feu et à sang les fermes de la Rive-Sud de Montréal durant les troubles de 1837. Et encore eux, en 1849, à l'incitation de la *Gazette*, qui incendièrent le parlement canadien qui siégeait à Montréal alors qu'on y votait des compensations pour leur pillage de la décennie précédente. *Not for those damn french bastards, never!* Le gouverneur Lord Elgin doit se réfugier sur l'île Sainte-Hélène de crainte d'être lynché par les *Montrealers*.

On aurait pu penser que la Révolution tranquille et l'enseignement généralisé du français dans les écoles anglaises depuis 40 ans avaient eu raison de la mentalité « race des Seigneurs » des jeunes Anglo-Montréalais.

Un sondage de *L'actualité* nous démontre qu'il n'en est rien. Les jeunes Anglos se considèrent toujours comme membres d'une élite privilégiée qui impose sa culture et sa langue supérieure à la masse inculte et ignorante que constitue la majorité francophone déclinante de Montréal. Le français, c'est bon pour les campagnes environnantes. *Not for Montreal. It's ours!* Pour eux à Montréal, aujourd'hui comme au XIXe siècle, c'est en anglais que ça se passe et que ça doit se passer.

Oui, mais que voulez-vous, l'anglais est la langue mondiale de communication! Est-ce que cela fait que la langue de communication est moins l'italien à Rome, l'allemand à Berlin ou l'espagnol à Madrid? Non, bien sûr. C'est différent à Montréal parce que nos Anglais savent à qui ils ont affaire. À l'un des peuples les plus serviles de la planète. Et ils en profitent.

Cette méprisable soumission qui est notre caractéristique nationale est facile à vérifier au quotidien. Allez dans n'importe quel endroit public à Montréal. Constatez l'à-plat-ventrisme des francophones de souche qui passent à l'anglais « par politesse » dès qu'ils détectent un quelconque accent chez leur interlocuteur. Mettez ça sur le compte de notre complexe d'infériorité congénital. Heureusement, les nouveaux arrivants francophones ne sont pas affligés de cette tare et ils se comportent plus dignement que nous dans ces situations.

Au cours des dernières décennies, malgré la Charte de la langue française, le sentiment de supériorité linguistique des jeunes anglophones a été renforcé par les décisions de la Cour suprême du Canada (dominée par les Anglos et des lèche-bottines choisis par eux) invalidant certaines de ses clauses essentielles et par l'action du Parti libéral du Québec, une formation qui n'existe que pour assurer la pérennité de leur domination.

Il serait vraiment révélateur que *L'actualité* fasse des sondages semblables sur les jeunes des autres groupes majoritairement apparentés aux Anglo-Montréalais comme les Grecs, les Juifs et les Italiens. Mais je suis parfaitement conscient que cela ne se fera jamais. Les résultats obtenus seraient sans doute encore plus désolants. Le mépris affiché pour le français et les francophones serait politiquement explosif au point de rendre le sondage impubliable.

Que faire? Pas grand-chose n'est possible pour le moment. La majorité francophone, en plus d'être lâche et de se complaire à servir de tapis, est divisée politiquement. Tant que le Parti libéral restera au pouvoir, il va tout faire pour défendre les intérêts de ses bailleurs de fonds et électeurs qui lui accordent un soutien aussi massif qu'inconditionnel : les « anglo-ethniques », les vieux francophones ignorants, les affairistes magouilleurs et la mafia. C'est une combinaison dure à battre.

Le fiasco du F-35 : duplicité et incompétence à la Défense nationale

6 avril 2012

Pour participer fièrement aux prochaines guerres de l'empire américain, le gouvernement Harper et les généraux de l'état-major canadien rêvaient de se doter du F-35. On voulait faire comme les autres pays qui portent habituellement leurs soldats volontaires pour servir de supplétifs et d'auxiliaires aux forces armées américaines, notamment la Grande-Bretagne et l'Australie.

On le voulait tellement à Ottawa que les dirigeants de notre armée et le gouvernement conservateur étaient prêts à mentir au Parlement et à la population. Le rapport du vérificateur général révèle que les coûts véritables de l'avion – deux fois le prix affiché – ont été dissimulés. L'objectif évident était de poursuivre le programme au-delà du point où le Canada n'aurait pu s'en retirer sans payer d'énormes frais d'annulation de contrat.

Harper a décidé de retirer la gestion du fiasco du ministère de la Défense pour la confier au ministère des Travaux publics.

Remarquez que les libéraux ne gèrent pas mieux la défense nationale lorsqu'ils sont au pouvoir. Le Canada a acheté d'occasion de la Grande-Bretagne quatre sous-marins en 1999 pour 750 millions de dollars. Les sous-marins, retirés du service, rouillaient depuis 1993. Un incendie s'est déclaré à bord du premier alors qu'on l'amenait au Canada. Bilan : un mort. Depuis, les sous-marins ont passé pratiquement tout leur temps en réparation. Pendant 10 des 13 dernières années, aucun d'entre eux n'était en état de fonctionner.

Il y a quelques semaines, le député libéral-démocrate britannique Mike Hancock a déclaré que le Canada s'était fait avoir et devrait exiger de se faire rembourser. Étant donné l'attachement du premier ministre Harper à tout ce qui est britannique et son amour filial pour la reine d'Angleterre, il y a peu de chances que cela se produise.

Et il ne faut pas oublier la saga des hélicoptères de sauvetage. En 1993, les libéraux de Jean Chrétien sont élus en promettant d'annuler un contrat de 5,8 milliards pour des hélicoptères EH-101 destinés à remplacer nos hélicoptères *Sea King* et *Labrador* qui dataient du début des années 1960. Chrétien affirmait en campagne électorale qu'on n'avait pas besoin de l'EH-101 qu'il appelait « la Cadillac » des hélicoptères.

Pour annuler le contrat, les libéraux ont payé 500 millions en frais de résiliation à la société AgustaWestland. Après avoir tergiversé pendant cinq ans, le gouvernement libéral s'est finalement décidé à remplacer nos vieux hélicos en achetant des appareils Cormorant. Il s'agissait des mêmes hélicoptères EH-101 dont Chrétien avait annulé l'achat en 1993, mais le gouvernement canadien avait demandé au constructeur de changer son nom afin de ne pas le mettre dans l'embarras. Contrairement aux dispositions contenues dans le contrat des conservateurs, ces appareils ont été entièrement construits en Europe sans la participation du Canada et sans contreparties industrielles. Il comprenait un plus petit nombre d'appareils. En plus des EH-101, les libéraux ont donc aussi acheté des CH-148 Cyclone. Le contrat a été étalé jusqu'en 2007. Des dizaines de millions de dollars d'entretien ont été dépensés pour maintenir les vieux hélicoptères en service. Cela a finalement coûté plus cher au Canada que si Chrétien n'avait pas annulé le contrat de 1993.

Revenons au F-35. Si le premier ministre Harper était l'homme qu'il prétend être, il exigerait la démission de son ministre de la Défense, Peter MacKay, et du chef de l'état-major de la défense, le général Walter Natynczyk. Si ces deux hommes avaient le moindre sens de l'honneur, ils la remettraient avant même que le premier ministre la demande.

Mais rassurez-vous. Ceux qui ont comploté pour cacher la vérité aux élus vont poursuivre leur carrière comme si rien ne s'était passé. MacKay va rester en poste. Tout comme les galonnés qui l'entourent, en attendant une généreuse retraite et, peut-être, en prime, un poste de vice-président dans une entreprise du secteur militaire.

Le futur casino mohawk : la Caisse de dépôt va-t-elle y investir ?

6 avril 2012

Combien a coûté la tolérance des autorités envers la criminalité mohawk depuis 20 ans ? Des centaines de millions ? Des milliards ? On ne le saura jamais. Kanesatake et Kahnawake sont les deux principaux foyers de criminalité au Québec. On y fabrique des cigarettes illégales. On les vend sur place. Un réseau de distribution clandestin couvre l'Est du Canada. On y entrepose des biens volés. On y cultive de la mari. On s'y adonne au trafic d'armes et au trafic de stupéfiants. Le serveur mondial le plus important pour les jeux de hasard en ligne illégaux est logé à Kahnawake. J'oubliais. Il y a aussi un bingo et des salles de poker illégales, fréquentées par des personnalités bien en vue du monde du spectacle québécois. Tout cela sous la protection des *peacekeepers* dont la GRC et la SQ nous vantent régulièrement les mérites.

Avec la collaboration des libéraux, la pègre à plumes pourrait bientôt avoir un casino tout neuf. Le gouvernement du Québec s'est empressé de donner aux Mohawks les terrains idéaux pour le construire, le long de l'autoroute 30. Tout ce qui manque, c'est qu'on leur construise une sortie spéciale pour accéder au casino et qu'Investissement Québec et la Caisse de dépôt y mettent de l'argent. Vu son emplacement stratégique, il va être extrêmement rentable s'il est construit. On parle de 150 millions de dollars par année. Pas de taxes, pas d'impôts à payer. Ni sur le jeu, ni sur les cigarettes, ni sur les autres activités illicites engendrées par la maison de jeux. Il ne manquait que la prostitution dans la panoplie des activités criminelles des Mohawks. Ça s'en vient.

Le nouveau casino mohawk, à l'abri de la fiscalité, ferait une concurrence déloyale au Casino de Montréal, aux restaurants de la Rive-Sud. Il encouragerait le jeu pathologique et introduirait de nouvelles possibilités pour blanchir l'argent du crime organisé.

Les paris sont ouverts – excusez l'expression –, sur l'impact négatif qu'un tel casino aurait sur les revenus du Casino de Montréal. Une baisse de 20 % ou de 25 % ? Deux fois, les habitants de la réserve ont rejeté l'idée d'ouvrir un casino. Je suis sûr qu'avant de tenir un troisième référendum, les puissants groupes occultes qui gèrent les activités criminelles sur la réserve sont assurés d'un résultat favorable*.

La députée de la Coalition Avenir Québec (CAQ) Sylvie Roy a révélé que Charest avait confié à trois amis et proches conseillers de s'occuper du transfert aux Mohawks du terrain destiné au casino. Ensemble, John Parisella, Dan Gagnier et Rémi Bujold ont empoché environ un million de dollars en contrats de gré à gré pour leurs démarches qui donnent aux Mohawks un terrain qui appartenait au ministère des Transports du Québec.

En confirmant, en anglais, la bonne nouvelle, le chef Joe Delaronde a souligné que les Mohawks ne se considèrent ni comme Canadiens ni comme Québécois. Lui et sa tribu se gardent bien cependant de refuser les 44 millions de dollars que Québec et Ottawa leur donnent chaque année et qui constituent 96 % du budget de Kahnawake.

Grand seigneur, le chef Delaronde offre même des *jobs* aux indigènes québécois des environs. Peu de membres de la tribu parlent français. On le sait, l'anglo-américain est la langue nationale des Mohawks et il n'est pas question qu'ils s'abaissent à parler le français dialectal qui pollue les alentours de Kahnawake. Les joueurs québécois vont avoir le privilège extraordinaire de perdre leur fric dans leur langue. Comment affirmer après ça que les Mohawks ne sont pas conciliants ?

Le jeu sur la réserve n'est soumis à aucune réglementation sérieuse. La soi-disant Kahnawake Gaming Commission est une farce. J'espère que les jeux du casino vont être moins truqués que les jeux en ligne de Kahnawake. De toute façon, les Québécois n'y verront que de la fumée. Bons cons, ils vont s'y rendre en grand nombre pour flamber stupidement leur argent. Mieux, ils vont remercier Jean Charest et ses amis de leur en avoir donné l'occasion.

* Mise à jour : À la surprise générale, les habitants de la réserve ont rejeté une troisième fois par référendum le projet de casino par une majorité extrêmement mince : 846 voix (50,72 %) contre 822. Les criminels qui dominent l'activité économique à Kahnawake vont récidiver tant qu'ils n'obtiendront pas un vote favorable au casino.

|||||||||||||||||||||||||||||||

9 avril 2012

SNC-Lavalin, c'était géré comme la FTQ-Construction

En septembre 2011, le président de SNC-Lavalin, l'un des piliers du secteur de la construction au Québec, avait contesté les conclusions du rapport Duchesneau sur les magouilles dans cette industrie. Parlant de corruption, Pierre Duhaime, superbe, avait lancé : « Chez SNC-Lavalin, ça n'existe pas ».

Voilà que six mois plus tard, ce parangon de vertu qu'est SNC-Lavalin est au centre de multiples affaires où on soupçonne de graves cas de concussion.

Des enquêtes sont en cours sur les liens de l'entreprise avec le fou de Tripoli, Kadhafi et sa famille, tandis qu'on interdit temporairement à une de ses filiales de faire des appels d'offres pour des projets de la Banque mondiale à cause d'allégations de corruption au Bangladesh.

Pierre Duhaime a démissionné, mais SNC affirme que son départ précipité n'implique aucune conduite inacceptable de sa part. Mieux, le conseil d'administration l'a félicité pour son excellent travail et l'a récompensé en lui donnant un cadeau de départ de 4,9 millions de dollars. Sa présidence a été marquée par une baisse de 21 % des bénéfices et une chute de 14 % du prix de l'action.

Dans les jours qui ont précédé son départ, une enquête interne avait allégué que Duhaime avait indûment autorisé 56 millions de dollars en paiements sans pièces justificatives à des « agents » travaillant pour SNC. Duhaime, en tant que chef de la direction, a utilisé son pouvoir exécutif pour autoriser ces paiements en dépit des objections du chef de la direction financière de la compagnie et du président de SNC-Lavalin International, même s'ils ne connaissaient pas leur destination. Son ancien vice-président, Riadh Ben

Aïssa, qui a lui aussi approuvé les paiements dit ne pas savoir lui non plus où l'argent a été dépensé. Ben Aïssa a aussi « démissionné ».

SNC-Lavalin affirme que l'enquête interne n'a pas réussi jusqu'à maintenant à déterminer l'utilisation des 56 millions de dollars. Elle dit pourtant savoir que l'argent n'a pas été utilisé pour payer des pots-de-vin. Comment le sait-elle ? La société soutient que Duhaime a coopéré dans l'enquête, mais n'a pas pu fournir de détails sur les paiements. Comment ça ? Qu'est-ce qu'il a dit aux vérificateurs ? « Je ne m'en rappelle plus ! C'est pas de vos oignons, vous êtes pas de la police ! » A-t-il refusé de répondre ?

Le président du conseil de Lavalin, Gwyn Morgan, ne peut pas expliquer comment Duhaime a pu autoriser ces paiements sans avoir aucune connaissance de leur destination. Il n'y a personne dans la direction qui sait quoi que ce soit de la disparition de 56 millions de dollars chez SNC-Lavalin ! On croirait entendre des libéraux au sujet du scandale des commandites devant le juge Gomery.

Hé ! M. Morgan ! Pouvez-vous au moins nous expliquer l'indemnité de départ de Duhaime ?

Pas besoin d'être aussi cynique que moi pour comprendre que Pierre Duhaime doit savoir dans quels placards sont cachés depuis des décennies les squelettes de SNC-Lavalin et que son silence, dans les enquêtes policières actuelles et les autres à venir*, vaut son pesant d'or ou plus.

Comme le note le chroniqueur financier du *Toronto Star*, David Olive, l'attitude de l'investisseur milliardaire Stephen Jarislowsky dans cette affaire déçoit. Depuis des décennies, il fustige la mauvaise gouvernance des entreprises. Et voilà que Jarislowsky Fraser ltée publie un communiqué affirmant qu'il n'avait aucune préoccupation au sujet de la gouvernance de SNC-Lavalin. Jarislowsky Fraser détient une participation de

15 % dans l'entreprise. Exiger une enquête approfondie aurait pu avoir un effet baissier sur la valeur des actions de SNC.

Une chose est certaine. Les dirigeants de SNC-Lavalin vont cesser de nous casser les oreilles avec les hautes normes éthiques de l'entreprise et vont éviter à l'avenir d'être des donneurs de leçons. Les turpitudes morales des grandes entreprises ressemblent souvent à celles des grandes centrales syndicales. La FTQ-Construction, Jocelyn Dupuis, ça vous rappelle quelque chose ?

* Mise à jour : Pierre Duhaime a été arrêté le 28 novembre et accusé de fraude, de complot et d'usage de faux. Voir ma chronique du 30 novembre.

‖‖‖‖‖‖‖‖‖‖‖‖‖‖‖ Les « affaires africaines » de Nicolas Sarkozy : de
11 avril 2012 Bongo à Kadhafi

Le président Sarkozy avait soulevé la colère de nombreux Français en accueillant Kadhafi à l'Élysée en grande pompe à la fin de 2007, l'autorisant même à ériger sa tente dans les jardins du palais présidentiel. Pourquoi traiter ainsi ce clown odieux ? En cette fin de campagne présidentielle française, une explication émerge.

Le site de journalisme d'enquête français Mediapart a publié récemment un document qui suggère que Kadhafi a largement financé la campagne présidentielle de Sarkozy de 2007. On parle d'une somme d'environ 60 millions de dollars. Le juge d'instruction, Renaud Van Ruymbeke, enquête sur le dossier dans le cadre plus vaste d'irrégularités dans le financement des partis politiques français. Il a du pain sur la planche ! Sarkozy nie avec véhémence les allégations : «S'il m'avait financé, alors je n'ai pas été très reconnaissant», a-t-il déclaré au sujet de Kadhafi.

Et pourtant... Rappelez-vous. Sarkozy a été lent à se mettre du côté des printemps arabes. Ses ministres ont continué de fréquenter des dirigeants des dictatures égyptiennes et tunisiennes bien après qu'il soit devenu indécent de le faire. Quand les troubles ont pris de l'ampleur en Libye, Sarkozy a compris que c'était l'occasion ou jamais de prendre ses distances du dictateur libyen et de se reconvertir en apologiste des révolutions arabes.

L'explication vaut encore plus si Kadhafi a été un de ses bailleurs de fonds. Il fallait faire quelque chose de vraiment spectaculaire, pour effacer les soupçons et se faire pardonner ses accointances passées avec le dictateur lunatique. Avant même que le vote du Conseil de sécurité de l'ONU sur la question soit pris, des dizaines d'avions avaient décollé de leurs bases en France en direction de la Libye. On leur doit d'avoir sauvé l'opposition libyenne en détruisant la colonne blindée qui s'apprêtait à prendre Benghazi sans défense où elle s'était réfugiée.

Ce ne serait pas la première fois que des présidents français, de droite comme de gauche, reçoivent du financement occulte de despotes africains assis sur des fortunes provenant du pétrole ou d'autres richesses naturelles. Lorsque j'étais correspondant à Paris dans les années 1980, le journaliste d'enquête Pierre Péan avait révélé dans son livre-choc *Affaires africaines* (Paris, Fayard, 1983) comment l'inénarrable Omar Bongo du Gabon avait financé François Mitterrand et le Parti socialiste (PS).

Il y a eu aussi la sombre histoire des «diamants de Bokassa» jamais complètement résolue. L'empereur erratique de la Centrafrique aurait fait des cadeaux mirobolants au président Giscard d'Estaing (dont l'impératrice, disent des mauvaises langues). Pour éviter que l'affaire éclate, Giscard décide de renverser Bokassa. Des agents secrets du Service de documentation extérieure et de contre-espionnage (SDECE) accompagnent les parachutistes qui s'emparent de son palais présidentiel pour y retirer toutes les preuves compromettantes pour Giscard avant que l'opposition puisse y avoir accès.

Pour en revenir à Sarkozy et à Bongo, un ancien conseiller du président gabonais défunt, Mike Jocktane, a écrit l'année dernière dans un livre, *Le scandale des biens mal acquis* (Xavier Harel et Thomas Hofnung, Paris, La Découverte, 2011), que Bongo avait aussi contribué à la campagne de 2007 de Sarkozy. Jocktane parle d'un système bien rodé : « Quand un homme politique français se rend au Gabon, on dit qu'il vient chercher sa mallette... Une part importante de ces dons a fini dans les poches des bénéficiaires. Il y a eu beaucoup d'enrichissement personnel ». Il ajoute : « Les remises de mallettes effectuées dans le bureau du président étaient filmées par des caméras cachées. Tout était enregistré sur vidéo... l'un des moyens de pression de Libreville sur Paris ». Selon lui, c'est ce qui explique l'empressement avec lequel Sarkozy a reconnu l'élection frauduleuse d'Ali Bongo à la succession de son père en 2009.

Ces révélations suivaient celles d'un ancien conseiller de l'ombre de plusieurs présidents français pour l'Afrique, Robert Bourgi, qui affirmait avoir remis 20 millions de dollars au président Jacques Chirac et à son premier ministre, Dominique de Villepin, de la part de présidents africains.

En échange de ces dons, les dictateurs amis de la France comptent sur elle pour envoyer des parachutistes les tirer d'affaire si jamais les choses tournent mal. Dans le cas de Kadhafi et de Bokassa, Sarkozy et Giscard ont plutôt choisi l'option inverse.

Le régime nord-coréen n'est pas à l'abri d'un Pearl Harbor informatique

12 avril 2012

La Corée du Nord voulait montrer au monde entier son niveau scientifique et technologique avancé en plaçant un satellite sur orbite. On avait même invité des dizaines de journalistes étrangers pour suivre le tir et les diverses festivités accompagnant le centième anniversaire de la naissance du fondateur de l'absurde dynastie communiste, Kim Il-sung, le grand-père du bouffon dégénéré qui préside aux destinées de ce malheureux pays.

Catastrophe! La fusée s'est désintégrée en vol et ses débris se sont abîmés en mer quelques secondes après son décollage, humiliant ainsi le régime et la tête de lard qui le dirige, Kim Jong-eun. Secrètement, des millions de Nord-Coréens ont dû rigoler de sa déconfiture. Le désastre actuel est encore plus médiatisé que la tentative ratée de mettre un premier satellite sur orbite en 2009.

Il va être révélateur de voir comment la clique dirigeante nord-coréenne va réagir face à cet échec monumental. Le clown joufflu pourrait décider de doubler sa mise et de procéder à un essai nucléaire.

Bien que la Corée du Nord soit le régime le plus totalitaire de la planète, il est possible qu'une pareille humiliation publique provoque une réaction de la population. Les Coréens, superstitieux, auront sans doute noté que leur nouveau leader a défié le sort en choisissant un vendredi 13 pour lancer son satellite. Le régime, qui se réclame du «socialisme scientifique», invoque souvent des prémonitions et autres signes célestes pour expliquer la pérennité de la famille régnante. La destruction de la fusée va, à n'en pas douter, être vue comme un mauvais présage par une partie de l'élite nord-coréenne et par les misérables citoyens de ce pays. Mais penser que ça pourrait être l'événement déclencheur d'un changement de régime, c'est rêver en couleur.

Le Conseil de sécurité de l'ONU va voter de nouvelles sanctions contre Pyongyang. Elles vont surtout frapper la population, l'une des plus mal en point du monde après 20 ans de privation et de malnutrition. Les porcs de l'élite militaro-politique nord-coréenne, eux, vont continuer à se gaver. Ce régime monstrueux, qui constitue la phase ultime du socialisme, donne la priorité absolue à son armée et au financement de son programme nucléaire militaire. Le parapluie nucléaire met le régime nord-coréen à l'abri de toute attaque militaire.

Mais il y a peut-être une autre façon de le détruire. Les Américains (et d'autres pays) possèdent la capacité d'infiltrer les réseaux informatiques nord-coréens pour y provoquer des « anomalies » catastrophiques comme cela est arrivé en Iran, il y a moins de deux ans. Une cyberattaque de ce type visant l'ensemble des systèmes de commandement et de contrôle nord-coréens est réalisable. Deux approches sont possibles.

D'abord l'approche subtile. Ce n'est pas malheureusement le fort des Américains. Procéder à une dégradation subreptice, en continu, de l'appareil informatique gouvernemental. Chaque fois, il faudrait qu'on puisse attribuer l'accident ou la mésaventure à une erreur, à une imprévoyance ou à l'incompétence des responsables.

Et qui sait? La destruction de la fusée Unha-3 est peut-être effectivement le résultat d'une frappe informatique. Je suis convaincu que les paranos qui dirigent la Corée du Nord le soupçonnent.

L'autre approche serait une attaque informatique foudroyante. Un Pearl Harbor numérique. Frapper les réseaux qui gèrent l'armement nucléaire pour les rendre inopérants pour ensuite, presque instantanément, s'attaquer aux systèmes de défense et au reste de l'infrastructure informatique nord-coréenne.

Et si aucun État n'ose mener une cyberguerre contre le régime de Pyongyang, il me semble que ce serait la cible idéale pour les guerriers informatiques sans peur et sans reproche du groupe Anonymous. Don Quichotte à l'assaut de la Corée du Nord, pourquoi pas ?

Les pourparlers sur le nucléaire iranien progressent : Israël est en furie

16 avril 2012

Après d'intenses négociations à Istanbul, les participants parlaient de « l'atmosphère plus positive en près d'une décennie » qui permettait de préparer « des propositions concrètes pour sortir de l'impasse » la question du nucléaire iranien.

C'en était trop pour le premier ministre Netanyahou, l'homme qui veut absolument provoquer une guerre avec l'Iran et peut-être déclencher une catastrophe économique et une guerre mondiales. Il s'est permis une colère publique contre ces fauteurs de paix du P5 + 1* qui osent mener des pourparlers avec ce pays. Et l'Iran qui accroît la rage israélienne en assouplissant considérablement son approche. Téhéran laisse entendre qu'il est dorénavant ouvert à la discussion en ce qui concerne le niveau d'enrichissement d'uranium.

Netanyahou considère que la décision de tenir une deuxième série de discussions en mai constitue un « cadeau » qui permet à l'Iran de poursuivre son programme d'enrichissement d'uranium à des fins civiles. Israël n'en veut pas. Un point, c'est tout.

Israël, la seule puissance nucléaire de la région, veut absolument maintenir son monopole qui lui permet d'imposer ses volontés à ses voisins. L'État juif ne redoute rien de plus qu'un éventuel équilibre de la terreur qui rendrait toute menace de guerre et toute guerre impossibles au Moyen-Orient. Négocier d'égal à égal avec les musulmans protégés par un parapluie nucléaire ? Jamais. C'en serait fini des colonies de peuplement juives en Cisjordanie et de la délimitation unilatérale des frontières d'Israël.

Sur cette question, les Israéliens soutiennent massivement leur premier ministre qui demande non seulement que les Iraniens cessent leurs recherches nucléaires, mais aussi qu'ils démantèlent immédiatement leurs installations d'enrichissement d'uranium.

Le président américain ne veut pas de guerre avec l'Iran. Pas plus que ses généraux au Pentagone. Mais, particulièrement en cette année électorale, Obama n'a pas le choix. Il doit faire ce qu'exigent ses plus importants bailleurs de fonds qui se recrutent parmi les membres du lobby israélien. Il doit non seulement se soumettre aux diktats d'Israël qui vont à l'encontre des intérêts américains, mais aussi il doit le faire haut et fort.

Contrairement aux autres pays du P5 + 1, Obama ne pouvait même pas manifester de satisfaction devant la tournure positive des négociations. Il a plutôt minimisé leur importance, soulignant qu'il n'avait pas l'intention de donner plus de marge de manœuvre à l'Iran. Pour bien démontrer sa docilité envers ceux qui le financent, il a même promis que des sanctions encore plus sévères allaient frapper Téhéran dans un proche avenir.

Pour maintenir le climat de tensions, moins de 24 heures après l'ajournement des pourparlers, la principale chaîne de télévision israélienne a diffusé un reportage sur les préparatifs d'attaque contre l'Iran. On y entendait des pilotes israéliens dire qu'ils se préparaient à cette attaque qui allait suivre rapidement l'échec des pourparlers du P5 + 1 de mai prochain. Les pilotes dénonçaient la Russie pour avoir fourni à l'Iran des équipements qui allaient rendre leur mission plus périlleuse.

Quel culot, ces Russes, quand même : vendre aux Iraniens des systèmes défensifs sans d'abord avoir obtenu l'autorisation d'Israël. Les États-Unis, eux, demandent toujours la permission à Israël avant de vendre des armes aux Arabes, même si Washington s'assure qu'elles sont de qualité moindre que celles vendues à Tel-Aviv.

·   La relation entre Israël et les États-Unis est unique dans l'histoire universelle. Jamais un État impérial n'a été soumis à ce point à un de ses États clients. L'illustration parfaite de l'expression américaine *the tail wags the dog*.

* Il s'agit des cinq membres permanents du Conseil de sécurité de l'ONU (France, Grande-Bretagne, Russie, Chine, États-Unis) plus l'Allemagne.

Il y a 30 ans, Trudeau et les libéraux fédéraux trahissaient le Québec

18 avril 2012

« Ce sont des traîtres ! » C'est ainsi que la Société Saint-Jean-Baptiste (SSJB) qualifiait, dans *Le Devoir*, les 70 députés libéraux québécois qui venaient de voter en faveur de la résolution constitutionnelle permettant le rapatriement de la Constitution sans l'accord du Québec. Certains de ces traîtres ont poursuivi la SSJB pour diffamation. La Cour d'appel du Québec en 2002 a conclu que ses propos étaient acceptables. En refusant d'intervenir, la Cour suprême a maintenu le jugement porté sur ces salauds.

J'ai toujours considéré Trudeau et Chrétien comme des traîtres dans l'acception précise du terme. Leur rôle dans le rapatriement unilatéral de la Constitution et l'adoption de la prétendue Charte canadienne des droits et libertés est le point d'orgue de leur carrière de renégats et illustre parfaitement pourquoi je hais ces individus. On célèbre cette semaine le 30e anniversaire de ces événements affligeants.

Les libéraux, chez qui tout est toujours sonnant et trébuchant, exigent 300 $ à des branquignols qui n'ont vraiment rien d'autre à faire pour le privilège d'entendre le vieux charlot de Chrétien raconter sa trahison. Pour essayer de détourner l'attention de la Constitution et de la Charte, les conservateurs, tout aussi pathétiques, tentent de soulever l'enthousiasme populaire pour le 200e anniversaire de la guerre de 1812 et les célébrations du jubilé de diamant de la reine.

De son côté, le chef du NPD déclare que son parti veut créer les « conditions gagnantes » pour que les Québécois « épousent » le cadre constitutionnel canadien. On a déjà été baisé de force, Mulcair veut maintenant nous imposer le mariage.

L'Assemblée nationale du Québec a toujours refusé, à l'unanimité, de signer la « patente à Trudeau ». Les deux tentatives sous Mulroney pour obtenir l'adhésion du Québec, les accords du lac Meech de 1990 et de Charlottetown en 1992, ont échoué. Le Méphistophélès hargneux qu'était devenu Trudeau et le quarteron de diablotins fanatiques qui constituaient sa garde rapprochée s'étaient mobilisés contre.

Rappelons-le : Trudeau et Chrétien ont réalisé un véritable « coup d'État ». C'est ainsi que René Lévesque a qualifié l'opération. Margaret Thatcher semblait aussi le penser. La Grande-Bretagne a envisagé d'empêcher le processus après que la Cour suprême du Canada eut statué que Trudeau procédait en violation des conventions constitutionnelles en agissant sans l'accord des provinces.

La Charte n'est pas une victoire pour la démocratie, c'est une victoire pour les avocats. Les pouvoirs des députés sont dorénavant limités par les décisions de juges nommés par le premier ministre qui n'ont pas à être avalisées par des élus. Le système canadien est conçu pour rendre toute modification à la Constitution pratiquement impossible, contrairement aux États-Unis où plusieurs amendements ont été apportés, au cours des siècles, à la loi fondamentale. Nous avons maintenant à vivre avec les pires aspects des traditions britanniques et américaines. L'Australie et la Grande-Bretagne sont des pays aussi démocratiques que le Canada, même sans charte. La démocratie et la liberté existaient au Canada avant Trudeau.

Par sa Constitution et sa Charte, il a enlevé des droits aux Canadiens. Il a bloqué l'évolution politique du pays et limité le pouvoir de ses élus. Trudeau et Chrétien voulaient avant tout empêcher l'affirmation nationale du Québec et verrouiller à jamais toute possibilité du Québec d'obtenir son indépendance de façon légale et constitutionnelle. Dion complétera la félonie de son maître en utilisant la Cour suprême pour définitivement emprisonner le Québec dans le Canada.

Trudeau a dit que sa Constitution était assez bonne pour «durer mille ans», utilisant l'expression de Hitler au sujet de son IIIe Reich qui n'a duré qu'une douzaine d'années et s'est terminé dans une épouvantable catastrophe.

Les élections en France : la gauche caviar contre la richesse bling-bling

20 avril 2012

Sarko tire de l'arrière dans les sondages. La preuve, c'est qu'il joue la carte nationale et patriotique. Imaginez : tout à coup, il se met à parler de la grandeur de la langue française et de la nécessité de la protéger. Dans un pays où les élites l'ont, depuis longtemps, reniée au profit de l'anglo-américain qu'elles baragouinent d'ailleurs assez comiquement. Défendre les valeurs françaises? C'est tellement ringard et réactionnaire qu'on se croirait au Front national ou au Parti québécois. Sarkozy veut attirer vers lui des votes de Marine Le Pen. La majorité silencieuse n'est pas majoritairement de son côté. Sa femme, Carla Bruni, pathétique, insiste ces jours-ci: «Nous sommes des gens modestes».

François Hollande, l'homme *drabe* du Parti socialiste, a de bonnes chances de l'emporter sur le petit excité touche-à-tout et verbomoteur. Il se veut monsieur Tout-le-monde, l'homme ordinaire. Sarkozy, qui incarne la richesse m'as-tu-vu *bling-bling*, se plaît à dénoncer son adversaire comme le candidat de la «gauche caviar parisienne».

C'est un fait qu'avec Mélenchon (extrême gauche réunie), Hollande a l'appui des «intellectuels en chaise longue» dont une bonne partie tire ses revenus de l'État à un titre ou à un autre. Ils vivent à droite, mais pensent et votent à gauche. «Il ne faut pas désespérer Billancourt», disait Sartre, le pape de cette engeance dégénérée.

Le Parti socialiste français n'est plus un parti de travailleurs depuis des décennies, à moins de considérer les fonctionnaires, les employés de bureau, les enseignants comme tels. Le PS représente majoritairement la petite bourgeoisie bureaucratique dont les membres, comme au Québec, aiment se faire passer pour des travailleurs.

En France, les classes populaires, les ouvriers, les chômeurs, les démunis issus de l'immigration votent pour l'extrême gauche, pour l'extrême droite ou s'abstiennent. Ils ne votent certainement pas pour les profs et les ronds-de-cuir, bedonnants et grisonnants, qui gonflent les rangs du Parti socialiste. Une partie significative des jeunes de 18-30 ans vote Front national.

La France de Sarkozy a une économie qui stagne et un taux de chômage à 10 %. Hollande se présente comme le socialiste qui va tenir tête aux marchés financiers, qui va faire casquer plus d'impôts aux riches et qui va favoriser le développement économique plutôt que couper dans les programmes sociaux. Et moi, je veux vous vendre la tour Eiffel !

Comme c'est le cas dans la plupart des campagnes électorales, les candidats évitent d'aborder les vrais problèmes. Ça les obligerait à prendre des positions qui déplairaient à une partie de l'électorat. Personne ne parle d'austérité. Les Français n'aiment pas. De Marine Le Pen à Jean-Luc Mélenchon, tout le monde accuse le capitalisme globalisant et la finance internationale sans cœur et leurs alliés hexagonaux. Même Sarko. On préfère ânonner des lieux communs et des évidences et s'adonner à la démagogie. Plus rentable électoralement.

La vérité toute crue qui ne peut être dite en campagne électorale, c'est que, de droite ou de gauche, le prochain chef de l'État va devoir gérer des réductions de dépenses publiques draconiennes ou des déficits astronomiques menant à la faillite.

Alors que l'Europe est en pleine crise financière, ni Hollande ni Sarkozy n'évoquent la dette accumulée du pays, les transformations nécessaires de l'aide sociale, des retraites et les réformes du système d'éducation.

Si Sarkozy ne réussit pas à l'emporter au premier tour dimanche soir, il est fait. Les indécis, 25 % de l'électorat, vont vouloir voter gagnant et vont se retourner vers Hollande. Ni lui ni son parti ne peuvent mettre les Français à l'abri de la mondialisation et des transformations radicales qu'elle impose à leur mode de vie. Hollande et le PS peuvent tout au plus en retarder l'échéance et ainsi rendre leurs conséquences encore plus gravissimes.

CLASSE, mafia, FTQ-Construction, Mohawks : l'efficacité de la violence

23 avril 2012

Des centaines de milliers de personnes qui sont descendues dans les rues de Montréal ce week-end. Cette fois, c'était à l'occasion de la Journée de la Terre. On dit qu'il s'agit d'une des plus importantes manifestations semblables qui se sont déroulées partout sur la planète. La procession avait les allures d'une fête religieuse. Les organisateurs avaient d'ailleurs demandé aux églises de faire sonner leurs cloches.

Les Québécois adorent maintenant Gaïa, la Terre mère. Une nouvelle religion en remplace une vieille. Mais toutes les manifestations écolos, aussi sympathiques qu'elles soient, ne peuvent changer une réalité brutale et inconvenante : la Terre est en train de devenir de plus en plus invivable parce que les êtres humains y sont de plus en plus nombreux. Parmi les manifestants du week-end, combien se porteraient volontaires pour diminuer de moitié leur consommation (voiture, alimentation, loisirs, etc.) pour permettre, en toute équité, aux 300 millions de Chinois qui accèdent à la société de consommation de jouir des mêmes privilèges ?

Certainement pas les rejetons de notre petite bourgeoisie bureaucratique qui ont, eux aussi, organisé récemment à Montréal de grandes manifestations. Avec violence, cette fois.

Pas par solidarité avec des opprimés de la Terre. Pas pour revendiquer de meilleures conditions de vie pour les laissés-pour-compte et les plus démunis de notre société. Non. Nos jeunes bourgeois sont en guerre pour défendre leur privilège de classe d'avoir les droits de scolarité les plus bas en Amérique du Nord, payés par une majorité de contribuables qui ne sont pas allés à l'université et dont les enfants n'y iront pas non plus.

Ce qui est indécent, c'est qu'ils tentent, heureusement sans succès, de maquiller leur défense de leurs intérêts de classe en combat pour la justice sociale. Personne ne croit ces jeunes exploiteurs qui peaufinent leurs techniques et leurs méthodes d'accaparement des richesses collectives.

Et les enfants de la petite bourgeoisie bureaucratique du Québec ne dédaignent pas d'avoir recours à la force pour défendre leurs privilèges. Perspicaces, ils ont compris l'efficacité de la violence et de l'intimidation. Ils voient comment s'y prennent la mafia, la FTQ-Construction et les criminels mohawks. Trois groupes qui s'entendent comme larrons en foire avec les libéraux de Charest et qui jouissent donc d'une quasi-immunité.

Quand j'entends le premier ministre et des ministres libéraux dire qu'ils ne négocient pas avec des groupes qui utilisent ou qui ne condamnent pas la violence, j'ai le goût de vomir.

Durant la crise d'Oka, le premier ministre du Québec a négocié avec les criminels mohawks, assassins d'un agent de la SQ, par l'intermédiaire du juge en chef de la Cour supérieure du Québec, Alan B. Gold. Pire, pour le plus grand déshonneur du gouvernement Bourassa, une rencontre, le 12 août 1990, a réuni le ministre libéral John Ciaccia avec des *warriors* masqués et armés.

Comment ensuite venir dire à la CLASSE et aux autres groupes étudiants qui défendent leurs droits acquis que la violence n'est pas un moyen efficace de s'emparer d'une part plus importante des biens sociaux au détriment de ceux qui n'ont pas les moyens d'y recourir? Les Mohawks, la mafia et la FTQ-Construction, alors?

Surtout que les étudiants n'ont pas les moyens de s'adonner à la corruption et à la concussion. Ils ne sont pas encore entrepreneurs et ingénieurs et politiciens. Ça viendra.

Irak : Maliki assoit sa dictature avec l'appui de Téhéran et de Washington

25 avril 2012

Ça ne fait pas de grands titres dans les médias, mais presque chaque semaine des attentats meurtriers tuent des dizaines de personnes en Irak alors que le pays sombre dans la guerre civile. Ces attaques visent la majorité chiite, qui contrôle le pouvoir depuis le renversement de Saddam Hussein, ou sont des représailles contre celle-ci.

Cette situation sert à justifier la dérive autoritaire du premier ministre Nouri al-Maliki qui s'est emparé de tous les postes clés du gouvernement, dont ceux de ministre de l'Intérieur et de ministre de la Défense. Depuis un an, il a fait arrêter et torturer plusieurs de ses opposants politiques et tente de marginaliser les sunnites et les Kurdes. Il a ordonné l'arrestation de son vice-président sunnite, Tarek al-Hachémi, qu'il accuse de terrorisme.

Maliki est en train de créer une dictature basée sur un parti unique chiite exactement comme Saddam appuyait son pouvoir sur les sunnites et le Baas. L'ancien premier ministre irakien Iyad Allaoui a averti, dans le *New York Times*, que l'Irak était en train de devenir une « autocratie sectaire ». Washington le sait depuis longtemps et approuve l'opération.

Dans un câble diplomatique publié par WikiLeaks, l'émissaire américain Ryan Crocker notait en 2009 que Maliki en était à créer un régime plus centralisé et que cela était « dans l'intérêt des États-Unis ». C'est aussi dans l'intérêt de Téhéran. Depuis que les États-Unis ont terminé le retrait de leurs troupes d'Irak à la fin de 2011, l'influence de l'Iran se démultiplie à Bagdad. À Téhéran, on le dit ouvertement. Le commandant de la Force Qods des

Gardiens de la révolution, le général Qassem Suleimani, s'est vanté de contrôler l'Irak.

Maliki est actuellement à Téhéran pour discuter des relations entre les deux pays, affirmant qu'il n'y avait « pas de limite au renforcement des liens politiques, économiques et culturels » entre l'Iran et l'Irak. Malgré cela, l'administration Obama fournit au dictateur en puissance Maliki le matériel militaire dont il a besoin pour consolider son pouvoir : 11 milliards de dollars d'armes, dont des avions d'attaque F-16. Destinés en principe à défendre l'espace aérien irakien, ces avions devaient être opérationnels en 2015. Mais Maliki fait pression sur Obama pour les avoir d'ici un an.

Plusieurs spécialistes sont convaincus que les services secrets iraniens vont avoir accès aux F-16 dès leurs premières livraisons afin de permettre à l'Iran de mettre en place des contremesures. Les F-16 constituent le fer de lance de l'aviation israélienne. Les Kurdes s'opposent à la livraison accélérée de F-16 à l'Irak, convaincus que ces avions seront utilisés contre eux. En effet, une confrontation militaire entre le Kurdistan et l'État central irakien se prépare. Le président Massoud Barzani du gouvernement régional du Kurdistan a dénoncé, la semaine dernière à Istanbul, les menaces causées par la dérive autoritaire de Maliki.

La visite de Barzani a soulevé la colère de Maliki qui a traité la Turquie d'« État ennemi » et accusé son premier ministre, Tayyip Erdogan, de sectarisme. Maliki a aussi reproché à la Turquie de vouloir établir son hégémonie sur la région.

En plus de chercher des appuis en Turquie, dans l'espoir de protéger leur autonomie, les Kurdes se sont mis sous la protection du géant pétrolier américain ExxonMobil à qui ils ont cédé leur pétrole.

Cinq cent mille Irakiens, trente-cinq mille soldats américains sont morts. Des milliers de milliards de dollars engloutis dans une guerre qui finalement n'a servi qu'à remplacer un dictateur sunnite, Saddam Hussein, par un dictateur chiite, Maliki, aligné sur l'Iran, l'ennemi numéro un des États-Unis. Obama est dans une situation impossible.

Bravo, George W. Bush, bravo, les républicains ! Dieu nous garde de Mitt Romney !

Le Pentagone mène une guerre secrète contre les cochons

27 avril 2012

Les cochons et les êtres humains se ressemblent beaucoup. Moralement, on le sait. Mais aussi physiologiquement. Les cannibales disent que la chair humaine a le même goût que celle des porcs.

Sur ordre du Pentagone, des soldats américains tirent sur des cochons avec des armes de guerre depuis 1957. Le but n'est pas de les tuer, mais de les blesser grièvement pour aider à la formation de chirurgiens militaires. En 2006, un Marine a confié au *New York Times* qu'il avait reçu l'instruction de s'attaquer à trois cochons. Il a tiré deux fois au visage d'un gentil cochon avec un pistolet de 9 mm, pour ensuite en blesser un autre d'une rafale de AK-47 et abattre le dernier de deux coups de fusil de calibre 12. Au milieu des cris et des grognements, des ambulanciers se sont ensuite précipités pour stopper les hémorragies et donner des transfusions aux trois grosses bêtes agonisantes en les transportant vers des blocs opératoires où des équipes médicales allaient tenter de leur sauver la vie.

Les cochons ne sont pas les seuls à servir de cibles aux forces armées américaines.

L'organisation animaliste People for the Ethical Treatment of Animals (PETA), qui a obtenu ses renseignements par des demandes d'accès à l'information, estime que plus de 300 000 animaux chaque année sont blessés et tués par des militaires à des fins de recherche et d'expérimentation, dont des singes, des chiens, des chèvres, des moutons, des lapins et des chats.

Les documents du Pentagone qui traitent de la question sont généralement classés secrets afin de ne pas provoquer la colère et l'indignation des amis des bêtes, particulièrement des animalistes fanatiques qui, eux, vont jusqu'au terrorisme pour défendre les animaux.

Toute la panoplie des armes de guerre utilisées par les ennemis des États-Unis est testée : des fusils d'assaut aux armes radiologiques en passant par les armes chimiques et biologiques. PETA révèle qu'en 1946, dans une opération nommée « L'arche atomique », les Américains ont fait monter 4 000 moutons et chèvres sur un bateau ancré près de l'atoll de Bikini dans le Pacifique lors d'une expérience atomique. On voulait étudier sur des mammifères les brûlures des radiations provoquées par une explosion nucléaire.

Dans une expérience qui n'est pas sans rappeler le célèbre film de Stanley Kubrick *Docteur Folamour*, des rhésus, à qui on avait appris par des décharges électriques douloureuses à singer les gestes de pilotes, ont été attachés à des simulateurs de vol de B-52 à Brooks Air Force Base au Texas. Selon PETA, ils ont ensuite été irradiés aux rayons gamma pendant dix heures pour voir s'ils pouvaient tenir le temps qu'il faudrait pour se rendre bombarder Moscou. Les singes se sont mis à vomir violemment après seulement quelques heures de vol pour ensuite devenir complètement léthargiques et incapables de mener leur mission.

Toujours dans le domaine nucléaire, on a également exposé neuf singes rhésus attachés à des chaises à une irradiation corporelle totale. La même expérience a aussi été réalisée sur 17 beagles. On a étudié leur souffrance épouvantable pendant sept jours avant de tuer les derniers survivants. On voulait comprendre les effets des radiations sur la vésicule biliaire.

Pour étudier le virus de la dengue, une maladie transmise par piqûres d'insectes, des scientifiques du Centre de recherche sur la guerre biologique de Fort Detrick au Maryland ont rasé le ventre de rhésus pour y attacher des contenants remplis de moustiques qui en étaient porteurs.

PETA réclame que le Pentagone mette fin à ces expériences cruelles qui, selon elle, sont une forme de « violence déguisée en science ».

Que dire de tout cela ? Il y a des réalités aussi désagréables qu'implacables. Les avancées des modélisations informatiques ne pourront jamais remplacer les expériences sur des animaux vivants dans le domaine de la santé.

Dans un monde idéal, c'est la guerre et la violence, ces maladies contagieuses endémiques au genre humain, qu'il faudrait éradiquer. « Quand les hommes vivront d'amour », dit le poète !

Le US Secret Service : les hommes du président sont de véritables petits Dominique Strauss-Kahn !

30 avril 2012

Il suffit parfois de la mesquinerie d'un crétin pour faire vaciller sur leurs fondations les organisations les plus inattaquables. Dans le cas qui nous occupe, un pauvre type, par ailleurs garde du corps du président des États-Unis, a voulu se débarrasser d'une prostituée le lendemain matin en lui donnant beaucoup moins que convenu pour les services rendus.

La pute – oh! pardon, l'«escorte»! – s'est plainte aux médias locaux du radin et le scandale ébranle maintenant le US Secret Service dont des membres ont partouzé avec une vingtaine de prostituées à Carthagène, en Colombie. Jusqu'ici, huit de ses agents ont été licenciés et trois autres, disciplinés alors que de nouvelles allégations font état d'autres cas semblables lors de visites présidentielles à l'étranger, dont une au Salvador. Parions que le bozo par qui le scandale est arrivé ne sera pas invité au *party* de Noël de l'organisation.

Le «Secret service» américain n'est pas une organisation clandestine de renseignements comme son nom pourrait le laisser supposer. Lorsque j'étais correspondant à Washington, je trouvais toujours cocasse de croiser à la Maison-Blanche des membres d'une section du «service secret» qui portaient l'uniforme. Il a été créé au XIXe siècle pour lutter contre la criminalité financière alors que les États-Unis n'avaient pas encore le FBI comme police nationale. Ce n'est que 30 ans après sa création qu'il a été chargé, parmi ses autres missions, de protéger le président.

Ses agents aiment se présenter comme des braves prêts à se mettre dans la ligne de tir d'un assassin pour intercepter une balle destinée au président. Ce n'est pas une éventualité théorique. En plus d'être l'un des pays où les armes à feu circulent le plus librement sur la planète, les États-Unis ont une histoire sociale et politique marquée par la violence. Dix présidents sur quarante-quatre (23 %) ont été la cible d'attentats. Quatre ont été tués.

Les hommes du président (seulement 10 % de femmes au Secret service) ne sont plus au-dessus de tout soupçon. Ils sont devenus, après deux semaines de matraquage médiatique, des malotrus en bobettes courant, bouteille à la main, après des filles dans des corridors d'hôtel. « *Boys will be boys* », diront certains.

Remarquez, ils ne sont pas les seuls hommes aux comportements douteux et même criminels à fréquenter la Maison-Blanche qui, depuis 50 ans, a vu passer Kennedy, Nixon, Clinton et Bush fils. Libidos effrénées, abus de pouvoir, crimes de guerre.

Selon Ronald Kessler, l'auteur du livre *In the President's Secret Service* (New York, Crown Publishers, 2009), qui est à l'origine de l'affaire, le scandale a de graves implications de sécurité nationale. Fréquenter des prostituées étrangères en mission, c'est s'ouvrir au risque de chantage. Des espions et des terroristes pourraient ainsi obtenir des renseignements secrets sur le *modus operandi* de la Maison-Blanche et du président. Ses protecteurs connaissent parfaitement ses allées et venues et sont lourdement armés en sa présence. Des gardes du corps sous le contrôle d'ennemis des États-Unis sont des assassins en puissance.

Au Canada, qu'en est-il de la section de la GRC chargée de la protection des personnalités politiques importantes? Des scandales de sexe? Si peu. Comme d'autres journalistes qui suivent les activités de la police fédérale depuis des décennies, j'ai entendu le bruit selon lequel un responsable de la sécurité d'un premier ministre a cédé aux avances de sa femme au 24 Sussex Drive alors qu'il était absent. Le « beau Brummell » s'en est, en tout cas, vanté à plusieurs de ses collègues. Devinez qui?

|||||||||||||||||||||||||||| **Harper est dur avec**
les criminels, sauf
s'ils sont riches et
30 avril 2012 **conservateurs**

Bon, Conrad Black est exceptionnellement doué. Mais c'est aussi un fanfaron, maître de l'esbroufe, un baveux qui se croit tout permis, parce qu'il est de la « race des Seigneurs ». Il est né dans le Golden Square Mile de Montréal d'un père richissime.

Mais c'est aussi un *Self-Made-Man*. À 25 ans, il achète le *Sherbrooke Record* et en devient l'éditeur et le rédacteur en chef. En 30 ans, il construit, sur cette base, le troisième empire de presse de la planète. Il paie de sa poche des uniformes rutilants pour les membres de la garde du gouverneur général du Canada afin de leur donner du panache. On le fait officier de l'Ordre du Canada. Pas suffisant, il veut devenir pair du Royaume-Uni. Pour accéder à la Chambre des lords britannique, le vaniteux Black renonce à sa citoyenneté canadienne et obtient le titre prétentieux de « baron Black de Crossharbour ».

En 2007, il est reconnu coupable d'entraves à la justice et de fraudes relativement à sa gestion de Hollinger International, dans un procès à Chicago. Il est condamné à six ans et demi de prison.

Et voilà qu'après avoir purgé sa peine aux États-Unis, le gouvernement conservateur de Harper... oui, oui... celui qui est très dur avec les criminels et qui fait tout pour éviter que ceux de l'étranger puissent s'installer au Canada, autorise Black à revenir au pays. Il n'est pourtant plus Canadien et possède un casier judiciaire. Ottawa lui a accordé un permis de résident temporaire. Une fois installé à Toronto, il va pouvoir entreprendre des démarches pour obtenir sa citoyenneté.

Un Mexicain, un Colombien ou un Congolais avec des antécédents de criminalité financière aurait-il été aussi bien traité ? J'en doute fortement. Mais là, c'est un ami de la maison, fondateur du quotidien *National Post*, porte-parole de la droite dure du Canada anglais, férocement anti-Québec et « likoudnik ». De sa cellule aux États-Unis, Black a d'ailleurs écrit des chroniques pour le journal, entre deux corvées de récurage des cuvettes de toilettes de la prison (ce que je donnerais pour mettre la main sur une vidéo de la scène !).

Il est d'ailleurs amusant, depuis le début de la saga judiciaire de Black aux États-Unis, de voir le *National Post*, habituellement à plat ventre devant tout ce qui est américain, se plaindre du système judiciaire des États-Unis et faire sienne la position de son fondateur. Lord Black affirme, haut et fort, qu'il a été victime d'une terrible injustice et qu'il n'a commis aucun crime. Il proclame avec emportement qu'il avait parfaitement le droit de puiser dans l'escarcelle de Hollinger comme il l'a fait.

Le ministre de la Citoyenneté et Immigration, Jason Kenney, l'homme qui chasse les criminels étrangers établis au Canada, est tout en nuances dans le cas de Black. Délicat, il explique que les règles de la vie privée l'empêchent de répondre aux questions concernant son retour. Kenney assure que la demande de Black a été traitée de manière totalement indépendante par ses fonctionnaires sans aucun apport de lui-même ou de son bureau. Mon œil! Il est évident que les conservateurs vont tout faire pour faciliter le retour de leur petit copain. Black jouit de plusieurs avantages sur les autres criminels étrangers qui veulent s'établir au Canada. Il est Blanc, Anglo-Saxon et partage l'idéologie de ses amis au pouvoir.

Le simple fait que Black ait renoncé à sa citoyenneté canadienne avec mépris et condescendance afin de se pavaner dans les accoutrements ridicules des lords anglais devrait le rendre inéligible. Qu'il retourne en Angleterre, dont il a déshonoré la Chambre haute, se faire consoler par son amie Margaret Thatcher.

Une injonction judiciaire, c'est plus que du papier hygiénique!

4 mai 2012

Les idéologues de la CLASSE sont vraiment de dangereux connards dont les élucubrations gauchistes, si elles étaient acceptées par le gouvernement, compromettraient l'avenir du Québec.

Ces barjos voudraient qu'on prenne l'argent consacré à la recherche pour assurer la gratuité de l'enseignement universitaire. Peut-on imaginer une revendication plus absurde? Une université se définit d'abord comme un centre de recherche. Le progrès économique et le développement du Québec dépendent des découvertes scientifiques et technologiques des universités. Ces connaissances essaiment ensuite vers les entreprises privées où elles créent des emplois bien rémunérés. C'est ce que ces crétins appellent avec mépris la marchandisation du savoir.

Dans l'esprit tordu de ces jeunes nostalgiques de Staline et de Mao, le financement de la recherche universitaire par l'entreprise privée constitue une compromission de classe. Comment peut-on encore propager de telles insanités?

Mais il faut comprendre que la plupart des dirigeants de la CLASSE sont issus de départements de « sciences molles » (socio, psycho, philo, etc.) où les idéologies à la mode en France et aux États-Unis se substituent aux faits. Oui, bien sûr, je regarde dans la direction de l'UQÀM.

Il y a un autre aspect troublant de cette crise des droits de scolarité. Elle permet de confirmer une réalité qu'on aime mieux généralement ne pas évoquer : le droit dans la société ne s'applique que dans les temps calmes. Dès qu'il y a contestation sérieuse, par des groupes suffisamment bien organisés, le droit est mis de côté, l'illégalité prend le dessus. Ceux qui contestent l'ordre établi sont les premiers à aller vers l'illégalité, mais l'État suit généralement rapidement en bafouant les règles de droit ou en créant de nouvelles règles antidémocratiques et liberticides.

C'est ce que nous avons vécu durant la crise d'Octobre. C'est ce que nous vivons, dans une moindre mesure, aujourd'hui.

Une minorité d'étudiants (peut-être 25-30 %) boycotte les cours pour s'opposer à une décision contestée. Quand le gouvernement ne cède pas, ils décident d'avoir recours aux tactiques syndicales courantes d'épreuve de force : violence contre les personnes, intimidation, destruction de biens publics et privés. Les tribunaux interviennent finalement. Des injonctions sont émises, ordonnant la reprise des cours, mais le gouvernement et la police refusent d'appliquer les ordonnances des juges.

Dans une sortie publique incroyable, le juge en chef de la Cour supérieure du Québec, François Rolland, fustige l'État qui a renoncé à faire appliquer ses propres lois.

C'est vraiment le summum de la poltronnerie. Bon, de la part des libéraux, ça ne me surprend guère. Ce qui m'afflige terriblement, c'est de voir Pauline Marois, la chef de l'opposition officielle, se ranger du côté de Charest. Marois laisse entendre, sans le dire ouvertement, que les étudiants peuvent ignorer les injonctions parce qu'ils ont raison contre le gouvernement. Son attitude est inacceptable et même proprement scandaleuse.

On ne peut pas traiter des injonctions émises par les tribunaux comme du papier de toilette !

Au début des années 1980, il aurait donc été légitime pour les syndicats de la fonction publique en conflit avec le gouvernement péquiste de défier les tribunaux parce qu'ils croyaient avoir raison contre le gouvernement de René Lévesque ?

Le PQ recrute une bonne partie de ses électeurs, de ses militants et de ses députés dans la petite bourgeoisie des fonctionnaires, des enseignants et des cadres dont les enfants privilégiés sont descendus dans la rue. Normal, me direz-vous, qu'un parti défende les intérêts des groupes sociaux qu'il représente.

Mais avant d'être le parti de la petite bourgeoisie francophone, ce parti incarne la volonté d'indépendance des Québécois. Malheureusement, il me semble que chaque fois qu'il est placé devant un dilemme entre sa mission première d'être, le rassemblement pour l'indépendance nationale, et les intérêts de classe de ses adhérents, il choisit en leur faveur.

Pour beaucoup de Québécois comme moi, aux prochaines élections, il va nous être difficile de voter pour un tel parti.

Le magicien Hollande. Pouf! Disparus, austérité, déficit et chômage!

7 mai 2012

Les électeurs de France et de Grèce ont manifesté de façon dramatique ce week-end leur opposition aux mesures d'austérité nécessaires pour assurer, soit la relance de l'économie, dans le cas de la France, soit le sauvetage du pays face à la faillite, dans le cas de la Grèce. Les deux élections n'ont rien pour rétablir la confiance des milieux financiers internationaux envers l'euro. Ces élections indiquent que la crise de la dette en Europe va s'aggraver et influencer négativement l'économie mondiale. Si le nouveau gouvernement grec applique son programme politique de refus de l'austérité, le pays va être rapidement précipité vers la faillite.

La situation française est moins dramatique, mais les agences de cotation de crédit vont suivre de près le nouveau président Hollande qui promet d'atteindre l'équilibre budgétaire en France en 2017, en relançant la croissance économique sans toucher aux droits acquis et aux privilèges des syndicats de l'enseignement et du secteur public. Il s'est engagé à maintenir la semaine de 35 heures, le treizième mois de salaire et même à baisser l'âge de la retraite de 62 à 60 ans pour certaines catégories de travailleurs. Il propose un salaire minimum plus élevé et l'embauche de nouveaux éducateurs financés au moins en partie par des augmentations d'impôts. Il prend le pouvoir alors que le taux de chômage est à 10 %.

Le président Hollande veut frapper les Français riches d'un taux d'imposition de 75 % pour la partie des revenus dépassant le million d'euros par an. S'il le fait, il va simplement les inciter à déplacer leurs pénates vers des lieux plus avenants pour eux, comme Londres, Genève, Bruxelles et, ose-t-on espérer, Montréal, qui l'est aussi dans une moindre mesure. Le groupe de produits de luxe parisien LVMH parle de déménager son siège social outre-Manche, si Hollande s'attaque trop durement aux privilégiés.

C'est l'un des problèmes que la gestion socialiste d'un pays doit affronter. Les pauvres et les ignorants n'ont pas l'option de la mobilité, alors que les fortunés et les éduqués l'ont. À partir d'un certain niveau d'imposition, ceux-ci optent pour l'étranger. L'État socialiste ne peut alors qu'interdire le départ de ses citoyens les plus riches et les plus doués, se plaçant ainsi sur la voie du totalitarisme. Tous les États communistes du XXe siècle sont passés par là. Ils sont restés pris avec une masse de pauvres, sous-doués, sous-éduqués et disposés à la contestation. Résultat : renforcement de l'appareil policier et introduction de lois répressives. Voyez à ce sujet l'histoire de la Russie et de Cuba.

J'étais correspondant à Paris durant la présidence de Mitterrand qui s'était fait élire en promettant une gouvernance véritablement socialiste. Trois dévaluations du franc, une fuite des capitaux et des intelligences vers l'étranger, l'ont obligé à faire comme les autres dirigeants sociaux-démocrates élus : discourir à gauche pour abuser ses partisans naïfs et gouverner à droite.

Il a fallu trois ans à Mitterrand pour changer de cap, pour faire les compromissions – pardon – les « ajustements » nécessaires par rapport à son programme. Dans la situation économique européenne actuelle, Hollande n'a pas un tel laps de temps pour ajuster son programme à la réalité économique de la zone euro.

Avant l'élection, les coûts d'emprunt de la France avaient augmenté parce que les investisseurs se préoccupaient déjà de la capacité de Hollande de gérer le lourd déficit du pays.

Dans une déclaration triomphante, Hollande a promis de montrer à ses partenaires européens la façon de lutter contre le déficit tout en assurant la croissance. Le monde entier va avoir les yeux fixés sur son exercice de haute voltige.

Les Américains vont-ils réussir à faire un martyr de Khalid Cheikh Mohammed ?

9 mai 2012

Le procès du cerveau des attentats du 11 septembre 2001 et de quatre complices a commencé samedi dernier à Guantánamo devant une commission militaire. Ils font face à 2 976 chefs d'accusation de meurtres pour chacune des victimes de l'attentat, de terrorisme, de piraterie aérienne, de complot et de destruction de biens. L'accusation demande la peine de mort. Ces « fous de Dieu » la méritent mille fois.

Malheureusement, le tribunal qui les juge n'a aucune crédibilité.

Ce n'est pas moi qui le dis. L'ancien procureur en chef de Guantánamo Bay, le colonel Morris Davis, dénonce le procès. D'autres avocats militaires de haut niveau l'appuient dont le contre-amiral Donald Guter, ancien juge-avocat général de la Marine, qui appelle les commissions de Guantánamo un « cirque ».

Le colonel à la retraite Davis affirme que la procédure est gravement discréditée par l'utilisation de témoignages obtenus à partir de simulations de noyade et d'autres « techniques améliorées d'interrogatoire », euphémisme inventé par le criminel de guerre Bush pour éviter de dire tortures.

C'est la deuxième tentative de juger Mohammed. Lors d'un procès en 2008, il a plaidé coupable et réclamé d'être mis à mort comme un martyr. La Cour suprême des États-Unis a invalidé les règles de preuve et le procès a été annulé. Les nouvelles règles mises en place depuis relèvent de l'absurde. On ne peut pas utiliser contre un accusé des aveux qu'il a faits sous la torture. Mais les déclarations obtenues sous la torture d'autres personnes peuvent être utilisées contre lui. Les interrogatoires « musclés » des cinq accusés vont donc être utilisés les uns contre les autres.

Les règles des commissions militaires interdisent également d'évoquer l'usage de la torture et d'autres informations sensibles qui pourraient être entendues par un tribunal civil. Le public et la presse qui assistent au procès à Guantánamo sont derrière un écran de verre insonorisant et les procédures qu'ils entendent sont soumises à un délai de 40 secondes afin que les censeurs puissent bloquer les propos des témoins que le gouvernement américain ne veut pas rendre publics. Les avocats de la poursuite contrôlent aussi l'accès des avocats de la défense aux éléments de preuve et leur capacité d'assigner des témoins.

Les groupes de défense des droits ont également critiqué les tribunaux de Guantánamo parce que l'armée américaine en lutte contre al-Qaida choisit le juge et le jury qui se compose de militaires qui combattent l'organisation.

Human Rights Watch estime que le procès de Khalid Cheikh Mohammed n'a aucune crédibilité et qu'Obama, en l'autorisant, fait un cadeau aux agents recruteurs des organisations terroristes.

KCM a déclaré qu'il veut plaider coupable, qu'il veut expliquer en détail ce qu'il a fait et ensuite être exécuté et mourir comme martyr pour sa cause.

Il aurait été facile pour les Américains de le faire disparaître au Pakistan ou ailleurs sans que personne n'entende plus jamais parler de lui. C'était sans doute la meilleure façon de régler le problème de ce monstre répugnant. Ils ont préféré lui faire un procès public grossièrement inéquitable. Ils vont faire de lui un martyr aux yeux de centaines de millions de musulmans.

Une école militaire US prône le djihad contre l'islam et les musulmans

11 mai 2012

Des centaines de futurs dirigeants de l'armée américaine ont suivi une formation qui leur apprenait que la seule façon de protéger les États-Unis contre le terrorisme islamique était de mener une «guerre totale» contre les 1,4 milliard de musulmans de la planète.

Le site Wired publie sur sa page «*Danger Room*» le précis d'un cours donné par le Collège interarmées de Norfolk en Virginie qui prône un véritable «contre-djihad» au cours de laquelle les États-Unis doivent envisager des mesures extrêmes, sans être limités par la rectitude politique.

Le cours a été annulé par le Pentagone à la suite d'une plainte faite par un des participants qui trouvait son contenu aberrant. L'officier qui a prononcé les conférences, le lieutenant-colonel Matthew A. Dooley, est toujours en poste au collège militaire, dans l'attente d'une enquête*.

Dans son cours, Dooley affirme que le Pentagone ne doit pas mener une guerre contre al-Qaida, mais contre la religion islamique en tant que telle. Le plan de guerre exposé par Dooley vise à réduire l'islam à un statut de secte et l'Arabie saoudite, un allié de Washington, à la famine. Rappelons que les services de renseignements de ce pays ont déjoué cette semaine un complot destiné à détruire en vol un avion au-dessus des États-Unis.

Dooley propose une guerre génocidaire contre les musulmans. Il affirme que le droit international – les conventions de Genève – protégeant les civils durant les conflits armés n'est plus pertinent. Cela permet donc aux forces armées américaines d'appliquer «les précédents historiques» de Dresde, Tokyo, Hiroshima, Nagasaki et de détruire ainsi les villes saintes de l'islam, La Mecque et Médine. Soulignons qu'aucun militant d'al-Qaida, même les plus tordus, Oussama Ben Laden en tête, n'a jamais préconisé d'anéantir des villes entières comme recommande le colonel Dooley.

Le cours sur l'islam de Dooley était donné depuis 2010 cinq fois l'an à une vingtaine d'étudiants chaque session. Des centaines de capitaines, de majors, de lieutenants-colonels et de colonels, qui ont suivi le cours, occupent maintenant des positions névralgiques dans la hiérarchie militaire américaine.

Comme le souligne Wired, il est ironique qu'un tel fanatisme destructeur soit enseigné dans une école d'état-major américaine, alors que, selon des documents récemment déclassifiés par le gouvernement américain, Oussama Ben Laden lui-même se posait des questions sur les méthodes brutales d'al-Qaida, estimant que son image de marque était ternie au point de lui aliéner la grande majorité des musulmans.

Le Pentagone a donné l'ordre de détruire tout matériel didactique ouvertement anti-islamique. La Maison-Blanche a demandé de son côté que tous les organes de sécurité du gouvernement américain révisent leurs cours de formation contre le terrorisme afin de les expurger de propos haineux envers l'islam.

La question de la représentation négative de l'islam touche l'ensemble de l'appareil gouvernemental. Dans un examen du matériel de formation de ses agents, le FBI a découvert 876 pages contenant des propos offensants ou inexacts sur l'islam. Ce matériel a été utilisé dans 392 présentations PowerPoint.

Depuis 10 ans, le Pentagone et la Maison-Blanche répètent que les États-Unis sont en guerre contre les extrémistes islamiques, pas contre la religion elle-même.

Ce qui est troublant, c'est que des centaines d'officiers militaires et d'agents du FBI ont été soumis à ces sessions de propagande haineuse, pendant des années, sans que cela inquiète quelqu'un avant le mois dernier. Ni les supérieurs qui ont approuvé les cours ni ceux qui les ont suivis ne se sont rendu compte qu'il s'agissait de divagations criminelles dange- reuses. Pas de quoi nous rassurer sur l'état d'esprit qui règne parmi les cadres de l'appareil de sécurité de nos voisins.

* Mise à jour : En juin 2012, Dooley a été relevé de ses fonctions d'enseignement.

Netanyahou, roi d'Israël : menace pour l'Iran ou ouverture pour les Palestiniens ?

14 mai 2012

Les gouvernements d'Union nationale en Israël sont rarissimes. Et de mauvais augure. Le 5 juin 1967, Israël a lancé une guerre préventive contre ses voisins arabes. Peu avant la guerre des Six Jours, l'opposition nationaliste, dirigée par

Menahem Begin, entrait dans le gouvernement de coalition pour la première fois.

Quarante-cinq ans plus tard, à la surprise générale, le premier ministre Benjamin Netanyahou a fait entrer le Kadima, le principal parti d'opposition, dans un gouvernement d'unité nationale, alors même que le pays se préparait à des élections générales que Netanyahou était sûr de gagner. Le nouveau gouvernement s'appuie sur 94 des 120 sièges de la Knesset. «Le premier ministre, Benjamin Netanyahou, est devenu roi d'Israël», a lancé un analyste israélien.

En créant la plus grande coalition de l'histoire du pays, Netanyahou se prépare-t-il à une attaque préventive contre l'Iran? Plusieurs commentateurs américains et israéliens croient que son couronnement est le préalable pour une attaque contre l'Iran en octobre prochain. De la fin septembre au début novembre, la prise de décision à la Maison-Blanche sera dictée par les besoins électoraux du président Obama. Il n'aura alors pas le choix. La puissance du lobby israélien à Washington est telle qu'il devra apporter un appui diplomatique inconditionnel à Israël et même s'impliquer militairement puisqu'une riposte iranienne ciblerait inévitablement les intérêts américains au Moyen-Orient.

Si la coalition mène à la guerre, ce sera la guerre la plus inutile des 64 ans d'histoire d'Israël.

La menace existentielle que ferait peser l'Iran sur Israël est une invention que Netanyahou a largement contribué à répandre. Les services de renseignements des États-Unis et d'Israël sont d'accord pour dire que l'Iran n'a pas de programme d'armes nucléaires et n'a même pas pris la décision d'en commencer un. Deux anciens chefs des renseignements israéliens ont d'ailleurs déclaré au cours des derniers mois que l'Iran n'est pas une menace existentielle et qu'une attaque contre ce pays serait «stupide».

Le nouveau partenaire de Netanyahou, Shaul Mofaz, chef du Kadima, a déjà soutenu qu'attaquer l'Iran enclencherait une guerre régionale et accélérerait le programme nucléaire de Téhéran, ajoutant que la menace qu'Israël devienne un État binational était beaucoup plus grave que la question nucléaire iranienne. Mais lors d'une conférence de presse conjointe, Netanyahou et Mofaz ont affirmé qu'ils ont une identité de vue sur l'Iran. Mofaz aurait donc renié sa position antérieure pour accéder au gouvernement.

D'autres spécialistes pensent, au contraire, que la grande coalition israélienne éloigne la guerre. Elle serait destinée à régler de graves problèmes de politique intérieure. En faisant entrer le Kadima au gouvernement, Netanyahou s'est libéré du chantage des partis religieux et du parti russe d'extrême droite, Israël Beytenou, de Avigdor Lieberman. Il va ainsi avoir les mains libres pour prendre des décisions difficiles. La Cour suprême d'Israël vient en effet de décider que l'exemption de service militaire des juifs orthodoxes est inconstitutionnelle et, dans un autre jugement, ordonne le démantèlement d'une colonie juive de Cisjordanie.

Dans son nouveau livre *La crise du sionisme* (New York, Times Books, 2012), le commentateur juif américain Peter Beinart fait valoir que la plus grave menace à l'existence d'Israël en tant qu'État juif et démocratique n'est pas l'Iran, mais la démographie. D'ici quelques années, les Arabes seront majoritaires dans les territoires sous domination israélienne : Israël, la Cisjordanie, le Golan et la vieille ville de Jérusalem.

Israël aura alors le choix entre accorder le droit de vote aux Palestiniens ou devenir un État apartheid afin de rester un État juif. La menace existentielle n'est pas à Téhéran, mais à Jérusalem même.

La pagaille autour des droits de scolarité : sommes-nous des demi-civilisés ?

16 mai 2012

Connaissez-vous Jean-Charles Harvey ? C'est un journaliste et écrivain québécois mort en 1967. Libre penseur, homme de gauche, opposé au nationalisme borné de l'époque, il a écrit en 1934 un roman mémorable, *Les demi-civilisés* (réédité en 2002 à Montréal chez Typo), qui lui a valu les foudres de l'Église et l'opprobre des bien-pensants.

Les demi-civilisés, ce sont, bien sûr, les francophones québécois, leur mentalité retardataire, leur blocage sociétal. Près de 80 ans plus tard, le titre m'est revenu à l'esprit en réfléchissant à la situation actuelle au Québec.

Un quarteron de fanatiques a réussi à détourner la révolte burlesque d'une minorité de rejetons de la petite bourgeoisie insatisfaite d'une hausse mineure des droits de scolarité. L'État, aux mains d'un parti mafieux, laisse la situation se détériorer pendant plus de deux mois avant d'envisager de prendre des mesures pour faire respecter la loi et la volonté de l'immense majorité des étudiants. Entre-temps, les actions violentes se sont multipliées, certaines destinées à créer des « perturbations économiques ». Les ordonnances des tribunaux sont bafouées et même ridiculisées.

J'ouvre une parenthèse pour signaler que les gens qui ont subi des pertes économiques à cause de ce boycottage unique dans l'histoire du Québec ont quand même un recours. C'est difficile de se soustraire aux jugements du civil. Depuis deux mois des organisations et des individus ont lancé des appels à la violence et aux perturbations économiques. Ces bourgeois ou futurs bourgeois ont de l'argent de leur famille ou vont en faire. Ils sont des proies idéales pour des poursuites au civil.

Poursuivez les organisations et leurs chefs et traduisez-les en justice! Faites payer les riches! Cassez les casseurs!

On pourrait penser que le tort considérable que l'amalgame de gauchistes intégristes, de petits bourgeois et de casseurs cause à l'économie et à l'image du Québec aurait été unanimement dénoncé. Au contraire, les jeunes bourgeois en révolte jouissent du soutien des centrales syndicales, de Québec solidaire, du Parti québécois, des enseignants et des artistes. Sans les généreuses subventions gouvernementales, beaucoup de ces derniers ne vivraient pas longtemps de la simple qualité de leurs œuvres.

Il y a des conflits sociaux dans tous les pays du monde. Mais si on se compare avec les autres démocraties, on doit constater le caractère non civilisé de ceux que nous vivons régulièrement. Ici au Québec, je soupçonne qu'il y a derrière ces comportements antisociaux quelque chose de plus sombre et de plus trouble. Comme un plaisir rageur d'auto-destruction provoqué par le masochisme national d'une société qui n'a pas réussi un grand projet collectif depuis plus de 200 ans.

Des exemples au cours des dernières décennies? Insatisfaits de leurs conditions de travail, les policiers de Montréal cessent le travail, laissant la rue aux casseurs et aux voleurs. Ensuite, ce sont les pompiers de Montréal qui se sont mis en grève. De multiples incendies détruisent des édifices d'habitation et ils mettent eux-mêmes le feu à certains endroits. Je me rappelle que des journaux européens s'étaient à l'époque étonnés de l'incivisme criminel des grévistes. Depuis, il y a eu de multiples perturbations économiques graves de syndicats de cols bleus et du transport en commun causant, chaque fois, des pertes de millions de dollars pour le trésor public et des bouleversements dans les vies de millions de personnes qui tentaient de se rendre à leur travail.

Encore plus obscènes, les nombreuses grèves dans les institutions du secteur de la santé où les malades et les vieux sont pris en otage pour extorquer de l'argent à l'État. Je me rappelle avoir lu à ce sujet un article dans un journal français qui se rassurait que jamais en France un syndicat n'oserait agir ainsi.

Jean-Charles Harvey nous traitait de demi-civilisés. Son invective paraît toujours d'actualité.

Le maire Tremblay est innocent et ne parlez pas de mafia là-dedans, racistes !

18 mai 2012

Ce n'est pas la première fois que je le dis dans cette chronique : le maire Tremblay est un grand innocent qui ne sait rien, absolument rien, de ce qui se passe autour de lui. On le savait avant les dernières élections municipales. Il avait alors répété son innocence et son ignorance face aux allégations de l'émission *Enquête* de la SRC sur la corruption de son administration.

Nous sommes en démocratie. Les électeurs montréalais l'ont cru sur parole et lui ont accordé une confortable pluralité de voix. Comment ne pas faire confiance à un homme aussi manifestement innocent ?

La perspicacité des électeurs montréalais est légendaire. Je suis convaincu qu'ils vont réélire cet innocent, s'il décide de se représenter à la mairie de Montréal*. Ce sont ces mêmes électeurs qui ont réélu Géranium 1er, alias Pierre Bourque, alors qu'il faisait l'unanimité médiatique contre lui, certains éditorialistes mettant même en cause sa santé mentale. Comme disait Churchill, la démocratie, ce n'est pas le meilleur système de gouvernement. C'est le moins mauvais !

C'est que les électeurs montréalais comprennent les choses de la vie, les grandes réalités du monde. Comme l'a dit récemment avec beaucoup de candeur Domenico Tomassi, le père de l'ancien ministre Tony Tomassi, accusé de fraude et d'abus de confiance, quoi de plus normal que d'aider ses amis? Dans les grandes familles, dont la libérale, c'est comme ça que ça se passe, pourquoi s'en offusquer?

Zambito aide Accurso et Catania et ils retournent les faveurs. Bon, et alors? Que Luigi Coretti attende un petit retour d'ascenseur pour avoir assuré gratuitement la surveillance de la maison de Zambito par son agence de sécurité, ça vous surprend? Un contrat ou deux de surveillance, peut-être? Coretti permettait au ministre Tony Tomassi, le fils de Domenico, d'utiliser des cartes de crédit au nom de son agence. C'est ça, l'entraide entre *paisanos*, entre libéraux. Coretti veut porter une arme même s'il n'y est pas autorisé, pas de problème! Le ministre de la Sécurité publique, Jacques Dupuis, donne un coup de fil et c'est réglé. Coretti peut avoir sur lui un «morceau», comme on dit dans le milieu.

L'Unité permanente anticorruption (UPAC) qui s'en prend aux Catania, quel scandale! Ils ont tellement fait pour la construction dans la région de Montréal! Ils renouvellent la ville dans la vision du maire Tremblay. Heureusement pour eux, même s'ils sont éventuellement déclarés coupables de peccadilles, on ne pourra jamais leur enlever le fruit de leur labeur. Ça vaut aussi pour l'autre grande famille de bâtisseurs du Québec d'aujourd'hui, les Accurso. Même si on les persécute, on ne pourra jamais leur reprendre ce qu'ont acquis ces piliers de leur communauté, amis de tous.

Quand Frank Catania a pris sa retraite, le clan Rizzuto s'est cotisé pour lui offrir un petit cadeau de départ. Le vieux Catania a été filmé au club social Consenza, QG des Siciliens, alors qu'il parlait affaires avec le «parrain».

C'est plein de noms à consonance italienne dans cette chronique. De quoi donner raison à Domenico Tomassi au sujet du «racisme» des journalistes et de la police. Ce n'est pas vrai, il n'y a pas de lien entre cette communauté et la mafia à Montréal. Des ragots immondes.

La preuve? Regardez: chaque fois que la mafia est impliquée dans des assassinats ou d'autres crimes sordides, c'est à l'unanimité que les institutions de la communauté italienne et ses principaux porte-paroles dénoncent l'organisation criminelle avec véhémence. Rappelez-vous les grandes manifestations organisées à Saint-Léonard avec les bannières «Non à la mafia!», «Basta la mafia!» ou les reportages à la télé où on voyait des manifestants scandant «La mafia ne passera pas». Vous vous en souvenez, non?

Quoi? C'était à Naples, pas à Saint-Léonard?

Ah bon! je dois prendre mes rêves pour des réalités!

* Mise à jour: À l'élection partielle de Rivière-des-Prairies en novembre alors que la commission Charbonneau entendait chaque jour des témoignages accablants contre Union Montréal (UM), le parti de Gérald Tremblay a récolté l'appui de 34,75 % des électeurs qui n'y ont rien vu de répréhensible. Il faut aussi dire que les minorités anglo-ethniques votent massivement pour l'UM et que seuls 5 248 des 24 799 électeurs éligibles se sont déplacés pour voter.

Le PQ se fourvoie en soutenant le boycottage des cours : des électeurs le désertent

21 mai 2012

La population du Québec est écœurée par cette fronde de petits bourgeois égoïstes qui défendent leurs intérêts de classe (les droits de scolarité les plus bas en Amérique) au détriment des défavorisés de notre société. La majorité des Québécois appuie largement les étudiants qui veulent qu'on applique la loi pour leur permettre de suivre leurs cours.

Un sondage CROP-*Le Soleil-La Presse* indique que plus des deux tiers des Québécois, enragés par le spectacle de la chienlit qui souille les rues de leurs villes, soutiennent la ligne dure du gouvernement Charest sur la hausse des droits de scolarité. Même s'il ne se fonde que sur les réponses de 800 internautes, il y a de bonnes raisons de croire qu'il correspond assez fidèlement au portrait actuel de l'opinion.

Non seulement les meneurs étudiants n'ont jamais eu l'appui de l'opinion publique, mais le sondage du week-end démontre aussi que le maigre soutien qu'ils avaient continue de s'effriter. Ils n'ont même pas l'appui des jeunes. Les 18-34 sont 62 % à applaudir la fermeté de Charest. Entre la loi et l'ordre et la racaille qui infeste quotidiennement les rues du centre-ville de Montréal, le Québec a fait son choix*.

La population exige que le gouvernement ne cède rien aux agitateurs qui manipulent cette sordide affaire avec la complicité des grandes centrales syndicales et de QS tandis que le PQ s'abaisse comme compagnon de route de cette meute de petits voyous instruits vers l'abîme.

Qu'une partie de l'intelligentsia et de la colonie artistique se soit fourvoyée dans cette cause absurde ne surprend guère. Ce ne sera pas la première fois qu'elle se solidarise avec n'importe quoi, pourvu qu'on agite un chiffon rouge. À noter que seulement un infime 9 % de la population estime que les enseignants doivent soutenir le boycottage actuel.

Pour l'instant, le PQ occupe toujours la première place dans les intentions de vote. Selon le sondage, il devance de quelques points le parti des « anglo-ethniques », des affairistes et de la mafia, et se trouve loin devant les caqueux et autres Khadiristes.

La conséquence de tout cela ? Le sondage CROP montre que la crise étudiante profite à Charest. Youri Rivest, le vice-président de CROP, note que 72 % des francophones sont mécontents du gouvernement, et que, malgré cela, 46 % des sondés pensent que les libéraux vont l'emporter contre 37 % pour le PQ.

Les répondants au sondage voudraient que le thème dominant de la prochaine campagne électorale soit « le ménage dans les dépenses gouvernementales ». C'est de mauvais augure pour le PQ qui ne considère pas la mise au pas des puissants syndicats de la fonction publique comme sa principale mission.

Le fait que la population est plus favorable à la position du Parti libéral qu'à celle du Parti québécois montre à quel point Pauline Marois et ses troupes se sont fourvoyées dans cette histoire. Mais, là encore, faut-il s'en surprendre ? Un parti social-démocrate, de plus en plus inféodé aux syndicats, pouvait-il faire autrement ?

C'est, de toute évidence, trop espérer de la part de Pauline Marois et du PQ qu'ils sifflent la fin de la récréation et demandent aux étudiants factieux de mettre fin au désordre qui, faut-il le répéter, cause de graves préjudices à l'image, à la réputation et à l'économie du Québec.

Mme Marois aurait d'autant plus intérêt à changer de cap que les sondages indiquent que les trois quarts des partisans de la CAQ (qui soutient le gouvernement) déclarent qu'ils pourraient se raviser et que le PQ représente le second choix de 43 % d'entre eux.

* Mise à jour : L'appui donné par le PQ à la rue explique en partie la faiblesse du vote péquiste aux élections générales.

Pourquoi diable l'Alliance atlantique fait-elle la guerre en Afghanistan ?

23 mai 2012

Il y a encore 900 soldats canadiens en Afghanistan qui entraînent l'armée afghane. Harper a annoncé au sommet de l'OTAN de Chicago que le Canada verserait plus de 100 millions par année au gouvernement corrompu de Kaboul pour une période indéfinie après son retrait en 2014, pour assurer la défense du pays.

La guerre d'Afghanistan, perdue depuis longtemps, va se poursuivre encore un certain temps afin de permettre aux États-Unis et à l'OTAN de « sauver la face ». La plupart des spécialistes croient que le gouvernement de Hamid Karzai ne pourrait se maintenir au pouvoir que quelques mois au maximum, s'il n'était pas soutenu par plus de 100 000 soldats occidentaux.

Les forces armées américaines en 2001 ont renversé un gouvernement taliban intègre qui luttait contre la drogue pour le remplacer par un gouvernement islamique arriéré et corrompu qui s'accommode de tous les trafics, y compris celui des stupéfiants. Washington et ses alliés ont renoncé depuis longtemps à créer un gouvernement démocratique honnête en Afghanistan. C'était une mission impossible. Tout au mieux parle-t-on maintenant de faire de l'Afghanistan un pays stable. Bonne chance !

Le sommet de l'Alliance atlantique a formellement approuvé le transfert de la conduite des opérations militaires aux forces afghanes d'ici le milieu de 2013. C'est un vœu pieux. Jamais elles ne seront prêtes. Moins de 1 % des opérations qu'elles entreprennent actuellement peuvent être réussies sans l'aide de l'OTAN et de son aviation. Pire, on assiste à la multi-plication des incidents où des soldats et des policiers afghans tuent leurs alliés occidentaux.

Malgré plus de 10 ans d'efforts, les talibans sont toujours actifs sur l'ensemble du territoire. La violence est en hausse pour la cinquième année consécutive. Au début de l'année, le *National Intelligence Estimate* remis à Obama affirmait que la guerre était dans une impasse, que les talibans étaient toujours très forts et que Washington soutenait un gouvernement caractérisé par la corruption généralisée.

Obama a signé récemment un accord assurant le gouvernement afghan de son soutien jusqu'en 2024. Il y a de bonnes chances que, d'ici là, les Américains se soient embourbés dans une guerre au Pakistan. Les puissants services secrets militaires pakistanais, l'ISI, misent sur la victoire des talibans, qu'ils ont eux-mêmes créés, pour faire obstacle à l'influence indienne en Afghanistan.

La dynamique sur le terrain favorise donc toujours les talibans. Les dirigeants irresponsables de l'OTAN siégeant confortablement à Chicago ont refusé de reconnaître cette réalité déplaisante.

Le fait même que l'OTAN opère en Afghanistan a quelque chose d'irréel et d'absurde. Que fait l'Organisation du traité de l'Atlantique Nord en Asie ? Ce traité a été signé après la Deuxième Guerre mondiale pour protéger l'Europe de la menace soviétique. Depuis l'effondrement de l'URSS il y a 20 ans, l'OTAN se cherche une raison d'être. L'organisation sert surtout à fournir des supplétifs européens et canadiens aux armées de l'empire américain dans leurs combats d'arrière-garde pour tenter de maintenir sa suprématie économique et militaire sur la planète.

L'OTAN offre aussi de belles possibilités de carrières aux généraux des petites armées participantes comme celle du Canada. Ils peuvent espérer exercer des commandements prestigieux bien au-delà de ce que leur permettrait le cadre étroit de leur pays. Les politiciens ne vont surtout pas décevoir les ambitions personnelles de milliers d'officiers galonnés. Que cela implique aussi la mort de simples soldats dans des conflits qui n'ont rien à voir avec la sécurité de leur pays n'a aucune importance.

L'Égypte balance entre les militaires et les intégristes

25 mai 2012

En 5 000 ans d'histoire, les Égyptiens n'avaient jamais eu l'occasion de choisir leur chef d'État. Il y a bien eu des élections depuis le renversement du roi Farouk en 1952, mais elles étaient truquées en faveur des militaires qui ont dirigé le pays jusqu'au renversement de Moubarak, l'année dernière.

Le choix démocratique d'un président est l'étape décisive du processus commencé au début de 2011 par les manifestations de la place Tahrir. La population égyptienne participe à l'élection dans l'enthousiasme et l'exaltation. Des dizaines de millions d'Égyptiens ordinaires ont fait la queue pendant des heures dans les bureaux de scrutin, en sachant qu'ils déterminent leur destin national.

L'issue du scrutin va avoir de graves répercussions sur l'ensemble du Moyen-Orient. L'Égypte est le centre du monde arabo-musulman et est l'acteur principal pour la stabilité de la région. On suit l'élection avec anxiété à Washington et à Jérusalem.

Le porte-étendard des Frères musulmans est en tête dans les résultats du premier tour de scrutin. Le second tour est prévu pour le 16 juin 2012. Tous les courants politiques et religieux étaient représentés parmi les 13 candidats à la présidence. Mais le choix s'est fait entre le candidat du complexe militaro-industriel égyptien et celui des islamistes. Le candidat des forces armées, Ahmed Shafiq, un officier d'aviation, a été bombardé de chaussures lorsqu'il est allé voter.

L'Occident, les États-Unis, le Canada ne se préoccupaient guère depuis des décennies que l'Égypte soit dirigée par une clique militaro-industrielle corrompue détestée par la majorité des Égyptiens. C'étaient nos amis qui géraient le pays en tenant compte de nos intérêts. Ainsi, pour mener rondement leurs affaires, généraux et businessmen au pouvoir avec Moubarak acceptaient de ne pas remettre en cause les accords de paix signés par Sadate avec Begin, il y a plus de 30 ans, quelles que soient les outrances commises par Israël.

Depuis longtemps la population égyptienne ne voulait plus de ce traité de paix dans sa forme actuelle. Le candidat des Frères musulmans, Mohamed Morsi, s'est engagé à le revoir. Le groupe islamiste contrôle déjà la majorité des sièges au Parlement.

Le «printemps égyptien» a été largement dominé par les laïques, la jeunesse instruite et occidentalisée du Caire et d'Alexandrie. Mais ce sont les islamistes, les Frères musulmans, interdits depuis des décennies, qui ont dominé les élections parlementaires en remportant 44 % des suffrages et qui sont les mieux placés pour prendre la présidence.

Si c'est l'homme des Frères musulmans qui l'emporte, il va de soi que les liens avec Israël vont être revus. Comme aussi ceux de l'Égypte avec les États-Unis et l'Occident. Il est, à mon avis, fort probable que l'Égypte va suivre une trajectoire semblable à celle que suivent les islamistes au pouvoir en Turquie. Les réalités économiques et diplomatiques vont leur imposer une certaine souplesse.

D'autant plus que le peuple d'Égypte se réveille d'un long sommeil et que le pouvoir en Égypte, militaire ou islamiste, sait qu'il devra composer avec une population qui ne craint pas de descendre dans la rue et de risquer sa vie pour faire valoir ses revendications.

Les Égyptiens ont été incapables jusqu'ici de s'entendre sur une nouvelle Constitution. Le pays va être tiraillé entre le Parlement, la présidence et l'armée alors qu'il va devoir aussi trouver le point d'équilibre entre islamistes et laïques.

La démocratie en Égypte ne sera pas un long fleuve tranquille.

Les idiots utiles de Jean Charest et nos névroses collectives

28 mai 2012

Les Québécois sont un peuple de suiveux. Pendant 250 ans, on a suivi l'Église catholique. Des moutons peureux blottis autour d'un pasteur à soutane noire. Le *deal* était que les Anglais laissaient les curés percevoir la dîme et, en retour, ils assuraient le pouvoir colonial britannique de la docilité de leur troupeau. À compter des années 1960, près de 100 ans après la France, l'Église catholique a commencé à perdre son influence au Québec. Mais les mentalités prennent des siècles à changer. Le besoin de faire comme tout le monde, de se conformer aux autres est presque encore aussi fort dans le Québec d'aujourd'hui. Et les nouveaux médias sociaux favorisent notre mentalité de troupeau.

L'année passée, il y a eu le phénomène Layton alors que des centaines de milliers de Québécois ont voté pour de parfaits inconnus pour faire comme tout le monde, parce qu'ils représentaient un cancéreux sympathique qui faisait l'unanimité médiatique.

On assiste à une nouvelle névrose collective, à un niveau puéril cette fois. Des centaines de milliers de Québécois ont manifesté leur infantilisme politique dans un tintamarre de casseroles digne d'un pays sous-développé. La plupart ne savaient pas exactement pourquoi ils agissaient ainsi. Par mimétisme. Ils le faisaient parce que les voisins jouaient de la casserole et que la petite dernière âgée de cinq ans voulait, elle aussi, faire du bruit. Qu'est-ce que les voisins vont dire si on reste tranquilles? Ils vont penser qu'on est différents, qu'on se considère mieux que tout le monde. Le besoin maladif de conformisme social des Québécois s'est enclenché.

Tout le monde spécule sur les conséquences politiques du boycottage étudiant. À mon avis, les jeunes bouffons qui paradent dans les rues du Québec dans de drôles d'accoutrements (ou sans accoutrement du tout) aident surtout Charest, le pire premier ministre de l'histoire du Québec, à se faire réélire. Voici comment.

Les «anglo-ethniques» qui votent massivement pour le Parti libéral vont l'appuyer encore plus massivement. Les grandes manifestations leur ont fait peur. Certains d'entre eux, qui n'étaient pas allés voter lors de la dernière élection, vont y aller cette fois. Le milieu scolaire anglophone n'a pratiquement pas été touché par le boycottage, un phénomène essentiellement francophone.

Par leurs perturbations sociales depuis plus de trois mois, les étudiants écœurent les sans-emplois, les vieux, les travailleurs qui n'ont pas d'éducation postsecondaire et les sous-doués. Ces électeurs potentiels qui s'étaient peut-être éloignés des libéraux seront tentés de revenir au bercail ou d'aller chez les caqueux pour faire un bras d'honneur à la grogne estudiantine.

Oui, mais les jeunes qui sont descendus dans la rue, vous allez me dire, ne voteront pas pour Charest. Certainement pas. Premièrement, ils ne sont guère représentatifs puisqu'ils ne constituent que le tiers des étudiants postsecondaires. La majorité des jeunes au Québec cesse ses études avant d'atteindre l'enseignement collégial. Donc, la plupart des jeunes, s'ils se donnent la peine de voter, vont voter comme leur entourage dont la vie a été chamboulée par les manifestations. D'autres électeurs potentiels pour Charest.

Restent enfin les perturbateurs, leurs parents et leurs amis. S'y retrouve déjà une majorité d'électeurs et des sympathisants du Parti québécois. Mais la rue les a sans doute radicalisés comme les propos de leurs leaders favorables à une transformation radicale de l'ordre social. Des recrues idéales disposées à marcher en rangs serrés derrière Amir Khadir et sa fille sous la bannière de Québec solidaire.

On entend partout depuis quelque temps de vieux niais applaudir la jeunesse qui se serait enfin réveillée pour assurer l'avenir du Québec. Les jeunes ne sont pas l'avenir du Québec. Avez-vous oublié que nous sommes une société à la démographie rapidement déclinante? L'avenir du Québec est aux marcheurs à marchettes. Les générations montantes multiculturelles et pluriethniques ne sont plus majoritairement constituées de Québécois de souche et nos revendications historiques les indiffèrent totalement.

La prochaine élection est la dernière chance pour le Québec français de porter au pouvoir un parti indépendantiste. L'année dernière, ce même Québec français a renié le Bloc québécois sans raison apparente, frappé par une névrose stridente de compassion pour Jack Layton. En soulevant la peur des éléments les plus réfractaires à l'indépendance, pour une question monétaire dérisoire, les enfants de notre petite bourgeoisie bureaucratique ont contribué à lui donner le coup de grâce.

«Mes idiots utiles», doit ricaner Jean Charest.

L'Écosse libre avant le Québec libre? Ici, le pognon passe avant la nation

30 mai 2012

Pendant que les Québécois se chamaillent pour des questions pécuniaires dérisoires sous le regard médusé de la planète, un autre petit peuple, longtemps dominé par Londres, s'organise en vue de reprendre son indépendance nationale.

Les indépendantistes écossais sont engagés dans la plus grande campagne populaire de l'histoire du pays qui va se traduire, ils l'espèrent, par la fin de leur union de 305 ans avec l'Angleterre et par l'éclatement du Royaume-Uni de Grande-Bretagne.

Des dizaines de personnalités du monde du spectacle, des sports, de la finance ont participé au lancement de la campagne *Yes Scotland*. On y a lu une déclaration de l'indépendantiste le plus célèbre d'Écosse, Sir Sean Connery, alias James Bond 007.

Le Parti national écossais (SNP) veut recueillir un million de signatures en faveur de l'indépendance de l'Écosse. Lors des élections de mai 2011, le SNP a obtenu la majorité absolue des sièges au Parlement d'Édimbourg.

L'objectif de la campagne *Yes Scotland* est une majorité de oui au référendum de 2014 et une Écosse indépendante d'ici 2016. Des sondages récents indiquent qu'entre 33 % et 40 % des Écossais sont actuellement favorables à l'indépendance.

Les 5,2 millions d'Écossais sont moins nombreux que les 8 millions de Québécois et constituent un pourcentage moindre de la population totale du Royaume-Uni. Comme le Québec, l'Écosse a déjà de nombreux attributs d'un pays souverain : son propre drapeau, une culture, une histoire et une littérature nationale, même ses propres billets de banque et des équipes sportives qui la représentent dans des ligues internationales.

Comme ici, les Anglais ont tenté en Écosse de supprimer la culture nationale, allant jusqu'à interdire, à une certaine époque, de jouer de la cornemuse et de porter le tartan. Ils ont également encouragé le départ de ses élites vers les colonies afin de mieux établir leur domination du pays. Les Écossais, on le sait, ont joué un rôle déterminant dans le développement économique et dans la prospérité de Montréal et du Canada.

Le gouvernement de coalition britannique actuel compte plusieurs Écossais dans des positions influentes, dont le premier ministre David Cameron et le ministre des Finances George Osborne. Mais les Écossais sont convaincus que le Parlement de Londres ignore leurs intérêts nationaux. Une sécession entraînerait une série de difficultés pour le Royaume-Uni qui tire une partie de ses revenus du pétrole écossais de la mer du Nord. L'Écosse garderait-elle Élisabeth comme chef d'État ou deviendrait-elle une république comme l'Irlande?

Pendant des siècles les Écossais se sont alliés à la France contre l'Angleterre. On reparle à Édimbourg de «la Vieille Alliance» signée avec la France en 1295. Le Parti québécois et le Parti national écossais, tous deux sociaux-démocrates, entretiennent d'excellentes relations. Jacques Parizeau et Bernard Landry se sont rendus en Écosse rencontrer leurs homologues.

Le oui a d'excellentes chances de l'emporter à cause de l'effondrement du Parti travailliste. Jadis bien implanté en Écosse, il voit ses partisans rejoindre le SNP. Les Écossais sont notamment dégoûtés des travaillistes à cause du rôle de «caniche de Bush» joué par l'ancien premier ministre Tony Blair qui s'est mis au service de la politique étrangère américaine en Irak et en Afghanistan.

Ici, au Québec, on a assisté au phénomène contraire. Les Québécois ont renié le Bloc québécois pour voter massivement pour un parti de gauche centralisateur, le NPD, pendant que la faction la plus militaire de la jeunesse étudiante organise des manifestations sans précédent sur une question triviale de droits de scolarité.

Les jeunes bourgeois instruits menacent l'ordre social et les revenus de centaines de milliers de travailleurs pour une poignée de dollars. Aucune manifestation focalisée sur les revendications nationales du Québec n'a réussi à mobiliser autant de jeunes aussi longtemps avec une si grande détermination.

Pour eux, le pognon passe avant la nation.

1ᵉʳ juin 2012

Allez, encore un effort pour détruire l'économie et la réputation de Montréal !

Depuis quatre jours, les représentants étudiants ont fait semblant de négocier. Le gouvernement Charest, pour se sortir du trou, était prêt à baisser ses culottes. Il a proposé une série de concessions humiliantes, mais le tout a été accueilli par une fin de non-recevoir. La bonification proposée des bourses fait en sorte que les étudiants provenant d'une famille avec un revenu de 51 000 $ auraient l'équivalent de la gratuité scolaire. Même ceux dont les parents gagnent 72 000 $ pourraient avoir des bourses. Des prêts auraient été disponibles pour des revenus familiaux allant jusqu'à 120 000 $.

Par leur obstination insensée à défendre les intérêts des plus riches, les fédérations étudiantes ont décidé d'envenimer la grave crise sociale actuelle. Ces irresponsables et ceux qui les soutiennent vont non seulement chambarder l'enseignement supérieur dans toutes les institutions francophones du Québec pendant des mois sinon des années, mais risquent aussi de causer des dommages immédiats et à long terme à l'économie du Québec. On dirait que l'art de se tirer dans les pieds est plus développé au Québec qu'ailleurs.

Les négociateurs étudiants exigeaient le retrait pur et simple des hausses de droits de scolarité. C'était non négociable. Avec, en cas de refus, menaces en catimini : « On va l'arranger, nous, la Formule 1 ! »

Cela s'appelle du terrorisme. Vous pensez que j'exagère ? Le terrorisme est l'usage ou la menace d'usage de la violence par des organisations dans le but de semer la peur chez les citoyens afin qu'ils fassent pression sur le gouvernement pour qu'il cède à leurs demandes. C'est ce que nous avons vécu durant la crise d'Oka avec les Mohawks et c'est ce que nous vivons actuellement, dans un autre registre, avec la crise étudiante.

Nos jeunes terroristes-bourgeois sont en train de détruire l'image, la réputation et l'économie du Québec pour arriver à leur objectif de protéger le pouvoir d'achat de la bourgeoisie nationale au détriment des pauvres, des peu instruits et des vieux.

Vous avez vu les récentes analyses d'Influence Communication sur l'image que projette actuellement le Québec dans le monde? La crise étudiante québécoise a été traitée dans plus de 3 000 articles dans 77 pays. Au cours des dernières semaines, 39 % de ce qui se dit et s'écrit dans le monde sur Montréal comporte trois expressions dominantes: arrestations massives, émeutes et violence. Influence note que les médias internationaux traitent des événements montréalais aux côtés de ceux de Syrie et d'Égypte sans mentionner que personne au Québec n'est mort ou n'a été séquestré. C'est la nouvelle d'origine québécoise la plus médiatisée depuis 2001.

On est rendus au point où, peu importe le dénouement, quel que soit le compromis auquel on arrivera, ce conflit absurde va causer d'importants dommages à notre image et à notre réputation sur la scène internationale. Il a déjà causé des millions de dollars de pertes à l'économie de Montréal et du Québec. Les dégâts provoqués par les casseurs, bien sûr, mais aussi le manque à gagner des commerces et des restaurants du centre-ville. Des milliers de travailleurs à faibles revenus, dont les taxes paient les études universitaires des enfants de riches, en souffrent.

Soulignons que la communauté artistique, qui a donné son soutien empressé au charivari étudiant, sera parmi les premières victimes du ressac économique s'il frappe les festivals montréalais. On se dirige vers un été catastrophique du point de vue touristique avec des pertes d'emplois et des pertes de revenus dans les centaines de millions de dollars*.

Que Montréal devienne cet été un désert culturel importe peu à l'engeance solidaro-anarcho-estudiantine qui va danser dans les rues aux sons des casseroles.

* Mise à jour : La Fédération étudiante universitaire du Québec, la FEUQ, a estimé le coût du boycottage à plus de 100 millions de dollars en tenant compte des salaires des professeurs et des coûts directement assumés par les institutions d'enseignement, les municipalités et les services de police. Heureusement, contrairement à ce que je craignais, l'industrie du tourisme ne semble pas avoir été touchée de façon significative par les manifestations.

Les virus Flame et Stuxnet : les USA peuvent-ils se protéger de l'effet boomerang ?

4 juin 2012

Il est pour le moins ironique que l'administration Obama mette en garde les entreprises américaines au sujet du virus informatique Flame qui a infecté récemment des sites iraniens. Le *New York Times* révèle que c'est le président lui-même qui a donné l'autorisation pour que des informaticiens américains et israéliens lancent l'attaque contre l'Iran. Le *Times* confirme aussi que l'attaque informatique réussie contre les installations nucléaires iraniennes à l'aide du virus Stuxnet était une opération conjointe israélo-américaine autorisée par Obama.

Stuxnet ciblait les logiciels de contrôle d'appareils du fabricant allemand Siemens installé en Iran. La plupart des experts estimaient que seules d'importantes équipes d'ingénieurs d'un pays avancé, travaillant sur une longue période avec des moyens techniques et des budgets considérables, avaient pu développer un tel virus.

L'avertissement du département de la sécurité intérieure des États-Unis décrit le virus Flame comme un logiciel d'espionnage destiné à intercepter le trafic de données, à réaliser des captures d'écran et de clavier, à prendre le contrôle clandestin de la caméra et de l'enregistreur audio de l'ordinateur.

Dans une chronique à l'époque (6 octobre 2010), j'avais observé que les auteurs de l'attaque Stuxnet risquaient beaucoup en développant un tel virus dans la mesure où, lorsque découvert et son code source mis en ligne, il pourrait être utilisé contre le pays d'origine vulnérable à une telle attaque à cause de la multiplicité de ses systèmes industriels informatisés. C'est que contrairement à un missile dirigé minutieusement sur un objectif ciblé, une arme cybernétique peut se propager par Internet et infecter des ordinateurs au hasard.

La mise en garde d'Obama démontre que les États-Unis sont conscients du danger d'être la victime d'un effet boomerang de la course aux armements cybernétiques qu'ils ont eux-mêmes lancé.

C'est l'entreprise de sécurité informatique russe Kaspersky Lab qui a été la première à détecter et à identifier Flame (comme elle l'avait été pour Stuxnet) à la demande de l'Union internationale des télécommunications des Nations Unies. Ce qui agace suprêmement les Américains. Son président fondateur, Eugène Kaspersky, lance des avertissements au sujet des graves dangers posés par la fabrication de tels virus par des gouvernements, affirmant que «les armes cybernétiques sont l'innovation la plus dangereuse de ce siècle».

Une fois le code source développé, sa modification et sa mise en œuvre coûtent «des milliers de fois moins cher», dit Kaspersky, que des armements conventionnels avec des utilisations potentielles plus effrayantes. Black-out complet d'un pays ou d'un continent. Destructions des banques de données gouvernementales d'un État. Interruption du flux des données financières internationales. Les organisations terroristes et le crime organisé transnational, pour ne nommer que deux entités qui ont manifestement des ressources financières importantes, sont en mesure de payer pour le faire adapter à leurs propres fins : extorsions, chantages, terrorisme.

Kaspersky plaide en faveur d'un traité international interdisant la guerre informatique. C'est aussi la position de la Russie qui réclame que les armes cybernétiques soient interdites comme le sont les armes biologiques et chimiques depuis des décennies par des traités internationaux auxquels adhéreraient la plupart des États.

Les États-Unis pour l'instant s'opposent à la demande de la Russie. Washington considère avoir dans ce secteur un avantage militaire qu'il a l'intention d'utiliser contre ses ennemis. Il va falloir que l'Amérique soit l'objet d'une attaque dévastatrice à l'aide d'une arme cybernétique qu'elle a développée pour qu'elle se décide à agir.

Mais de toute façon, je pense qu'il est déjà trop tard. Quoi qu'on fasse, le génie est sorti de la bouteille. Le code source des deux virus américano-israéliens est accessible sur Internet à toutes parties malintentionnées qui voudraient l'utiliser.

Luka Rocco Magnotta : un monstre emblématique de notre époque décadente

6 juin 2012

La fascination que le « boucher de Montréal » exerce sur les masses et les médias est l'illustration parfaite du déclin des valeurs morales qui caractérise le monde actuel.

Les médias ridiculisent les valeurs traditionnelles. Personne n'ose aujourd'hui parler, à la télévision, de morale, de pudeur, de bienséance, de sincérité et de fidélité de crainte de soulever l'hilarité générale et d'être dénoncé comme un idiot ou un simplet manipulé par l'extrême droite.

Le grotesque, le répugnant et le morbide occupent une place prépondérante dans les représentations visuelles de notre époque. Les médias en vivent. Un exemple. Pratiquement toutes les séries télévisées policières comportent, à chaque épisode, des scènes de salles d'autopsie qui auraient été considérées comme obscènes et répulsives il y a 20 ans. Maintenant, les téléspectateurs en raffolent. Introduire des séquences vomitives est devenue un *must* pour les producteurs et les scénaristes pour attirer les spectateurs comme l'étaient les courses de chevaux ou les poursuites en automobile dans les films d'autrefois. Il faut maintenant de l'horrible, du sanguinolent. Le public, le jeune public surtout, adore. Il en redemande. Il faut que le sang gicle et que les victimes subissent les pires outrages, idéalement à la tronçonneuse avec un clin d'œil malicieux et une répartie pince-sans-rire du psychopathe. Hannibal Lecter est leur héros.

Les jeux vidéo hyper violents sont à l'origine de cette abomination. Conditionnées par des milliers d'heures de pratique devant des écrans, trois générations d'ados ont été désensibilisées à la violence, à l'horreur et à la cruauté. Ils sont programmés à mépriser la compassion. Il faut non seulement tuer l'adversaire, mais le pulvériser, lui infliger une fin atroce. La dématérialisation du réel par la vérisimilitude numérique a fait de la plupart des jeunes hommes adeptes de ces jeux des meurtriers et des assassins qui sont déjà passés à l'acte. Dans les armées, on entraîne les tueurs professionnels avec des simulations semblables.

De plus, la culture occidentale actuelle encourage à violer tous les tabous. Non seulement tout vous est permis, mais on vous encourage aussi à partager vos transgressions et vos perversions avec la planète entière. Facebook, YouTube et autres sont là pour ça. Exhibitionnistes de tous les pays, montrez ce dont vous êtes capables. Des millions de spectateurs attendent avec impatience que vous mettiez vos frasques en ligne pour les ingurgiter avant de les restituer électroniquement avec un clic partout sur la planète. Avec Internet, tous les narcissiques psychopathes sont assurés d'avoir leurs 15 minutes de gloire, comme dirait Andy Warhol.

D'ailleurs, même notre sens de la beauté est maintenant perverti. Dans les arts visuels, la provocation, l'immonde et la putridité (de la viande qui pourrit au soleil est considérée comme une œuvre géniale) semblent être les critères sur lesquels l'art est jugé. Tout souci esthétique est rejeté comme réactionnaire au nom de la liberté de créer de l'artiste.

Les pratiques culturelles rejoignent les pratiques sociales et personnelles. L'homme ordinaire dans nos sociétés est encouragé à se réaliser en recherchant la satisfaction immédiate de ses fantasmes et de ses pulsions sans les entraves de la morale et du souci d'autrui. Faut-il donc se surprendre de la fascination qu'exerce un personnage comme Magnotta? L'affaire du gai cannibale a engendré d'énormes cotes d'écoute. Hollywood doit déjà travailler sur un film. Des tee-shirts à son effigie sont sans doute en préparation tout comme le livre relatant ses «exploits».

Luka Rocco Magnotta a mis en ligne la vidéo insoutenable de son crime hallucinant. Meurtre, dépeçage, cannibalisme, outrage sexuel du cadavre. Des centaines de milliers de voyeurs cinglés (de jeunes hommes surtout) se sont précipités pour jouir du spectacle dépravé et le faire voir à leurs amis. Sans doute une vidéo gore parmi les centaines qu'ils ont déjà visionnées dans leur recherche de l'abjection absolue pour faire rigoler leurs copains.

Depuis quelques générations, on avait cru que la civilisation avait fait des progrès, que la majorité des humains avait franchi des étapes qui l'éloignent de l'état de nature, de la violence primitive. En réalité, la civilisation régresse actuellement, un effet pervers d'Internet, des médias de masse et de l'implosion des grandes religions en Occident.

Vous en doutez? Je parie qu'on emplirait le stade olympique, si on y organisait des jeux à la romaine avec combats mortels de gladiateurs et des mises à mort de prisonniers dévorés par des bêtes affamées. Ceux qui ne pourraient assister faute de places disponibles regarderaient les images avilissantes à la télé, sur leur ordi ou leur téléphone mobile.

Panem et circenses, c'est tout ce qui intéresse vraiment les classes populaires comme le démontre notre obsession monomaniaque pour le hockey à condition qu'il soit violent.

La civilisation occidentale de notre époque renie ses propres origines. Les anciens Grecs haïssaient la démesure plus que tout.

Les « casseurs étudiants » veulent-ils faire réélire les libéraux?

11 juin 2012

L'entreprise d'autodestruction du Québec s'est déroulée à bonne allure ce week-end et va se poursuivre durant tout l'été. Plus ça va, moins les revendications des « étudiants » sont précises. Je mets étudiants entre guillemets parce que moins de 10 % des étudiants collégiaux et universitaires du Québec sont à l'origine de cette contestation absurde pour une poignée de dollars. Moins du tiers des institutions du Québec ont été touchées par le boycottage. Et dans ces institutions, le taux de participation au vote de boycottage des cours a été très variable et les conditions entourant les scrutins, souvent contestées.

Puis, les médias aidant, l'effet mouton a joué. Pendant un certain temps, tout le Québec français, totalement écœuré de Jean Charest et des libéraux, a emboîté le pas « aux étudiants », y voyant une façon de manifester sa révulsion pour ce régime pourri solidement amarré à la Sainte Alliance des « anglo-ethniques », des affairistes magouilleurs et de la mafia.

Le Parti libéral, on le sait, fait gerber la majorité franco-phone du Québec. Il est au pouvoir parce que celle-ci est divisée et que ses ennemis sont massivement unis derrière Charest placé sur son trône par les milieux d'affaires de Toronto.

Par son obstination à semer la pagaille, soir après soir, la frange idiote du mouvement de contestation est en train de convaincre la majorité silencieuse de s'allier aux « anglo-ethniques » pour réélire le PLQ à l'automne.

Vous pensez que j'exagère ? Attendez de voir le résultat dans Lafontaine où les électeurs d'origine italienne dominent. À moins d'une surprise monumentale, le candidat libéral va y être réélu haut la main. En fait, un cochon portant aux flancs le logo du PLQ y serait facilement élu. La preuve ? Dans le passé, plusieurs cochons rouges ont été propulsés vers l'Assemblée nationale et son pactole de magouilles lucratives. Vous pensez peut-être au scandale des garderies ? Moi aussi.

Les dirigeants de la fronde « étudiante » ne voient-ils pas qu'ils font le jeu des libéraux ? Au point où ça me surprend qu'il n'y ait pas encore de conspirationnistes qui soupçonnent publiquement les organisateurs des casses quotidiennes d'être de mèche avec les libéraux.

Ne le croyez surtout pas. Jamais ces derniers ne feraient appel à des « opérateurs » aussi incompétents que maladroits. Il n'a fallu que peu de temps à la police pour arrêter les clowns piteux qui ont imaginé ces frasques aussi idiotes que dangereuses dans le métro. Les délateurs étaient, semble-t-il, nombreux et empressés.

Il ne faut pas donner aux organisateurs des troubles une cohérence dans l'action et une intelligence qu'ils n'ont pas. L'agitation est à la dérive. On se justifiait d'abord en disant qu'on voulait stopper l'augmentation des droits de scolarité avant de se perdre dans les généralités et les poncifs : contestation de la globalisation et du régime capitaliste mondial. Ce matin, *Le Devoir* nous apprend que la nouvelle égérie de la Fédération étudiante collégiale du Québec (FECQ), Éliane Laberge, a l'intention de rediriger « la mobilisation » vers le « malaise » ressenti par la population. On bordélise la vie de centaines de milliers de Québécois ordinaires, on perturbe pendant des semaines l'activité économique du centre-ville de Montréal et on ne sait plus exactement pourquoi. Plus stupidement malfaisant que cela, tu meurs.

Et il y a des crétins qui crient à la dictature. Charest égale Pinochet et Assad. Et pourquoi pas Mao et Castro ?

Comme cela était prévisible, de vieux gauchistes, d'ici et d'ailleurs, font chorus avec les « étudiants », contents de constater que de jeunes sans-dessein prennent la relève pour tourner en rond à leur place.

Je devrais surveiller mes paroles. Villeneuve a reçu des menaces de mort parce qu'il n'est pas d'accord avec la meute estudiantine délirante. Vive la liberté d'expression !

Le PQ et la CAQ après Argenteuil : qui peut nous libérer des libéraux ?

13 juin 2012

Pauline Marois jubilait après la victoire inespérée de son parti, allant jusqu'à réclamer des élections générales le plus rapidement possible. L'analyse des résultats démontre clairement que le PQ a gagné malgré le fait qu'il ait obtenu quelques centaines de voix de moins qu'à l'élection de 2008.

Les péquistes sont arrivés en tête simplement parce que de nombreux électeurs anglophones n'ont pas daigné participer à l'élection complémentaire. Lors des prochaines élections générales, ces Anglos vont aller voter massivement pour les libéraux, « pour sauver le Canada »*.

D'ailleurs, le même phénomène va aussi s'observer dans Lafontaine, où les Italiens qui se sont abstenus vont envahir les bureaux de scrutin pour la même raison et donner une nouvelle majorité astronomique au PLQ. Ce réflexe ethnique conditionné est un facteur important qui explique comment les libéraux réussissent à prendre le pouvoir et à s'y maintenir.

La désolante réalité est que le PQ a été incapable d'accroître son soutien populaire dans Argenteuil, alors qu'il fait face au premier ministre le plus impopulaire de l'histoire du Québec, qui dirige une équipe de gugusses corrompus, frappés, semaine après semaine, par une interminable série de scandales. La répugnance généralisée des Québécois francophones pour le Parti libéral et son chef ne semble pas se traduire par un accroissement de popularité du PQ.

Le résultat de Québec solidaire est pathétique. Son Gaston Lagaffe national qui domine, d'esbroufes en pitreries, l'espace médiatique depuis quelques semaines n'a permis au QS que d'obtenir une dérisoire cinquième place, derrière le Parti vert, avec moins de 3 % des voix. Les numéros de *stand-up comic* de la famille Khadir ne sont guère appréciés à l'extérieur du Plateau-Mont-Royal et des quartiers environnants. Quant aux chiffres microscopiques d'Option nationale, ils indiquent qu'Aussant n'est même pas une nuisance mineure pour le PQ.

Si dans Argenteuil, Pauline Marois et le PQ remportent une victoire par défaut, François Legault, lui, subit une défaite personnelle et une humiliation éblouissante. L'Action démocratique du Québec (ADQ), avec Mario Dumont à sa tête, s'y était classée deuxième avec 30 % des voix devant les péquistes.

La CAQ a fini en troisième place même si elle présentait le seul candidat-vedette de l'élection, Mario Laframboise, ex-député fédéral de la région pendant 11 ans sous les couleurs du Bloc québécois. Battu par un poteau néodémocrate totalement inconnu, Mylène Freeman, Laframboise, après avoir facturé à 35 000 $ sa course au leadership au Bloc, s'est tout à coup senti caqueux. Laframboise prétendait au cours de la campagne électorale avoir refusé deux fois l'offre du PQ d'être son candidat dans la circonscription. Le PQ l'a échappé belle.

L'opportuniste avait surestimé sa popularité personnelle et surtout l'attrait électoral du couple Legault-Sirois et de leur Coalition. La mésaventure de Laframboise indique, à mon avis, que la CAQ n'a pas d'avenir. Ça va être amusant, dans les prochains mois, de voir les opportunistes quitter le bateau. Que vont faire les 46 avocats du cabinet BCF qui contribuent à la caisse de la CAQ et dont l'associé directeur, Mario Charpentier, siège à l'exécutif du parti ?

Le PQ devrait avoir le vent dans les voiles. Les sondages devraient montrer le parti en nette avance sur la pourriture libérale. Ce n'est pas le cas. De sondage en sondage, on constate que Marois est nez à nez (si l'on peut dire) avec Charest.

Que peut faire le PQ pour améliorer ses chances de prendre le pouvoir ?

Il devrait poursuivre sa stratégie actuelle de se tenir loin des débordements de l'extrême gauche qui manipule les «étudiants», tout en implorant ces derniers en catimini de cesser de faire le jeu des libéraux.

S'ouvrir aux électeurs centristes francophones. Les votes qui manquent à Pauline Marois ne sont pas chez les Khadiristes-Davidiens surexcités, ils sont à la CAQ.

Sa chef Pauline Marois devrait, à la rentrée, lancer un appel solennel aux indépendantistes dévoyés pour qu'ils rejoignent sa formation. Si Parizeau, Landry, Duceppe et les autres figures historiques du mouvement ont toujours à cœur leur idéal, ils devraient s'associer à elle dans un véritable rassemblement pour l'indépendance nationale.

Avec l'implosion de la CAQ de Legault, le parti de Pauline Marois est le seul capable de nous libérer des libéraux.

* Mise à jour: À l'élection générale, le PQ a conservé Argenteuil, augmentant légèrement ses appuis de 36,38 % à 38,52 % malgré le retour du vote anglo, tandis que la CAQ est restée bonne troisième, derrière les libéraux qui ont, par ailleurs, facilement remporté Lafontaine, l'ancien comté de Tony Tomassi. Comme prévu, les Italiens sont massivement allés voter, faisant passer les voix libérales de 5 446 à la partielle à 17 081 à l'élection générale.

Illégalités et incompétences des services secrets : de Trudeau à Harper

18 juin 2012

Dans les années 1970, le gouvernement Trudeau avait autorisé le Service de sécurité de la Gendarmerie royale (SS/GRC) à commettre des crimes afin de venir à bout du mouvement d'émancipation nationale des Québécois. Étaient ciblés, non seulement la mouvance du Front de libération du Québec (FLQ), mais aussi le Parti québécois, le Parti libéral du Québec et l'Union nationale, victimes de plusieurs crimes qui demeurent à ce jour couverts par le secret d'État et donc impunis. Des agents du SS/GRC avaient notamment posé des micros au siège du PQ et y avait volé la liste des membres. D'autres gendarmes fédéraux s'étaient adonnés à l'incendie criminel, à l'écoute électronique illégale, au recrutement de sources par la menace et l'intimidation.

Quand la commission Keable a voulu remonter la filière jusqu'à Trudeau, l'instigateur de ces crimes, la Cour suprême du Canada, en fidèle servante du pouvoir fédéral, avait décidé qu'une commission d'enquête provinciale ne pouvait enquêter sur le gouvernement du Canada.

Pour faire oublier sa participation aux crimes de sa police, le gouvernement libéral avait accepté dans les années 1980 de dissoudre le SS/GRC et de le remplacer par un organe de sécurité intérieure autonome, le Service canadien du renseignement de sécurité.

La loi sur le SCRS prévoyait la création du poste d'inspecteur général avec la responsabilité de surveiller les opérations secrètes et de garantir au gouvernement qu'elles étaient conformes aux lois. Parallèlement était constitué un Comité de surveillance des activités de renseignement de sécurité (CSARS) chargé, lui, de faire chaque année un rapport similaire au Parlement.

Dans le cadre du projet de loi C-38, le ministre de la Sécurité publique, Vic Toews, a décidé d'abolir le poste d'inspecteur général du SCRS pour épargner un million de dollars.

Toews explique que les fonctions de l'IG vont être assumées par le CSARS. Ce n'est pas rassurant. D'abord, il est composé d'amateurs à temps partiel qui s'appuient sur une petite équipe d'une dizaine de personnes avec des ressources limitées. Depuis l'attentat du World Trade Center en décembre 2001, le SCRS a connu une expansion phénoménale, passant de quelque 2 000 à plus de 3 000 agents avec un budget annuel de plus de 350 millions de dollars.

Ensuite, le rapport que le CSARS transmet au Parlement chaque année est filtré par le ministre de la Sécurité publique. Les termes vagues et édulcorés utilisés dans le rapport font que les parlementaires sont incapables de savoir ce qui s'est vraiment passé. Voici un exemple d'une activité illégale sur laquelle j'ai enquêté et qui avait aussi occupé le CSARS dans les années 1990. Un individu travaillant pour le SCRS avait proféré des menaces contre le juge antiterroriste français Jean-Louis Bruguière dans le cadre d'une opération d'infiltration d'un réseau islamiste à Montréal. Une énorme affaire. Pourtant, dans son rapport annuel, censuré par le ministre, le CSARS n'y avait fait qu'une référence vague et incompréhensible.

Les choses s'améliorent-elles dans les services secrets? Il semble que non. L'inspectrice générale du SCRS, Eva Plunkett, qui a pris récemment sa retraite, évoque dans son rapport de 2012 un taux récurrent et élevé de non-conformité avec la politique gouvernementale, et un taux sans cesse croissant d'erreurs. Selon la Presse canadienne (PC) qui a obtenu des sections du rapport Plunkett, elle constate que, dans au moins 19 cas, le SCRS ne s'est pas conformé à ses propres politiques.

Ce qu'il faudrait, c'est une refonte complète du système de surveillance de l'ensemble des services secrets avec un responsable, doté de moyens conséquents, qui rendrait des comptes directement au Parlement. En plus du SCRS, il surveillerait aussi le Centre de la sécurité des télécommunications du Canada, l'organe d'écoute électronique du gouvernement du Canada. Le budget du CST est supérieur à celui du SCRS et ses possibilités d'abus, tout aussi importantes, sinon plus. Ça n'arrivera pas!

Les gouvernements aiment mieux en savoir le moins possible sur ce que font leurs espions pourvu qu'ils leur fournissent les informations requises. Ils peuvent ainsi invoquer l'ignorance quand une opération dérape et cause un gâchis médiatisé.

Notons en terminant qu'aucun des dizaines d'agents de la GRC qui ont commis des crimes dans le cadre de la répression antinationale au Québec dans les années 1970 n'a été déclaré coupable de quoi que ce soit. Au contraire, ces agents ont poursuivi de belles carrières, marquées par des honneurs et des promotions jusqu'à une retraite dorée.

Quant à l'homme qui a autorisé et couvert leurs crimes, Pierre Elliott Trudeau, les libéraux ont donné son nom à un aéroport... pour rappeler ses forfaitures à notre mémoire.

Que contenaient les dossiers secrets de la GRC sur Diefenbaker, Pearson et Trudeau

20 juin 2012

La Presse canadienne nous apprenait au début de la semaine que le SCRS avait détruit en 1988 les dossiers secrets constitués par la GRC sur deux anciens premiers ministres canadiens, John Diefenbaker et Lester Pearson. Le premier avait été élu premier ministre en 1957 à la tête du parti «progressiste-conservateur» et le second l'avait battu pour former un gouvernement libéral minoritaire en 1963. Pearson s'était d'abord illustré comme ministre des Affaires étrangères au début des années 1950.

La dépêche de la PC ne contient aucune explication sur les raisons qui ont porté le Service de sécurité de la GRC à ouvrir des dossiers sur ces deux hommes politiques éminents et sur leur contenu. J'ai été à même de travailler sur ces questions dans mes enquêtes sur les services secrets fédéraux. Voici mon appréciation.

Dans le cas de Diefenbaker, il y a deux raisons possibles. Au début de sa carrière dans les années 1920, il était proche du Ku Klux Klan canadien. Il a même pris la parole en 1928 à Red Deer dans une réunion organisée par le KKK. Il y a ensuite l'affaire Gerda Munsinger, du nom d'une prostituée est-allemande soupçonnée d'espionnage qui couchait avec au moins deux membres de son cabinet, dont son ministre associé de la Défense, Pierre Sévigny. Une commission d'enquête conclura que la sécurité nationale n'avait pas été compromise par la concupiscence de ses ministres.

Le cas de Lester Pearson joue dans les mêmes registres, mais en plus sombre et dramatique. Un ami intime du futur premier ministre, l'ambassadeur du Canada en Égypte, E. Herbert Norman, se suicide au Caire en avril 1957. Le Sénat américain s'apprêtait à rouvrir une enquête sur ses allégeances communistes alors qu'il était étudiant en Angleterre dans les années 1930. Né au Japon, fils d'un missionnaire protestant, spécialiste de la culture japonaise, il fait partie des services de contre-espionnage du général MacArthur à Tokyo en 1946. Le FBI et la GRC enquêtent une première fois sur les sympathies communistes de Norman en 1950. Son ami, Lester Pearson, alors ministre des Affaires extérieures, se porte à sa défense et le maintient en poste. Les deux organes de sécurité ont vent d'une rumeur de relation homosexuelle entre les deux hommes.

Des décennies après sa mort, la question de la loyauté de Norman a continué à être soulevée par des chercheurs et par des députés aux Communes. Le ministre des Affaires extérieures, Joe Clark, décide de vider la question et demande au professeur Peyton Lyon de l'Université

Carleton de revoir l'ensemble des dossiers secrets se rapportant à Norman. Son rapport de mars 1990 conclut qu'il n'a jamais espionné pour le compte de l'Union soviétique, mais qu'il a menti pour dissimuler ses sympathies communistes de jeunesse.

Un autre ami de Pearson, l'ambassadeur canadien à la retraite John Watkins, vivait une paisible retraite dans le Sud de la France lorsqu'en septembre 1964, il est convoqué par des membres du service de sécurité de la GRC. Sa santé est frêle. Watkins est soupçonné d'avoir été piégé dans une relation homosexuelle en 1958 par un agent du KGB alors qu'il était posté à Moscou. La rencontre avec les enquêteurs de la GRC se déroule dans une chambre de motel de la Côte-de-Liesse près de l'aéroport de Dorval alors qu'il vient d'arriver de Paris. Watkins meurt durant l'interrogatoire incisif. La GRC intervient auprès de la police de Montréal pour qu'elle dissimule le fait que Watkins subissait un interrogatoire sans ménagement lorsqu'il est mort. L'affaire ne sera connue que dans les années 1980 lorsque le gouvernement Lévesque ordonnera une enquête sur le *cover-up*.

Ce qui me surprend dans les révélations de la PC, c'est qu'il n'y a absolument rien sur le fameux dossier de Pierre Elliott Trudeau, sympathisant d'extrême droite durant la guerre devenu sympathisant d'extrême gauche avant de finir libéral. Un ancien du service m'a confié que son dossier considérable faisait entre autres état d'une amitié de Trudeau avec un jeune Chinois considéré comme un agent de Pékin.

Selon lui, le dossier Trudeau aurait été détruit en 1968 dans les jours qui ont suivi son accession au poste de premier ministre du Canada sans que les procédures régulières soient respectées. Il serait intéressant qu'Archives Canada ouvrent une enquête sur les circonstances de la disparition de ces documents.

La droite américaine : Dieu ne permettra pas le réchauffement climatique

25 juin 2012

Le Parti républicain et la droite américaine sont engagés dans une dangereuse dérive qui les amène à nier le réel et la science au profit de l'idéologie. La question du réchauffement climatique est une illustration à la fois pathétique et loufoque de ce dérapage.

Un étrange débat est présentement en cours en Caroline du Nord, un État vulnérable à la montée du niveau des océans en raison du réchauffement planétaire. Un rapport scientifique préparé à la demande du gouvernement conclut qu'il faut s'attendre à une montée de la mer d'un mètre d'ici la fin du siècle, faisant ainsi passer des milliers de kilomètres carrés de 20 comtés côtiers dans la catégorie des terres inondées ou inondables.

Devant les implications économiques et financières extrêmement négatives concernant les infrastructures routières et les perspectives touristiques, les comtés côtiers se sont mobilisés... pour faire changer la science. Les pressions des chambres de commerce ont amené la Commission des ressources côtières de l'État à réduire de moitié l'évaluation de la hausse du niveau de la mer.

Les élus républicains refusent aussi que les prévisions s'appuient sur des modèles de climatologie scientifiques. Ils exigent qu'elles soient simplement extrapolées des relevés effectués depuis 1900. Le texte de leur projet de loi interdit de faire référence à tout scénario prévoyant une accélération de la montée du niveau des océans.

La hausse du niveau des océans au XXIe siècle affectera la Terre entière... mais la Caroline du Nord sera la région de la planète la moins touchée par le phénomène. La Louisiane, la Californie, le Delaware et le Maine se préparent à des hausses de un à deux mètres du niveau de la mer. Miracle! Les côtes de la Caroline du Nord seront, elles, largement épargnées parce que ses élus en ont décidé ainsi.

La droite américaine ne s'en fait pas avec ces balivernes de réchauffement climatique. Le sénateur républicain de l'Oklahoma, James Inhofe, est formel : Dieu ne permettra tout simplement pas le changement de climat. Dans une interview avec une station religieuse, le sénateur a cité un passage de la Bible (Genèse 8, 22) comme source de son information. Inhofe s'est dit scandalisé du fait que des humains pensent même que leurs activités puissent changer le climat, qui est un don du Créateur. Le sénateur a même publié un livre, *The Greatest Hoax* (*Le plus grand canular*, Washington, WND Books, 2012) pour étayer sa conviction délirante qu'il n'y a pas de changement climatique.

Malgré l'évidence que nous vivons des étés particulièrement chauds depuis quelques années, le sénateur affirme que nous sommes entrés dans une période de refroidissement depuis neuf ans. Inhofe, membre du Comité sénatorial sur l'environnement et des travaux publics, est l'un des plus virulents détracteurs du changement climatique. Il a reçu 1,35 million de dollars en contributions de campagne de l'industrie pétrolière et gazière. Ce qui a amené le comédien Alec Baldwin, un écologiste, à qualifier Inhofe de «putain du pétrole».

Le magazine du monde des affaires *Forbes* considère que c'est de la folie de la part des conservateurs américains de rejeter le réchauffement climatique comme une lubie des démocrates et de la gauche hollywoodienne. Il cite le pape Benoît XVI qui estime qu'il y a une responsabilité globale pour lutter contre la catastrophe menaçante du changement climatique. L'Église presbytérienne des États-Unis a adopté une position similaire.

Forbes souligne que les politiques gouvernementales doivent s'appuyer sur des bases scientifiques solides. Le magazine s'inquiète de voir la droite rejeter la science et donc la réalité comme fondement de la prise de décision politique.

Dieu nous garde d'une victoire des républicains en novembre prochain.

Les grandes rafles d'Africains en Israël indiffèrent le monde

27 juin 2012

Des sections spéciales du ministère israélien de l'Intérieur sont engagées depuis le début du mois dans de grandes rafles pour capturer et placer dans des camps des milliers d'Africains en situation illégale en vue de les expulser d'Israël.

Comme les Français avec les gitans, les Israéliens offrent une indemnisation financière de 1 000 euros par adulte à ceux qui acceptent de partir volontairement. Ceux qui refusent repartiront les mains vides après un séjour dans un camp de détention.

Imaginez le raffut si le Canada ou tout autre pays qu'Israël s'avisait d'agir ainsi. Ils sont aujourd'hui près de 60 000 émigrés africains en Israël, entrés illégalement via le Sinaï égyptien. Les autorités égyptiennes ont sans doute fermé les yeux, trop contentes d'exporter le problème et de créer la zizanie en Israël. Chaque mois, entre 2 000 et 3 000 Africains franchissent la frontière du Sinaï égyptien à pied. Ils sont qualifiés par la droite israélienne au pouvoir de «cancer». Le porte-parole du gouvernement d'extrême droite, Mark Regev, dit qu'Israël est la patrie des juifs (*jewish homeland*) et qu'il n'a donc aucune obligation d'offrir l'asile à des Africains.

Le ministre de l'Intérieur, Eli Yishaï, souligne que les raids en cours ne sont «que le commencement». Accepter le fait que les Africains restent en Israël serait, selon lui, «la fin du rêve sioniste». Son chef, le premier ministre Benjamin Netanyahou, renchérit en les qualifiant de «fléau national» qui met en danger le «caractère juif et démocratique de l'État d'Israël». Il a donné l'ordre, le 3 juin, d'accélérer les procédures d'expulsion. Près de 25 000 personnes, hommes, femmes et enfants, sont visées dans un premier temps.

La traque des Noirs, conduite par 130 agents du ministère de l'Intérieur, s'effectue surtout dans la région de Tel-Aviv et à Eilat, à la frontière égyptienne. L'opinion publique israélienne appuie l'opération. Les Africains des quartiers populaires du sud de Tel-Aviv sont blâmés pour une vague de crimes violents, y compris des viols de jeunes Juives, provoquant une réaction brutale parmi les Israéliens. Durant le mois de mai, des Israéliens scandant des slogans racistes sont descendus dans les rues pour demander leur expulsion. Des commerces leur appartenant ont été pris pour cibles par les manifestants.

Actuellement les rafles visent particulièrement les ressortissants du Soudan du Sud, du Ghana et de la Côte-d'Ivoire. Certains Africains, qui ont demandé le statut de réfugiés, sont «non expulsables». Pour régler ce problème, Israël construit actuellement dans le désert du Néguev le plus grand camp d'internement du monde capable de détenir 12 000 Africains.

Le lobby proisraélien canadien est totalement silencieux sur la question. Ces gens sont toujours les premiers à crier au scandale dès qu'il y a l'ombre d'un soupçon de discrimination qui se manifeste au Québec ou au Canada. Où donc est Irwin Cotler, député libéral de Mont-Royal qui se présente comme un grand défenseur des droits de l'homme partout dans le monde? Il serait bon que sa vigilance se porte sur l'État juif. Mais rassurez-vous, cela ne se fera pas. Ce n'est pas son rôle.

Comme les autres membres du lobby, il est là pour agir comme auxiliaire de propagande de première ligne du ministère israélien des Affaires étrangères.

Comme Israël est le plus proche allié du Canada et des États-Unis, Washington et Ottawa regardent aussi dans l'autre direction. N'importe quel autre pays de la planète qui agirait ainsi avec des réfugiés africains serait dénoncé avec véhémence. Les grands médias américains seraient remplis de reportages indignés sur les « rafles scandaleuses » avec images dramatiques à l'appui. Mais comme il s'agit d'Israël, la couverture médiatique en Amérique du Nord est minimale. Quant aux organes de défense des droits humains de l'ONU, ils sont sans doute trop occupés actuellement à dénoncer le projet de loi 78 et le gouvernement Charest.

Les meurtres de l'hôpital Notre-Dame : les fous se sont-ils emparés de l'asile ?

2 juillet 2012

Ah bon ! Ça vous choque que je parle de fous ? Oui, je sais, ce n'est pas bien vu au Québec où la rectitude politique est devenue une forme socialement imposée d'hypocrisie. Quand on ne peut pas changer une réalité désagréable, on la désigne par un terme mélioratif. Il n'y a plus de vieux débiles. Seulement des personnes de l'âge d'or carencées. Les putains se sont mutées en travailleuses du sexe. Faut surtout faire de peine à personne.

Pour en revenir à mon sujet, deux vieux sont assassinés à l'hôpital Notre-Dame par un fou dangereux libre de se promener pendant des jours dans la section psychiatrique pour s'adonner à ses pulsions meurtrières. Le fou a été plus futé que les psys chargés de le surveiller. Ils ne se sont rendu compte de rien avant qu'on le surprenne alors qu'il tentait d'assassiner une troisième personne.

Voilà un cas patent qui démontre comment, ici au Québec, on pousse le droit à la vie privée jusqu'à l'absurde, alors même que sur Facebook tout un chacun révèle les aspects les plus privés de son intimité.

Des personnes sont institutionnalisées en psychiatrie parce que, manifestement, elles n'ont plus les capacités mentales pour prendre soin d'elles-mêmes. En clair, ça veut dire qu'elles doivent être sous HAUTE SURVEILLANCE pour leur propre sécurité et celle des autres. Mais à Notre-Dame, et, je présume, ailleurs, on bannit la surveillance par caméra de leur chambre et de l'ensemble du service parce que cela violerait leur vie privée. Ce sont des psys, présumés relativement sains d'esprit, qui ont établi une telle règle aberrante.

Toujours en ce qui concerne la folie irresponsable des autorités en santé mentale, la police amène de force un fou soupçonné de violence, mais elle n'a pas le droit de signaler à ceux qui sont à la réception en psychiatrie ce qu'on lui reproche. Ça violerait sans doute ses droits à la vie privée? Qui a imaginé des protocoles aussi insensés? Probablement un comité de psychiatres et de psychologues.

Non, nous ne sommes pas à l'asile de Charenton à l'époque du marquis de Sade, mais à Notre-Dame à Montréal en 2012! Alerte! Des fous en blouse blanche se sont emparés de l'asile! De toute évidence, il y a de gros problèmes de discernement et de bon sens dans la profession de psy en général.

Les responsables du gâchis qui a coûté deux vies humaines se défendent en disant qu'ils n'ont fait qu'appliquer les procédures, qu'ils ont respecté les règles. C'est la bouée de sauvetage des fonctionnaires incompétents et le problème des bureaucraties gouvernementales. L'objectif n'est pas le résultat positif, mais de pouvoir justifier ses actions quand les affaires tournent mal.

Peu importe que de vieilles personnes sans défense se fassent assassiner. Peu importe des décisions socialement ou économiquement catastrophiques pourvu que le fonctionnaire ou le cadre puisse dire pour se justifier : « Je n'ai rien à me reprocher, j'ai suivi la procédure et j'ai appliqué les règles à la lettre. »

À mesure qu'elles vieillissent, les sociétés humaines se donnent des règles, des protocoles et des procédures qui deviennent, au fil des ans, de plus en plus complexes, contradictoires et déraisonnables.

C'est vrai pour la santé publique et c'est aussi vrai pour la sécurité publique. Le système de droit et de police dans nos sociétés est organisé selon ces mêmes principes. L'important n'est pas que justice soit faite, mais que les règles de procédures soient suivies. Qu'un criminel particulièrement odieux soit acquitté importe peu pourvu que son acquittement soit le résultat de l'application scrupuleuse des règles du droit criminel. Le cas Turcotte est le plus récent. Mieux, des responsables ont applaudi : c'est la preuve que le système marche. Pas le système de justice, le système de procédures.

Deux vieillards ont payé de leur vie la stupidité collective de l'industrie de la santé mentale. Je ne sais pas si vous êtes comme moi, mais j'ai quelquefois l'impression que plusieurs psys sont aussi fous que leurs patients. Je me dis que ça doit finir par déteindre.

|||||||||||||||||||||||||||| ## Le Canada Day à Montréal : entre la parade du père Noël et celle de la fierté gaie

4 juillet 2012

Pour les Québécois, le 1er juillet a toujours été la journée du déménagement avant d'être la journée du Canada. Selon l'Agence QMI, il y avait beaucoup plus de personnes qui déménageaient dimanche (80 000) que de participants aux festivités du Canada Day à Montréal. La fête nationale des Québécois, c'est le 24 juin.

Le défilé de Montréal était pathétique. Entre la parade du père Noël et celle de la fierté gaie. Depuis Trudeau, le gouvernement fédéral a eu beau essayer de créer un sentiment d'appartenance canadienne autour du Canada Day, ça n'a marché, au Québec, qu'avec les «anglo-ethniques» et les immigrants nouvellement arrivés. Le West Island jusqu'à la rue Saint-Laurent a fêté son Canada. «*Canada lives here*», dit le slogan «barbeux» à souhait de la radio de la CBC au Québec.

Ce qui m'a frappé, c'est que les Anglos de souche paraissaient même minoritaires parmi les anglophones. Le Canada Day montréalais avait vraiment les allures d'une manifestation ethnique, une espèce de Carifête avec des moyens financiers plus importants. Je regardais ça et je me disais que les Anglo-Québécois sont en train de disparaître. Je me demande s'ils ne sont pas déjà minoritaires parmi ceux qui parlent anglais au Québec.

Écoutez la radio ou la télévision anglaises à Montréal. Allez dans un hôpital, une école ou un cégep anglophone. Vous allez constater qu'une partie importante du personnel est constituée de francophones. C'est comme si les Anglo-Québécois de souche n'étaient plus assez nombreux pour faire fonctionner leurs institutions sociales et culturelles et que les nouveaux arrivants anglophones n'étaient pas encore prêts pour assumer certaines activités. À tous les niveaux de la communauté anglophone au Québec actuellement, ce sont des francophones qui assurent le fonctionnement des institutions. Je serais curieux de savoir combien il reste d'Anglos de souche parmi les Québécois qui se déclarent de langue anglaise.

En ce 1er juillet, comme c'est leur habitude, les journalistes et les analystes politiques du Canada anglais se sont questionnés sur l'ambiguïté des Québécois qui se comportent comme si le Canada n'existait pas ou qu'ils n'en faisaient pas partie.

Non seulement il n'y a aucun engouement chez plus de 80 % des Québécois pour le patriotisme *Canadian*, mais les «gens du pays» se désolidarisent complètement du retour du Canada à ses racines *British* et du culte de la personnalité que Harper est en train de créer autour d'Élisabeth II. «Merde à la reine d'Angleterre qui nous a déclaré la guerre» est une rengaine qui nous est familière depuis la Nouvelle-France.

La très grande majorité des Québécois n'a aucun attachement sentimental ou autre au Canada. Mais ça ne veut pas dire qu'ils favorisent l'indépendance. Ils ont détruit à jamais l'année dernière le Bloc québécois qui représentait cette option à Ottawa sans trop savoir pourquoi, à part le fait que Jack Layton était sympathique.

Pourtant, la possibilité d'un retour au pouvoir du PQ préoccupe Harper. Il est venu récemment au Québec demander à Brian Mulroney et à Jean Charest ce qu'il pourrait faire pour empêcher Pauline Marois de devenir première ministre. Je le plains s'il n'a personne de mieux à qui demander conseil.

Si les élites anglo-canadiennes redoutent un retour du PQ au gouvernement, ce n'est pas le cas de la population canadienne-anglaise en général. Un sondage récent indique que la séparation du Québec laisse totalement indifférents près de la moitié des répondants. «Vous voulez partir, nous disent les Canadiens anglais, ben crissez donc le camp! On sait que vous êtres trop lâches, trop vieux et plus assez nombreux pour le faire.»

Rares sont ceux dans le ROC qui croient que l'avenir du Canada va de nouveau se jouer lors des prochaines élections au Québec. On estime généralement que les libéraux, soutenus massivement par les «anglo-ethniques», vont réussir à se maintenir au pouvoir face au vote francophone divisé. On se félicite d'ailleurs que la fronde estudiantine, en accentuant ces divisions, favorise la réélection de Charest.

La génération montante des Québécois semble, en effet, plus préoccupée par le fric que par la quête d'un pays, comme le démontre la mobilisation d'une partie significative de la jeunesse bourgeoise pour éviter des hausses de droits de scolarité. Je serais agréablement surpris si le dixième seulement de ceux qui sont descendus dans la rue pour une poignée de dollars était disposé à entreprendre des actions collectives pour réaliser la souveraineté.

La vie d'une fille vaut-elle plus que celle d'un garçon ?

9 juillet 2012

La question de l'avortement est un tabou au Canada. Une partie significative de la population s'y oppose avec véhémence pour des raisons morales et religieuses, tandis que d'autres groupes refusent avec autant d'animosité qu'on conteste son statut légal actuel. L'avortement est permis au Canada, jusqu'à l'expulsion naturelle du fœtus de l'utérus de la mère. Seule la Chine, qui va, elle, jusqu'à contraindre des femmes à se faire avorter, a une politique aussi favorable à l'avortement que le Canada.

Les politiciens canadiens, toujours aussi poltrons lorsqu'il s'agit de questions controversées qui risquent de leur faire perdre plus de votes, aiment mieux rester silencieux sur la question. Sauf ceux du Québec, qui appuient avec enthousiasme la position des féministes et des groupes associés qui défendent, bec et ongles, l'avortement sur demande actuel.

La réalité sociale et scientifique canadienne place maintenant les militantes proavortement devant un épouvantable dilemme : doit-on intervenir pour interdire légalement l'avortement sélectif des fœtus féminins ? C'est une pratique répandue dans des pays comme la Chine, la Corée et l'Inde où chaque année des millions de fillettes sont tuées parce que leurs parents préfèrent avoir des garçons.

L'immigration de ces pays a amené cette pratique au Canada. Abbotsford en Colombie-Britannique abrite l'une des plus grandes communautés indiennes au pays. Elle possède également l'un des ratios entre les sexes les plus asymétriques. Parmi les enfants de moins de 15 ans, il y a 121 garçons pour 100 filles.

Pour satisfaire cette clientèle, et aussi les autres Canadiens qui veulent choisir le sexe de leur enfant, des cliniques privées offrant des examens et échographies 3D permettent de le déterminer avant 20 semaines de grossesse. On peut ainsi facilement avorter si le fœtus n'est pas du sexe désiré.

Une enquête de la CBC dans 22 centres échographiques partout au pays a révélé que la majorité était disposée à déterminer le sexe du fœtus, peu importe l'avancée de la grossesse. Il n'existe actuellement aucune loi au Canada qui interdit de révéler le sexe d'un fœtus ou d'avorter simplement à cause du sexe de ce dernier.

La CBC a demandé aux cinq partis politiques fédéraux leur position sur l'avortement sélectif basé sur le sexe du fœtus et sur les centres privés d'échographie. Sauf le Bloc qui a carrément refusé de commenter, les quatre autres partis ont ânonné une réponse politiquement correcte prônant l'éducation pour enrayer la pratique. En clair, aucun d'entre eux ne veut rouvrir le débat sur la question de l'avortement.

Devant ce phénomène social grandissant de la sélection du sexe par avortement, la Société des obstétriciens et gynécologues du Canada a lancé un appel pour une interdiction totale des «examens» par ultrasons ailleurs que dans des services hospitaliers qui ne révéleraient le sexe du fœtus que dans les derniers mois de grossesse.

Cela n'aura aucun effet. On va simplement pousser ces «cliniques privées» vers la clandestinité comme l'étaient jadis les cliniques d'avortement et accroître le prix du service. On ne réussira jamais à interdire les fournisseurs de service de détermination de sexe du fœtus, d'autant plus qu'avec les progrès technologiques, des appareils échographiques seront bientôt disponibles à des prix dérisoires dans le commerce.

Comment peut-on dire à la fois que l'avortement est un choix purement personnel de la mère ou des parents et réclamer en même temps une protection sociétale des fœtus féminins ? Seule la motivation des parents qui ne veulent pas de filles serait ainsi scandaleuse et criminelle. L'avortement des fœtus masculins ne poserait aucun problème et serait sociale-ment et moralement acceptable.

C'est le dilemme schizophrénique qui guette nos sociétés décadentes où la jouissance et la satisfaction immédiates des individus est la valeur primordiale.

Une triste réalité : au Québec on aime nos politiciens corrompus, on les réélit

11 juillet 2012

Dès qu'un fonctionnaire, dès qu'un policier provincial ou municipal est accusé de corruption, il est suspendu de ses fonctions, mais curieusement la loi ne prévoit pas la même procédure pour les élus. Le maire de Mascouche, Richard Marcotte, en profite pour rester en poste et percevoir son salaire tant qu'il ne sera pas déclaré coupable par un tribunal des accusations de fraude, d'actes de corruption et d'abus de confiance qui pèsent contre lui*.

Marcotte est maire depuis 16 ans; les allégations de corruption à son sujet circulent depuis une bonne dizaine d'années. Il faut constater qu'elles ne l'ont pas empêché de se faire réélire. La dernière campagne électorale municipale s'est faite en grande partie sur son honnêteté. Les citoyens ont majoritairement choisi de le conserver comme maire. Ils ont estimé qu'ils avaient besoin comme maire d'un homme avec ses excellentes relations : Tony Accurso, son associé Normand Trudel, le premier ministre Jean Charest...

Ce qui m'amène à l'ancien ministre libéral, Tony Tomassi, rejeton d'une famille italienne influente et proche du premier ministre Charest. Il a continué à recevoir son salaire de député, 86 242 $, pendant deux ans sans accomplir la moindre fonction parlementaire avant de démissionner. Tomassi fait face à des accusations de fraude et d'abus de confiance. Je suis convaincu que s'il avait décidé de se représenter dans Lafontaine, ses électeurs l'auraient facilement réélu.

À Montréal, des allégations de corruption détaillées dans des reportages à la télévision et dans des journaux ont circulé avant la dernière campagne électorale contre le maire Tremblay. Qu'à cela ne tienne, les électeurs l'ont réélu.

Le fait d'élire des politiciens malpropres n'a jamais autrement gêné les Québécois tout au long de leur histoire politique qui a toujours baigné dans le maquignonnage et la prévarication.

Le gouvernement libéral de Louis-Alexandre Taschereau dirige le Québec de 1920 à 1936. Les journaux détaillent, année après année, des cas de malversations. Les électeurs votent quand même pour les libéraux. Il est finalement chassé du pouvoir par un nouveau parti, l'Union nationale de Maurice Duplessis, qui présidera à l'un des gouvernements les plus corrompus de notre histoire. Élu à plusieurs reprises, il dirigera le Québec de 1936 à 1960, avec un hiatus de 1939 à 1944. Encore une fois les électeurs ne semblent pas préoccupés outre mesure par la magouille généralisée qui marque sa gouvernance.

Quant à Montréal, elle a toujours été l'une des villes les plus corrompues du Canada. Qu'il suffise de citer le nom du maire Camilien Houde, qui érige la corruption en système, et le titre du célèbre livre de Pacifique Plante, *Montréal sous le règne de la pègre* (Montréal, Ligue d'action nationale, 1950), qui décrit l'état de turpitude de la ville dans les années 1940 et 1950.

On semble au Québec s'accommoder assez facilement d'être dirigés par des canailles et des pourritures. Regardez le gouvernement Charest. Son niveau de corruption atteint facilement et dépasse probablement ceux des gouvernements Taschereau et Duplessis par sa généralisation et sa notoriété. La démonstration de sa vénalité est quotidienne dans les médias depuis plus de trois ans. Les scandales se bousculent à la une des journaux. Les liens de ses membres avec la mafia sont exposés.

Pourtant les sondages montrent qu'il se porte assez bien malgré le raz-de-marée de saleté qui le submerge. Une partie significative de l'électorat s'apprête à lui donner son appui pour la protéger de la chienlit et de la rue. Les «anglo-ethniques» vont aussi voter massivement et automatiquement pour lui pour les protéger des francophones.

Avec un peu d'aide des fédérations étudiantes et de l'extrême gauche, qui vont reprendre du service au mois d'août, le Québec a de bonnes chances de réélire l'un des pires gangs de pourris de son histoire.

* Mise à jour : Il a finalement démissionné le 30 novembre. Il va toucher une allocation de départ de 70 639 $ et 10 000 $ du régime enregistré d'épargne-retraite (REÉR). Il va aussi bénéficier d'une allocation de transition de 87 351 $. Il avait été accusé de divers délits liés à la corruption le 17 avril 2012.

|||||||||||||||||||||||||| ## Le manifeste de la CLASSE : Mussolini
16 juillet 2012   serait fier !

Quel vide intellectuel. Quelle indigence de la pensée. Comment peut-on amasser un si grand nombre de litotes et de lieux communs dans un aussi petit nombre de paragraphes ? C'est ce que je me suis dit en lisant le manifeste de la CLASSE.

Le ton lyrique pépère, la prétention loufoque de représenter le peuple, l'appel à la démocratie directe, le rejet des partis politiques et des institutions parlementaires : tout cela rappelle la naissance du fascisme en Italie dans les années 1920. Mussolini et ses partisans, qui venaient du Parti socialiste italien, chantaient, comme la CLASSE : « Nous sommes l'avenir », « nous sommes le Peuple ».

Comme la CLASSE, ils voulaient incarner l'*Uomo Qualunque*, l'homme ordinaire. La rue contre les institutions démocratiques. Remplacer ici Québec par Italie : « Le sol du Québec vibre au rythme de centaines de milliers de pas depuis plusieurs mois. [...] Cette force a animé étudiantes et étudiants, parents, grands-parents, enfants, travailleuses et chômeurs. » Ailleurs on parle des « gais, *straight*, bisexuels ». Pourquoi laisser de côté les transgenres, les travestis, les immigrants et les chômeuses ?

Le manifeste revendique « un monde différent, loin d'une soumission aveugle à la marchandisation ». Ce refus des rapports marchands est une caractéristique qui unit l'extrême gauche à l'extrême droite. Le fascisme rejoint ici le communisme.

Le fasciste Jacques Doriot (un ancien communiste), chef du Parti populaire français de l'entre-deux-guerres, aurait pu faire sienne la déclaration suivante de la CLASSE : « Notre vision, c'est celle d'une démocratie directe sollicitée à chaque instant. Notre vision, c'est celle d'une prise en charge permanente de la politique par la population, à la base, comme premier lieu de la légitimité politique. »

L'extrême droite allemande a conquis le pouvoir par des élections dans une formation qui s'appelait le Parti national-socialiste des travailleurs allemands. Une partie significative des travailleurs, des chômeurs et des démunis allemands ont voté avec enthousiasme en sa faveur. Dans un premier temps, le parti recrutait aussi un bon nombre de gais avant que Hitler se retourne contre eux.

Il y a aussi dans le manifeste de la CLASSE des relents de fémino-fascisme.

La liberté de parole pour les fémino-fascistes s'énonce comme suit : t'as le choix d'être d'accord avec nous ou de fermer ta gueule. Les *gender politics* occupent plus de place que les questions touchant les démunis, les immigrants et les vieux qui sont bien avant les femmes les véritables laissés-pour-compte de notre société.

Diantre ! comme dirait Yves Michaud, tout le monde sait qu'ici, au Québec, nous sommes depuis toujours une société dominée par les bonnes femmes ! Le manifeste de la CLASSE montre clairement qu'elles sont aussi les « *bosses* » dans le mouvement.

Après avoir longuement énuméré toutes les bonnes causes et dénoncé tout ce qui mérite d'être dénoncé dans la plus stricte rectitude politique, la CLASSE s'affiche virilement... oups ! toutes mes excuses, les filles... audacieusement, pour le bien et contre le mal.

Magnifique ! Bravo ! Quel courage !

Comment peut-on écrire un tel ramassis d'inanités qui ne veulent strictement rien dire? Toutes les causes à la mode sont brassées dans cette gibelotte. Ce manifeste est une ode au prêt-à-penser politique. Une caricature de ce qui se fait de plus crétin du côté gauche de l'échiquier politique depuis que le marxisme et le communisme se sont fracassés contre le réel, il y a une vingtaine d'années.

On invoque l'espoir, la solidarité, l'égalité (pas la justice?) et un monde nouveau. Pourquoi pas des lendemains qui chantent, tant qu'à aligner des clichés?

«Nous sommes le peuple», mon œil! Les enfants des plus pauvres, des plus négligés de notre société ne vont pas à l'université et la majorité d'entre eux n'espère même pas y aller. Pourtant ce sont leurs taxes qui paient la quasi-gratuité pour les rejetons de la petite bourgeoisie bureaucratique que rassemble la CLASSE.

Toronto transformée en champ de tir: pas de couverture assassine de *Macleans*

18 juillet 2012

Deux morts, vingt-six blessés dans une fusillade. On n'est pas à Damas ou à Kaboul, on est à Toronto. Un record. Ce n'est pas moi qui le dis, c'est le chef de la police de Toronto, William Blair: «Je suis flic depuis 35 ans et, de mémoire, c'est le pire incident de violence armée n'importe où en Amérique du Nord.»

Si ça continue, Toronto va se placer dans le *top five*, là-haut avec Detroit, Chicago et Los Angeles, au palmarès de la violence avec armes à feu et des guerres de gangs. Les jeunes tueurs antillais de Toronto aiment particulièrement régler leurs comptes en public dans des fêtes de quartier ou dans les aires de restauration des tours du centre-ville.

Au moins le chef de police est plus lucide que le maire de Toronto. Les confrontations armées ont beau se multiplier dans sa ville, il persiste à affirmer qu'il ne s'agit que d'«incidents isolés»: «Je ne crois pas que Toronto soit comme Detroit. Toronto est la ville la plus sécuritaire d'Amérique du Nord.» Rob Ford est tellement maladroit dans ses mensonges qu'il fait penser à Gérald Tremblay. Sa ville enregistre une augmentation de 32 % du nombre de fusillades par rapport à 2011. Seize personnes ont été tuées dans les rues de Toronto depuis le début de l'année et des dizaines d'autres, blessées. La plupart sont des victimes innocentes atteintes par les balles perdues de tueurs, souvent drogués, assoiffés de vengeance, qui ont un mépris total pour toute vie humaine sauf la leur.

Vous n'avez peut-être pas remarqué que les barbouilleurs du papier hygiénique imprimé appelé *Macleans*, qui défèquent sur Montréal et sur le Québec pour tout et pour rien, restent curieusement circonspects sur ce qui se passe dans leur propre ville. Pas pour demain l'article de Martin Patriquin, généralement chargé par *Macleans* des *jobs* de bras contre Montréal et le Québec, intitulé «Toronto is a disaster».

Les tirs nourris au pistolet automatique déciment les passants depuis plusieurs mois dans la «Ville Reine» et on attend toujours la couverture de *Macleans* avec un titre ravageur genre «Montréal, la ville la plus corrompue au Canada» qui la qualifiait de «*corrupt, crumbling, mob-ridden disgrace of a disaster*».

Mais quand on parle de Toronto, on n'emploie pas ce genre de langage. Les lecteurs racistes et haineux torontois, qui adorent lire des textes baveux dégoulinants de mépris sur Montréal, le Québec et les Québécois, n'aimeraient pas qu'on traite leur ville de cette façon. Que voulez-vous, comme dirait Jean Chrétien, les Anglais sont comme ça !

Pas d'articles acidulés non plus dans les médias corporatifs montréalais au sujet de ce qui se passe à Toronto. Pas de reportage révélateur à l'émission *Enquête* ou au téléjournal du French Network, la 2ᵉ chaîne de la CBC, sur le phénomène. Les grands patrons à Ottawa n'apprécieraient guère. Pas mieux du côté de Quebecor Media (sans accent SVP) dont la majorité des quotidiens regroupés dans Sun Media est maintenant anglophone.

On n'est pas pour ternir l'image de la plus grande ville canadienne et indisposer nos lecteurs et nos actionnaires ontariens. On n'est pas comme ça, nous, Québécois. On a appris dans notre jeunesse à offrir l'autre joue.

Il reste que Toronto est une poudrière. Une minorité anglo-saxonne, blanche, riche et privilégiée domine une pyramide multiculturelle et multiethnique stratifiée en fonction de la couleur de la peau et de l'origine géographique. Les Asiatiques sont proches du sommet, juste sous les *White Anglo-Saxon Protestant* (WASP). Les Afro-Antillais – dont les Jamaïcains – forment le bas de l'édifice social.

Toronto ne s'en vante pas, mais elle est la deuxième ville jamaïcaine de la planète après Kingston, la capitale du pays. Plus de 160 000 Jamaïcains s'entassent dans des concentrations d'habitations à loyer modique (HLM) délabrées, réparties dans divers ghettos de la ville.

Un conseil en terminant. Si vous devez vous rendre à Toronto, à votre place je porterais un gilet pare-balles et j'éviterais de sortir après 17 heures dans les rues de la ville que ses habitants aiment qualifier de *World-Class City* et que les autres Canadiens anglais surnomment *Hogtown*, la ville des porcs.

Rwanda, Congo, Burundi : guerres sans fin et génocides appréhendés

23 juillet 2012

Même les États-Unis commencent à en avoir soupé du régime dictatorial de Paul Kagame qui se livre à des crimes de guerre au Congo voisin tout en exigeant la sympathie du monde entier pour le génocide dont a été victime sa population tutsi en 1994. Washington a décidé de suspendre sa coopération militaire avec le Rwanda et de ne pas allouer les 200 000 dollars destinés à financer une école militaire rwandaise. Pas de quoi mettre le régime en péril.

Kagame a rétabli la paix au Rwanda au prix de violations importantes des droits et des libertés. Le pays reste fondamentalement instable parce que les nouvelles élites dirigeantes sont maintenant essentiellement tutsies et représentent moins de 15 % de la population composée dans son immense majorité de Hutus, la majorité responsable du génocide tutsi. D'oppresseurs, les Hutus sont devenus opprimés.

Les États-Unis constituent avec la Grande-Bretagne le principal soutien du dictateur Kagame. Washington a été accusé de bloquer le rapport des Nations Unies qui le blâme pour la violente rébellion dans l'Est du Congo. Au cours des derniers mois, les rebelles congolais ont provoqué le déplacement de 200 000 personnes.

Le Rwanda, qui soutient des groupes rebelles congolais, dont le M23 du Nord-Kivu, semble décidé à renverser le gouvernement de la République démocratique du Congo.

Depuis le 1er juillet 2012, plusieurs milliers de militaires rwandais auraient passé la frontière pour se joindre au M23 afin de marcher sur Kinshasa, selon des rapports transmis aux services de renseignements de l'ONU. Le Rwanda a vigoureusement nié appuyer le M23, dirigé par Bosco Ntaganda, un général renégat de l'armée congolaise recherché par la Cour pénale internationale pour crimes de guerre.

Joseph Kabila, le président de la République démocratique du Congo, n'a pas les capacités militaires pour résister aux Rwandais et à leurs alliés congolais. L'ONU, représentée sur place par la Mission de l'Organisation des Nations Unies pour la stabilisation en RD Congo (MONUSCO), est impuissante à contrôler les rebelles.

Le Rwanda intervient depuis 1994 au Congo contre les extrémistes hutus qui s'y sont réfugiés après le génocide. Le soutien de Kigali aux rebelles congolais a contribué aux guerres successives qui ont tué plusieurs millions de personnes depuis 18 ans.

La tragédie qui se poursuit au Congo est étroitement liée à l'histoire de la région des Grands Lacs africains. Le génocide de 1994 n'était pas un événement isolé, mais le point culminant de conflits ethniques qui ont commencé en 1959 lors de l'indépendance des anciennes colonies belges d'Afrique. Ces antagonismes trouvent leurs racines dans des animosités ancestrales avivées par des politiques coloniales malencontreuses.

Depuis leur indépendance, les anciennes colonies belges ont été la proie d'une série de massacres génocidaires. En 1972, au Burundi, les Tutsis ont assassiné 80 000 Hutus.

Alors qu'ils ne constituaient que moins de 15 % de la population du Burundi, les Tutsis exerçaient un quasi-monopole sur la haute administration et l'armée (comme c'est le cas au Rwanda actuellement). Le massacre a, à peine, été rapporté par les médias internationaux. En 1994 au Rwanda, les Hutus abattent à leur tour 800 000 Tutsis et en 1996 dans l'Est du Congo, des Tutsis congolais tuent plus de 70 000 Hutus.

Plusieurs spécialistes de la région estiment qu'avec les tensions ethniques toujours aussi exacerbées entre Hutus et Tutsis, d'autres génocides sont possibles.

La communauté internationale a été largement indifférente à ces génocides sauf pour verser des larmes de crocodile une fois les massacres perpétrés. Bill Clinton a refusé d'envoyer des soldats américains pour faire cesser le bain de sang de 1994. Il dit aujourd'hui qu'il a ces morts sur la conscience.

Pourtant, rien ne laisse croire que la situation sera différente lors des prochains génocides.

La violence par armes à feu : aussi américaine que la tarte aux pommes

25 juillet 2012

Le 20 juillet 2012, un homme armé a ouvert le feu lors d'une séance de minuit du film *The Dark Knight Rises* dans un cinéma bondé d'Aurora au Colorado, faisant 12 morts et plus de 50 blessés. Dès le lendemain, les habitants du Colorado se sont précipités chez leur marchand d'armes favori, augmentant de 44 % le chiffre des ventes par rapport à l'année dernière. Le même phénomène s'était produit en Arizona en janvier 2011 après la tuerie dans laquelle la représentante Gabrielle Giffords avait été grièvement blessée.

Une hausse considérable des ventes d'armes à feu a également suivi l'élection du président Obama en 2008. Le Parti républicain avait semé la panique en affirmant qu'Obama allait en interdire la possession s'il était élu. Ce parti s'adresse aux éléments les plus ignares, les plus stupides et les plus crédules de la population, dont les Blancs pauvres des États du Sud et de l'Ouest qui couchent avec leur AK-47 et leur Glock.

Obama avait effectivement promis d'introduire des mesures pour limiter la possession de certaines armes de guerre à chargeur à haute capacité, mais l'opportuniste n'a rien fait en ce sens après son élection. Il n'a même pas tenté de reconduire une loi adoptée par Bill Clinton qui imposait des restrictions sur la possession de fusils d'assaut.

Cette fois, il a compris. À part les phrases creuses de circonstance pour réconforter les victimes et leurs familles, il est resté totalement silencieux sur la question. La majorité des Américains, conditionnée par le discours de la droite et du lobby des armes à feu, est favorable à la possession d'armes à feu avec le moins possible de restrictions.

Cela atteint, dans certaines régions particulièrement arriérées des États-Unis, des niveaux qui soulèvent le doute sur la lucidité de leurs élus.

Ainsi, plusieurs États permettent maintenant la possession d'armes dissimulées dans des débits d'alcool et dans les institutions d'enseignement. D'autres États, comme la Floride, autorisent un citoyen à dégainer son arme dès qu'il se sent menacé, que cette menace soit réelle ou imaginaire.

Les chantres de la mort de la National Rifle Association, qui mènent les politiciens par le bout du nez, affirment que la possession généralisée de puissantes armes à haute capacité de tir est la seule façon d'éviter des tueries de masse. Cette position est non seulement idiote, mais elle relève aussi de la démence criminelle. Beaucoup des victimes dans les tueries de masse sont atteintes par des balles qui ne leur sont pas destinées. Multipliez, dans des endroits publics achalandés, le nombre de personnes qui, tout à coup, sortent leur arme et tirent pour se défendre et vous allez du même coup multiplier les cadavres. Cette logique élémentaire échappe à la majorité des Américains.

Il ne passe plus un mois sans tuerie de masse aux États-Unis. Il s'agit, la plupart du temps, de jeunes hommes déçus par le rêve américain qui promet un bonheur social, familial et conjugal à tous. La vie est différente. Surtout depuis le krach de 2008 : pertes d'emplois, chômage qui touche maintenant les diplômés des collèges et des universités, divorces, précarité sanitaire et alimentaire, vie dans des environnements urbains sans services et de plus en plus délabrés. La stagnation économique américaine actuelle ne peut qu'aggraver la situation. La spirale des tueries de masse ne va pas s'arrêter. Elle risque de s'emballer.

Il est impossible d'imaginer que les États-Unis se dotent un jour de lois sensées sur le contrôle des armes à feu. Pourquoi ? Parce que la violence par armes à feu est au cœur même de la culture et de l'histoire américaines. La conquête génocidaire de l'Ouest sur les Indiens. L'annexion par la violence du tiers du territoire du Mexique. L'épopée des tueurs légendaires adulés des foules, de Jesse James et Billy the Kid à Al Capone et Bonnie and Clyde.

Hollywood produit de loin les films et les émissions de télévision les plus violents et les plus sanguinaires de toute la planète, qui sont des éloges aux armes à feu et à ceux qui les utilisent. Pensez aux films cultes de Quentin Tarantino qui mettent en vedette des tueurs psychotiques qui assassinent pour le plaisir ou par simple impulsion.

On peut même corriger le chef des Black Panthers, Huey P. Newton, lui-même tué de trois balles au visage, et dire : « *[Gun] violence is as American as apple pie.* »

Politique du pire : la CLASSE va-t-elle faire réélire les libéraux ?

30 juillet 2012

Ce qui est amusant, quelques jours avant le début officiel de la campagne électorale, c'est la voltige des opportunistes qui espèrent obtenir l'aval d'un parti pour se présenter comme candidats à un siège de l'Assemblée nationale. Rejetés par un parti, ils tentent d'en convaincre un autre de les accepter. Ils veulent tellement profiter de l'assiette au beurre.

Encore plus affligeant est le spectacle de ceux qui annoncent qu'ils vont se présenter pour le Parti libéral du Québec. Comment un honnête citoyen peut-il décider de s'associer à cette formation après tout ce qui a été révélé depuis trois ans sur la corruption généralisée dans laquelle elle baigne et sur ses liens avec la mafia ? Il n'y a malheureusement qu'une réponse possible à cette question. Ce sont de vils calculateurs qui estiment que le parti de la vénalité va être réélu et qu'ils vont ainsi pouvoir participer à de lucratives magouilles.

À moins que les prochains sondages indiquent le contraire, le PLQ a en effet de bonnes chances d'être reporté au pouvoir même si le gouvernement libéral actuel a été l'un des plus corrompus de l'histoire du Québec et son chef, Jean Charest, parmi les plus incompétents et incapables.

La base électorale de ce parti est en effet imperméable à toutes les révélations qui l'éclaboussent. Elle est d'abord constituée d'« anglo-ethniques » qui, depuis toujours, considèrent qu'il est le seul parti au Québec qui défende leurs intérêts au détriment de ceux de la majorité francophone. Ils voteraient donc pour le PLQ même si ce parti leur promettait de les mener en enfer. Sur ce socle de granit s'empilent les éléments les plus ignorants, les moins instruits, les plus vieux et les moins socialement éveillés de la population. Un électorat facile à manipuler par un discours de peur.

Ce type de rhétorique va justement dominer la campagne de Charest. Le résultat de l'élection va donc dépendre en bonne partie de la stratégie et de la capacité de mobilisation de la CLASSE et de l'extrême gauche anarcho-idiote. Si elles optent pour de nouvelles manifestations au cours du mois d'août et si elles sont suivies par une partie significative de leurs troupes, elles vont faire le jeu des libéraux. Compte tenu de l'esprit déjanté des idéologues du mouvement (merci, l'UQÀM), il ne serait pas surprenant qu'elles choisissent la politique du pire en toute connaissance de cause.

Si elles s'abstiennent de jeter de l'huile sur le feu, le Parti québécois a de sérieuses chances de l'emporter. Probablement pour la dernière fois de son histoire, si l'on prend en considération les changements démographiques qui jouent au détriment de la majorité francophone.

Depuis la gaffe des casseroles, Pauline Marois a bien joué son jeu. Le carré rouge n'est plus vu aux réunions du PQ et elle a réussi à attirer dans son giron l'ancien président de la Fédération étudiante collégiale du Québec, Léo Bureau-Blouin, et l'auteure et militante anti-islamiste Djemila Benhabib. LBB est le candidat idéal pour attirer le vote des jeunes dont le taux de participation électorale est faible. Cette élection va permettre de vérifier s'ils sont capables de se mobiliser autant pour une grande cause, celle du pays, qu'une partie d'entre eux l'ont fait au printemps pour des raisons personnelles, les droits de scolarité.

L'arrivée de Djemila Benhabib au PQ est une indication claire que le parti renonce enfin aux accommodements déraisonnables à la Trudeau-Bouchard-Taylor.

Pour réunir les conditions gagnantes à son élection, Pauline Marois doit maintenant tout faire pour ramener au bercail les brebis égarées. S'ils comprennent l'importance des enjeux pour le Québec, les dissidents, en particulier Jacques Parizeau et sa femme, ne feront pas la sourde oreille aux appels de la chef du PQ.

Les médailles d'or olympiques et la richesse des nations

1er août 2012

Tous les quatre ans, les pays du monde se rassemblent pour célébrer la réussite sportive dans une atmosphère festive de coopération internationale. Ça fait oublier pendant quelques jours les guerres, le réchauffement climatique et les autres menaces qui pèsent sur l'humanité.

Le sport d'élite s'est démocratisé depuis que Pierre de Coubertin a ressuscité les Olympiades au tournant du XXe siècle, alors que c'était un phénomène essentiellement britannique singé par les classes dirigeantes européennes et américaines. Les guerres impériales étaient réputées avoir été gagnées d'abord sur les terrains de sport d'Eaton.

Coubertin espérait que le sport transcende la politique et devienne un point de ralliement pour la paix. Son rêve ne s'est pas encore réalisé. Il a au moins réussi à créer un mouvement mondial qui encourage l'épanouissement physique et la compétition dans la concorde. Les Jeux sont devenus le plus grand spectacle de l'humanité. Pendant que les nations se tiennent, la planète devient vraiment le village global anticipé dans les années 1950 par le sociologue canadien Marshall McLuhan.

Les critiques dénoncent la commercialisation à outrance des Jeux, leur exaltation du chauvinisme national et leur politisation. Mais il reste qu'ils sont un phénomène unique par leur universalisme.

Les pays qui remportent le plus de médailles sont, en général, les pays les plus peuplés et les plus riches : les États-Unis, la Grande-Bretagne, la France, l'Allemagne, l'Italie, la Russie, la Chine. De petits pays se distinguent à l'occasion. Ce sont les exceptions qui confirment la règle. Plus le pays est populeux, plus il a statistiquement de chances d'avoir des athlètes d'exception. Le succès olympique dépend alors de l'organisation et des infrastructures sportives disponibles. Daniel Johnson, professeur d'économie au Colorado College, établit une corrélation directe entre le nombre de médailles d'or et le PIB par habitant. Il y a aussi une composante culturelle significative dans le succès olympique. Cela explique les résultats médiocres de l'Inde.

Malgré tout, le fossé entre les pays riches et les pays pauvres est lentement en train de se combler. Au cours des deux dernières décennies, la collecte de médailles d'or des pays pauvres est passée de 38 % à Barcelone (1992) à plus de 46 % à Pékin et leur performance générale ne cesse de s'améliorer. Même constat pour l'ensemble des médailles. Les pays riches avaient empoché 60 % des médailles à Barcelone, cela est passé à 53,7 % à Pékin. Il va être intéressant de voir si la tendance se maintient à Londres cette année. Ils progressent économiquement et consacrent plus d'argent aux sports.

Le Canada a toujours terminé parmi les 20 premiers pays sur près de 200 participants. Lors des derniers Jeux d'été à Pékin, il a remporté 18 médailles pour une 14e place. Le professeur Daniel Johnson – qui a un palmarès impressionnant de prédictions olympiques – pense que le Canada obtiendra 17 médailles, dont 4 d'or. La Presse canadienne optimiste et, peut-être, un peu chauvine lui en prédit 22.

Cette année les médias ont créé au Canada, et particulièrement au Canada anglais, des attentes en affirmant que le pays pourrait se classer au 12e rang. Si le Canada n'atteint pas son objectif ou si les athlètes québécois prennent la part du lion des médailles, ça va critiquer dans les médias anglophones. Les trois médailles sur quatre remportées jusqu'ici par des Québécois ont agacé. Ça transpirait dans les questions des journalistes du ROC lors de la conférence de presse qui a suivi leur exploit. Ils ont expliqué leur réussite par les meilleures conditions qui leur sont offertes au Québec par rapport au reste du Canada.

On peut rêver d'un monde idéal où les athlètes ne seront pas considérés comme les porte-étendards de leur pays, mais cela ne se produira pas de sitôt. Entre-temps, il faut saluer Coubertin qui a contribué à faire un monde meilleur.

Le candidat Duchesneau doit dire aux électeurs ce qu'il sait sur la corruption

6 août 2012

On comprend Jacques Duchesneau d'avoir vu rouge lorsque Charest s'est attribué une note de 8 sur 10 pour sa lutte à la corruption. C'est ce qui a décidé l'ancien policier à plonger en politique. Il lui donne plutôt 2 sur 10. En annonçant son arrivée à la CAQ, François Legault a assuré que si son parti prend le pouvoir, l'«Incorruptible» deviendra vice-premier ministre. Il sera aussi, d'une façon ou d'une autre, ministre de la Police appelé à diriger l'action du gouvernement en matière d'intégrité.

Son recrutement est un coup de maître pour Legault. Un sondage Leger Marketing indique que la corruption est un problème majeur pour 86 % des électeurs et que 70 % d'entre eux jugent que le gouvernement Charest est corrompu. Les deux tiers des personnes interrogées sont d'avis que tous les partis politiques sont corrompus et 41 % d'entre elles croient que la candidature de Jacques Duchesneau est favorable à la CAQ. Jean-Marc Léger constate qu'il tire la CAQ vers le haut.

Un dur coup pour le PQ. Pauline Marois et Martin Drainville avaient l'air dépités lorsqu'on leur a demandé de commenter la nouvelle. Le PQ a bien tenté de recruter Duchesneau, mais, officier de réserve, il est fédéraliste. Monsieur Police est à l'aise avec la position de la CAQ concernant le projet de loi 78 ordonnant la reprise des cours dans les établissements d'enseignement. Manifestant une certaine suffisance, il affirme que cette loi n'aurait pas été nécessaire sous son règne.

Pas idéologue pour deux sous, Duchesneau. Le nouveau candidat caqueux est assez polyvalent politiquement. Avant de contribuer à la caisse de la CAQ, il avait donné au Parti libéral en 2008 et 2009 et au PQ au début des années 2000. Il avait soutenu la candidature de l'ancien policier Guy Ouellette de la SQ au PLQ. Sa présence au sein de l'équipe libérale ne semble pas avoir aidé ce parti à résister aux tentations de la corruption et de la collusion. Coauteur avec Ouellette d'un livre sur les motards, je ne me suis jamais expliqué son silence sur ce qui se passe depuis trois ans au PLQ. Ça me sidère. Tout comme d'ailleurs le passage d'un autre ancien de la SQ, Robert Poëti, à cette association de malfaiteurs. Duchesneau sauve l'honneur de la police.

Il a obtenu des engagements de Legault de pouvoir appliquer les recommandations de son rapport qu'il a lui-même, on s'en rappelle, divulgué aux médias. Il a tonné : « Je suis convaincu que nous sommes conviés à un rendez-vous historique et incontournable. La corruption, les intouchables, le silence des magouilleurs et des corrupteurs, c'est assez ! »

Le ministre libéral Clément Gignac le compare justement à une « arme de destruction massive » (il voulait sans doute dire un missile non guidé !), affirmant que François Legault aura de la difficulté à gérer son candidat-vedette pendant les 30 jours de la campagne. De son côté, Jean Charest met au défi Duchesneau de prouver ses allégations à l'égard du financement du Parti libéral du Québec.

Duchesneau a dit que 70 % du financement des partis politiques du Québec vient de sources douteuses. Il va falloir maintenant qu'il étoffe ses allégations en campagne électorale ou il va s'exposer aux accusations d'être un irresponsable, comme l'accuse Charest.

L'ancien patron de l'Unité anticollusion (UAC) soutient que le Plan Nord cher à Jean Charest est un instrument au service des intérêts libéraux. Qu'il nous donne, au cours d'une conférence de presse, des exemples d'irrégularités et d'illégalités qu'il connaît à ce sujet.

Les prochains sondages vont sans doute refléter l'engouement de l'opinion publique pour l'ancien policier. Est-ce que sa candidature va changer le cours de la campagne électorale ? Les prochaines semaines le diront*.

Les gens qui doutaient que Legault puisse former un gouvernement sérieux sont maintenant rassurés. Le super-flic Duschesneau et le doc Barrette viennent s'ajouter à Maud Cohen, l'ex-présidente de l'Ordre des ingénieurs, et la députée sortante Sylvie Roy, la première à demander une commission d'enquête sur la construction. Les électeurs vont voir là une équipe qui a une réelle volonté de faire le ménage.

* Mise à jour : Malgré Duchesneau et Barrette, la CAQ n'a réussi qu'à se classer bonne troisième au scrutin.

Duchesneau doit vider son sac devant la commission Charbonneau

8 août 2012

Bon, Jacques Duchesneau ne veut pas donner publiquement des noms comme je le demandais dans ma dernière chronique. Pas sans immunité, en tout cas.

Et plutôt que de s'en prendre aux magouilleurs, il attaque la commission Charbonneau. Il est frustré qu'en cinq jours de témoignage en juin, il n'ait pas réussi à faire « passer ses messages ». Il critique notamment les procureurs de la commission qui, selon lui, ne lui auraient pas assez tiré les vers du nez. On ne lui aurait pas directement demandé de réciter les noms de ceux qui se cachent derrière la corruption généralisée du secteur de la construction au Québec.

Il n'a qu'à s'en prendre à lui-même. Son témoignage jouissait de l'immunité, il pouvait donc à tout moment dans ses réponses donner plus de détails, expliquer les combines, parler des relations entre les propriétaires d'entreprises du secteur de la construction, les politiciens et des chefs syndicaux. Les procureurs de la commission auraient pu tenter de l'interrompre. Mais là, il aurait pu insister en affirmant que le public a le droit de savoir. Pourquoi n'a-t-il pas agi ainsi? Jacques Duchesneau n'est pourtant pas un gars timide. Qu'est-ce qui a fait qu'il n'a pas su profiter de l'occasion?

Comme le dit le procureur-chef de la commission, Me Sylvain Lussier, « vous connaissez le personnage, ce n'est pas quelqu'un qu'on contrôle! S'il avait des choses à dire, il pouvait les dire ».

Duchesneau dit qu'il avait donné les noms à la commission durant les interrogatoires préalables. À la commission Charbonneau, on soutient qu'il est resté vague même dans ses rencontres confidentielles, on affirme qu'il s'est contenté de fournir une liste de 200 entreprises sur lesquelles il a recueilli des renseignements, mais au sujet desquelles, dans les documents remis à la commission, il n'arrive à aucune conclusion. Me Lussier déclare que lui et ses procureurs se sont trouvés devant une série de noms « aussi neutre et opaque qu'un bottin de téléphone ».

Quant à l'affirmation de Duchesneau que 70 % de l'argent obtenu par les partis politiques était de l'argent sale, Me Lussier assure qu'elle se fonde dans la majorité des cas sur des sources anonymes que Duchesneau n'a pas voulu identifier.

Duchesneau et son chef, François Legault, ont mal pris la mise au point du procureur-chef de la commission. Selon eux, Me Lussier a manqué de jugement et à son devoir de réserve en répliquant aux propos de l'ex-policier. Ils l'accusent de s'immiscer dans la campagne électorale et de manquer d'impartialité.

Qui dit vrai : Jacques Duchesneau ou Sylvain Lussier ?

Il est extrêmement important d'aller au fond des choses le plus rapidement possible. La transparence est d'autant plus de mise que nous sommes en campagne électorale et que la corruption en est le thème central.

Il faut que la commissaire France Charbonneau accède à la demande de Jacques Duchesneau et qu'elle l'entende, dès lundi si possible, après lui avoir accordé l'immunité*. Il pourra ainsi donner des noms et des réponses « à toutes les questions qui n'ont toujours pas été posées ».

D'ailleurs, tous les partis devraient demander publiquement à la juge Charbonneau de convoquer Jacques Duchesneau le plus rapidement possible. Ça devrait faire l'affaire de Jean Charest puisqu'il lui a demandé de prouver ses allégations sur le financement occulte des partis politiques « au lieu de salir tout le monde ». De Pauline Marois également. Duchesneau, on le sait, reproche à la procureure du PQ de ne pas lui avoir posé de questions sur le financement illégal des partis politiques lors de son témoignage devant la commission Charbonneau.

* Mise à jour : La juge Charbonneau n'a pas convoqué Jacques Duchesneau comme il le réclamait.

Mitt Romney et Paul Ryan : la chevauchée fantastique vers le précipice

13 août 2012

Le sujet politique brûlant du week-end, ailleurs qu'au Québec, était l'annonce par Mitt Romney de son choix comme colistier de Paul Ryan, qui représente depuis 14 ans le Wisconsin au Capitole. Il est peu connu. Un sondage indique que 43 % des électeurs ne savent absolument pas qui il est.

Même s'il provient d'un État du Midwest, Paul Ryan, âgé de 42 ans, est un idéologue d'extrême droite qui a passé une bonne partie de sa vie d'adulte dans des *think tanks* (laboratoires d'idées) conservateurs de Washington financés par la ploutocratie américaine.

C'est un faucon fiscal, politiquement à la droite de Romney, qui propose aussi un conservatisme social rigide. Il est opposé au mariage gay et se présente comme un défenseur enragé de la liberté absolue que devraient avoir les Américains de posséder et de porter des armes à feu. Il veut écraser les budgets de toutes les agences et départements du gouvernement fédéral sauf, bien sûr, celui du Pentagone.

Ryan veut, purement et simplement, abolir l'assurance maladie telle qu'elle existe aux États-Unis. Il associe de plus ses coupes profondes dans le filet de sécurité sociale américain, déjà minimal, à des baisses importantes des impôts pour les riches.

Pourtant, aucun média américain ou québécois ne va le qualifier d'être d'extrême droite. Ce qualificatif est spécifiquement réservé à Marine Le Pen. Voyons donc, on ne peut qualifier un républicain d'être d'extrême droite. Ce serait lui manquer de respect.

La page éditoriale du *New York Times* caractérise le choix de Ryan comme une transformation radicale de la campagne électorale républicaine. Le *Wall Street Journal*, l'organe de la ploutocratie, applaudit.

La droite américaine était tout aussi excitée en 2008 lorsque son candidat John McCain, devant la popularité d'Obama, avait choisi Sarah Palin comme colistière. Saluée par les analystes conservateurs comme celle qui allait donner la Maison-Blanche aux républicains, son impact sur le résultat des élections fut dérisoire à cause de sa colossale stupidité et de son ignorance crasse.

Mitt Romney est un personnage *drabe* au message insipide, qui ne parvenait pas à générer d'enthousiasme même chez les républicains. Il a trouvé un colistier coloré capable de relancer sa campagne électorale alors que les sondages indiquent qu'Obama élargit son avance. Il a dû pourtant passer outre les mises en garde de plusieurs de ses collaborateurs pour choisir Ryan. C'est le pari audacieux de quelqu'un qui n'a plus rien à perdre.

Il prend de gros risques. Bien sûr, ce choix conforte la frange la plus idiote et réactionnaire de la droite américaine. Mais en proposant d'abolir le modeste État providence américain, le *ticket* Romney-Ryan commet, à mon avis, une gigantesque bourde.

Le GOP (Parti républicain) dépend de plus en plus du vote des Blancs âgés et des cols bleus. Ils applaudissent les coupes dans les programmes gouvernementaux et dans les transferts de revenus aux assistés sociaux noirs et aux communautés ethniques, mais ils ne veulent absolument pas qu'on touche aux programmes comme Medicaid et Medicare et qu'on réduise les dépenses de sécurité sociale qui profitent aux classes moyennes. Les retraités abondent dans l'État-champ de bataille que constitue la Floride. Cela va être intéressant à suivre le soir des élections.

Le Parti républicain des colistiers Romney-Ryan est un parti de sans-cœur qui favorise une redistribution des revenus des pauvres vers les riches au moment où, aux États-Unis, les riches et les ultrariches ne se sont jamais si bien portés.

En novembre, nous saurons si c'était un pari génial ou une erreur de calcul épique.

Personnellement, je crois qu'en choisissant cet hurluberlu idéologique, Romney a choisi la défaite.

Legault devrait le savoir : en élection, toute vérité n'est pas bonne à dire

15 août 2012

Dire la vérité durant une campagne électorale n'est pas vraiment la meilleure façon de se faire élire. Particulièrement si cette vérité risque de braquer contre soi une partie significative des électeurs et la classe de «palabreurs» professionnels des médias.

Une campagne électorale, c'est l'occasion pour les politiciens de promettre n'importe quoi et d'ânonner des lieux communs entrecoupés de petites phrases assassines à l'endroit des adversaires. Les journalistes s'en alimentent goulûment pour éviter de répéter, jour après jour, les mêmes malheureux clichés qui définissent chaque parti et son chef. Ou alors, pour les mêmes raisons, ils sont à la recherche de «bourdes», réelles ou qu'ils inventent.

Et voilà donc que François Legault reproche aux jeunes de n'aspirer qu'à faire «la belle vie» et blâme leurs parents de ne pas leur avoir inculqué une culture de l'effort et du dépassement de soi.

Il a parfaitement raison. Par rapport aux autres Québécois, les jeunes Québécois de souche se caractérisent par un taux de décrochage élevé qui s'explique notamment par le fait que l'éducation n'est pas valorisée, particulièrement chez les pauvres. Legault donne comme exemple le comté de Rousseau, où près de 50 % des garçons décrochent.

Il est amusant de voir les commentateurs s'attaquer à Legault pour nous avoir donné en exemple certaines de nos minorités et les immigrants asiatiques. Ah! non, surtout pas cela! Tant d'efforts, c'est épouvantable!

Leurs enfants dominent déjà dans les facultés des sciences, de médecine et d'ingénierie, tandis que les Québécois «pure laine» se prélassent dans les facultés «molles» de l'UQÀM et font de l'agitation.

Vous allez voir le résultat dans une génération. Les entrepreneurs, les hommes d'affaires, les innovateurs techniques et scientifiques qui se distingueront n'auront pas l'allure ou des noms de famille qui rappellent le vieux Québec. Les Québécois de souche vont être relégués aux *jobs* de «débloqueurs» de toilettes, de «pousse-papiers» dans les administrations publiques ou, pire, de philosophes-thérapeutes.

Il faut saluer le courage de Legault d'avoir évoqué publiquement cette réalité.

Évidemment Pauline Marois, qui courtise les jeunes, n'a pu que dénoncer les propos de Legault sur leur «farniente». Elle a même fait leur éloge en affirmant qu'ils étaient capables de défendre leurs convictions en descendant dans la rue. Pardon! Ce qu'ils défendaient, c'était leur intérêt de classe. C'était surtout le plaisir estudiantin universel de faire du bruit, de semer le bordel et de casser quelques vitrines. Rien de plus. La preuve? Tout cela est maintenant oublié. On vote massivement le retour en classe. Après le printemps érable festif, les petits bourgeois rentrent sagement en classe pour préparer leur avenir. Une bonne *job* à vie pas fatigante dans un bureau et un bon *boss*, l'État.

Charest, toujours aussi hypocrite et menteur, dénonce aussi les déclarations de Legault, alors qu'il avait applaudi la publication du manifeste des lucides en 2005. Ses auteurs, dont Lucien Bouchard, disait-il, ne faisaient que constater une réalité qu'il dénonçait depuis des années : les Québécois ne travaillent pas assez.

Le candidat péquiste dans Rosemont, Jean-François Lisée, a répliqué au chef caquiste en citant des données qui n'avaient rien à voir. Il souligne qu'aux tests internationaux du Program for International Student Assessment (PISA) sur les compétences des élèves du secondaire en sciences et en mathématiques, le Québec talonne les pays asiatiques. Et alors ? Ces résultats reflètent la performance du système d'éducation et non l'ambition ou la motivation des élèves.

Notre problème est culturel. Nous avons abandonné notre religion ancestrale, mais ses valeurs vont encore pendant longtemps influencer nos comportements, nos attitudes et nos habitudes de vie. C'est l'éthique catholique solidariste caractéristique du Sud de l'Europe par opposition à l'éthique protestante de réalisation individuelle du Nord du continent qui électrise maintenant l'Asie.

Heureusement qu'il y a chez nous une petite élite entrepreneuriale, souvent issue des classes populaires, extrêmement dynamique et innovatrice. Mais de façon générale, nous sommes, en tant que société, moins ambitieux, moins entreprenants, moins productifs que les sociétés qui nous entourent. Nous sommes devenus les Grecs de l'Amérique du Nord. La crise que vit présentement l'Europe (en particulier les pays méditerranéens) nous menace à moyen terme.

Est-ce qu'on peut tout à coup, par simple fiat politique, inculquer aux jeunes les valeurs d'effort et de dépassement de soi ? Je crains que non. Il va falloir que collectivement nous vivions une crise comme celle qui déchire la Grèce ou l'Espagne pour que les mentalités changent. Sinon, pourquoi, je vous le demande, les gens cesseraient-ils de profiter de la belle vie ?

Les débats des chefs : pas d'effets sur la défaite probable des libéraux

20 août 2012

Pour la première fois dans l'histoire des débats des chefs, les femmes, présentatrices et participantes, étaient majoritaires à l'écran de Radio-Canada et de Télé-Québec. C'est à peu près la seule chose à signaler de cette soirée télévisée qui n'était, dans le fond, qu'une séance de réchauffement pour les affrontements par paires, sur le réseau TVA, des chefs des partis susceptibles de gouverner le Québec.

S'il faut en croire Twitter, Françoise David a facilement remporté le débat d'hier. La «matante sympathique» de Québec solidaire y a peut-être gagné quelques points dans sa circonscription de Gouin en arborant fièrement son épinglette-bijou du carré rouge. Je ne suis pas un partisan de QS, pourtant j'aimerais qu'elle soit élue. Mais pas dans Gouin où elle remplacerait Nicolas Girard, un des meilleurs députés du PQ. Elle et Khadir ne craignent pas d'écraser des orteils que les autres partis évitent.

Au grand déplaisir des journalistes et des commentateurs, aucun des protagonistes n'a commis de gaffes. Pauline Marois, en tête dans les sondages, a évité de compromettre cette avance en adoptant, de façon générale, une attitude de sérénité tranquille. Jean Charest a assez bien tiré son épingle du jeu. Bien que son sourire ineffable, lorsqu'on l'accusait de corruption, avait quelque chose de particulièrement agaçant. D'ici deux semaines, il risque de rire jaune.

Charest a tenté de mettre Pauline Marois dans l'embarras en évoquant le rapport Moisan de 2006 qui indiquait que le relationniste Jean Brault avait donné de l'argent au PQ en plus du PLQ. La manœuvre était plutôt indécente. Le rapport met d'abord en cause des libéraux, dont certains étaient alors dans l'entourage de Charest, dans le cadre du scandale des commandites. La grande magouille libérale des années 2000 démontrait la symbiose totale qui unissait les libéraux des deux paliers de gouvernement.

Les feux nourris de ces trois protagonistes étaient concentrés sur François Legault, le seul candidat jugé capable de perturber la tendance actuelle de l'électorat vers un gouvernement du PQ. Son unique moment difficile de la soirée a été lorsque Charest a rappelé que l'ancien souverainiste pressé a renié 40 ans de sa vie en annonçant récemment qu'il voterait non, si jamais il y avait un nouveau référendum. Il a d'ailleurs habilement répondu que le ministre libéral Raymond Bachand était, lui aussi, un renégat indépendantiste.

L'«effet Legault» se fait surtout sentir chez les Québécois francophones, plus vieux et moins éduqués qui votent libéral. Il est possible que sa prestation de dimanche soir (et celles qui vont suivre durant la semaine) en amène certains d'entre eux à délaisser les libéraux pour les caqueux. Son allure d'honnête comptable de province un peu benêt a tout pour plaire à cet électorat.

Je ne crois pas que dans les circonstances actuelles, les débats entre les chefs changent vraiment les intentions de vote au point de faire la différence le jour du scrutin. À moins d'un retournement imprévisible de l'électorat, les jeux sont faits. Cette fois, il n'y a pas de Jack Layton dans les parages pour drainer le vote de sympathie des Québécois. Reste à savoir si l'opposition officielle va être constituée par la CAQ ou par le Parti libéral.

Le Parti libéral, la coalition anti-Québec des «anglo-ethniques», des mafieux, des magouilleurs et des opportunistes, semble se diriger vers une défaite historique comme celle subie par son parti-frère fédéral. Après toutes ses trahisons, toutes ses compromissions, toutes ses collusions, il mérite, lui aussi, d'être jeté aux poubelles de l'histoire. Je ne m'aventure pas beaucoup en pensant que mes rêves vont bientôt être des réalités*.

* Mise à jour : Les libéraux ont, malgré tout, failli l'emporter, conservant des appuis importants dans toutes les régions du Québec. La fronde étudiante y est pour quelque chose.

ⅢⅢⅢⅢⅢⅢ Les Pussy Riot, les Nelson Mandela de
22 août 2012 **notre triste époque ?**

Comme coup de publicité, celui des Pussy Riot est dur à battre. Cela va leur valoir sans doute des millions de dollars. À condition que leur musique soit à la hauteur de leur capacité d'attirer l'attention de la vaste congrégation des journalistes et commentateurs qui cherchent des puces à Vladimir Poutine. Le maître du Kremlin n'a pas bonne presse. L'appui que donne son gouvernement à la dictature syrienne moribonde est odieux. Mais, n'en déplaise à ses ennemis de l'intérieur comme de l'extérieur, une confortable majorité de Russes est favorable à Poutine.

Même les opposants russes sont perplexes devant cette avalanche d'appuis aux punkettes. Le régime russe est responsable de bien pires violations des droits humains qui n'ont jamais soulevé un tel tollé universel.

Les trois punkettes russes décadentes méritaient-elles deux ans de prison pour avoir commis un sacrilège dans une cathédrale orthodoxe de Moscou ? La peine est sans doute disproportionnée. Est-ce suffisant pour en faire des héroïnes des droits humains ? La classe médiatique occidentale a répondu oui avec enthousiasme.

Cela m'amène à poser quelques questions qui demeureront sans réponses. Quelle aurait été la réaction de l'opinion américaine si un groupe de punkettes miteuses était allé faire son cirque à la cathédrale nationale de Washington en dénonçant l'appui de la droite religieuse au Parti républicain et à Israël ? Je ne suis pas sûr que l'intervention policière et ses suites judiciaires aient été bien en deçà de ce qu'on a vu à Moscou.

Et quelle aurait été la réaction de la gauche américaine, si des punkettes d'extrême droite (oui, ça existe, notamment en Scandinavie) avaient envahi la principale synagogue de New York pour dénoncer le soutien apporté par la communauté juive à la politique belliqueuse d'Israël ? Elle aurait alors été d'une violence extrême. L'opération aurait été dénoncée comme une manifestation intolérable d'antisémitisme et la classe politico-médiatique aurait, à l'unanimité, réclamé les sanctions les plus draconiennes contre le groupe. Le FBI serait intervenu puisque la profanation d'une synagogue aurait été considérée comme un crime raciste. Des manifestations de masse pour dénoncer le groupe se seraient produites dans toutes les grandes villes du monde. Des appels à la tolérance religieuse auraient été lancés par le pape et d'autres autorités morales ou prétendues telles.

Imaginez maintenant ce qui se serait passé si des punkettes avaient fait leur numéro dans une mosquée en Occident. Des réactions d'une violence inouïe auraient éclaté dans des dizaines de villes musulmanes du monde entier, provoquant des centaines de morts. Si un groupe punk féministe avait osé une manifestation semblable dans un pays musulman, il aurait été mis à mort sur place sans autre forme de procès.

Mais les transgressions sacrilèges ne visaient qu'un lieu de culte chrétien. Pas de quoi déchaîner les intellectuels progressistes et les leaders d'opinion. La clause de l'indignation multiculturelle ne s'applique pas aux religions chrétiennes ou associées à l'Occident.

Les imprésarios et les organisateurs de tournées vont se précipiter à Moscou pour proposer leurs services aux Pussy Riot afin d'organiser la tournée mondiale qui va suivre leur libération. L'industrie mondiale du vêtement se prépare également à exploiter leur style. Ce n'est pas tous les jours que Madonna et Yoko Ono et Human Rights Watch endossent un produit. Tous les ados de la planète vont vouloir arborer un chandail à cagoule à leur effigie.

Le Kremlin est en train de faire des Pussy Riot les Nelson Mandela de notre époque. Bien triste époque. Le mieux qu'il pourrait faire serait de les gracier rapidement et ainsi porter un dur coup à leurs ambitions en minimisant l'intérêt qu'elles suscitent chez les grands promoteurs de spectacles.

Il faut interdire le droit de vote aux fous, aux criminels et aux enfants

29 août 2012

Les aliénés, les déments, les séniles et, en général, les gens qui ont perdu tout contact avec la réalité, peuvent voter au Québec. Tout comme d'ailleurs les criminels de tout acabit. On est une des rares juridictions sur la planète à ainsi mépriser notre démocratie. Ce n'est pas le Parti libéral qui va s'en plaindre. Il domine largement l'électorat des centres d'hébergement, des maisons d'accueil, des asiles psychiatriques et des prisons. Les Hells, on le sait, sont férocement fédéralistes. L'unifolié flotte sur leurs bunkers.

Cette réalité existe depuis des décennies, mais ce n'est que cette année qu'on s'interroge sérieusement sur le phénomène. Et tout ce que l'homme responsable du fonctionnement de nos institutions démocratiques, le directeur général des élections

(DGE), trouve à dire, c'est que le sujet est immensément délicat et qu'il va y réfléchir.

Entre-temps, ses scrutateurs spéciaux font la ronde des centres d'hébergement du Québec afin de faire voter des milliers de personnes dépourvues des capacités mentales nécessaires pour participer à l'élection. Des cyniques me diront que c'est aussi le cas d'une partie significative de l'électorat par ailleurs jugée saine d'esprit.

Une préposée d'une maison d'accueil a déclaré au *Journal de Montréal* que certaines de ses bénéficiaires n'étaient pas assez lucides pour savoir qu'elles votaient. Mais lorsqu'elle s'en est plainte aux scrutateurs du DGE, on lui a répondu que si elles pouvaient se choisir un hot dog, elles pouvaient se choisir un politicien. Je retiens l'exemple.

Doit-on enlever aux déficients mentaux un droit protégé par les chartes ? Pour protéger la société et les protéger d'eux-mêmes, on restreint déjà leur droit de toutes sortes de façons. Je pense qu'au contraire, laisser n'importe qui voter dévalue notre système électoral.

C'est quand même aberrant que des individus qui sont incapables de conduire un véhicule ou de s'occuper d'eux-mêmes, pourvu qu'ils se rappellent leur nom et leur date de naissance, soient jugés aptes à participer au choix des dirigeants du pays. Ne serait-il pas normal que les scrutateurs itinérants qui visitent les centres d'hébergement soient aussi mandatés de déterminer l'aptitude à voter de ces électeurs ? Il est sûr que l'établissement des règles d'exclusion pour ces personnes dont l'incapacité dépend de leurs défaillances intellectuelles poserait quelques problèmes. Mais notre démocratie mérite qu'on vide la question.

Il me semble aussi que les criminels devraient être privés du droit de participer aux élections pour des périodes variables allant jusqu'à l'exclusion à perpétuité. Ils ont enfreint les règles sociétales, ils ne devraient pas avoir leur mot à dire dans le choix de ceux qui les établissent, au moins pendant la durée de leur peine.

Actuellement, tout est prévu pour s'assurer que les criminels québécois puissent exercer leur droit de vote en prison. Ils votent eux aussi par anticipation dans le comté où ils étaient domiciliés avant leur incarcération. S'ils n'avaient pas de domicile fixe, ils sont considérés comme des électeurs de la circonscription où se trouve la prison. Les criminels en détention reçoivent même un manuel spécialement rédigé pour eux pour les informer de leur droit de vote. Les candidats ne peuvent pas faire campagne dans les prisons, mais peuvent y faire distribuer leurs tracts.

Autre initiative déplorable dans ce domaine électoral : le programme du Parti québécois prévoit baisser l'âge du droit de vote à 16 ans, flairant des électeurs potentiels. Heureusement, Pauline Marois a été d'une discrétion absolue à ce sujet durant la campagne électorale. J'espère que si elle est élue, cet engagement ne sera jamais réalisé, pas plus que celui sur les référendums d'initiative populaire. Pas la meilleure idée de Bernard Drainville.

Pauline va-t-elle devoir gouverner avec l'appui de « matante » Françoise ?

31 août 2012

C'en est fait du Parti libéral du Québec. Le dernier sondage CROP révèle qu'il se dirige vers son pire score de son histoire de 145 ans. Même Jean Charest, dans Sherbrooke, et Pierre Paradis, dans Brome-Missisquoi, sont menacés d'être éjectés de l'Assemblée nationale.

Après avoir été le parti du renouveau politique et de l'affirmation nationale du Québec en chassant l'Union nationale du pouvoir, il a renié la majorité francophone pour défendre les intérêts de la minorité anglophone et des groupes ethniques qui s'y sont assimilés.

Il n'a maintenant le soutien, selon les sondages, que de 19 % des francophones, les plus vieux, les moins instruits et les moins lucides d'entre eux. Si la tendance actuelle se maintient, le soir des élections la vérité au sujet de ce parti sera claire pour tout le monde. Le PLQ récoltera la majorité de ses sièges dans des circonscriptions à majorité non francophone*. Et il y a de bonnes chances, si la CAQ joue bien son rôle d'opposition officielle, que la déroute libérale indique le déclin définitif de ce parti qui s'est donné comme mission, depuis le départ de ses rangs de René Lévesque, de bloquer par tous les moyens la réalisation de l'indépendance nationale. Le PLQ est devenu une sorte de bataillon supplétif indigène au service des Trudeau et des Chrétien qui ont d'ailleurs rarement manqué l'occasion de manifester publiquement leur mépris envers ses chefs. Rappelez-vous Trudeau qualifiant Bourassa de « mangeur de hot dogs ».

Même les Anglais commencent à comprendre que le PLQ est kapout et qu'ils vont devoir trouver un autre parti pour les protéger contre les aspirations nationales des Québécois. Le fondateur de l'ancien Equality Party, Robert Libman, recommande à ceux que René Lévesque appelait les « Rhodésiens blancs » de voter pour François Legault et les caqueux. Imaginez donc ! Les odeurs d'excréments provenant du PLQ sont telles que les Anglais ne peuvent plus simplement se pincer le nez et voter en faveur du parti qui s'est mis à leur service.

François Legault et la CAQ bénéficient actuellement de l'effet de levier que leur donnent les sondages et la rumeur médiatique qui les présentent comme la force politique montante. Les moutons « pure laine » sont presque programmés génétiquement pour voter dans le sens du vent. Jusqu'où l'effet Layton va-t-il porter Legault ? Certainement vers l'opposition officielle.

Malgré les déchirements et les féroces contestations internes qu'il a connus, le Parti québécois va reprendre le pouvoir et donner au Québec sa première femme première ministre. Le dernier sondage CROP confirme les précédents. Le site Internet Too close to call/Si la tendance se maintient, qui offre les analyses les plus approfondies des compilations des sondages nationaux et régionaux, lui accorde 63 sièges, à la limite d'un gouvernement majoritaire. Majoritaire le PQ ? Ou minoritaire ? C'est la seule question encore non résolue de cette élection. Et elle est déterminante si le parti veut exercer une gouvernance qui prépare le prochain référendum. S'il est suffisamment proche de la majorité, le gouvernement souverainiste de Pauline Marois pourra compter sur l'appui de Québec solidaire à qui CROP attribue 9 % des voix. Cela pourrait se traduire par l'élection de deux à quatre députés.

Le *National Post* a publié, la semaine dernière, le seul sondage de la campagne qui plaçait les libéraux carrément en tête avec 35 % des intentions de vote. Cet ennemi forcené de tout ce qui est québécois prend ses rêves pour des réalités. Le retour au pouvoir imminent du PQ fait baver de rage ses chroniqueurs et les amène à écrire des textes hilarants et absurdes.

Si, au moins une fois par semaine, le prochain gouvernement péquiste soulève l'indignation et déchaîne la colère des odieux chroniqueurs du *National Post*, j'estimerai que Pauline Marois fait bien son travail et respecte ses engagements.

* Mise à jour : La rue, les casseurs et la CLASSE ont tellement fait peur que le PLQ a failli se faire réélire et s'est

maintenu comme une force politique significative dans toutes les régions du Québec.

IIIIIIIIIIIIIIIIIIIIIIII Présidentielle américaine : Obama est « moins pire » que Romney

3 septembre 2012

Nous somme à la veille de l'ouverture de la convention du Parti démocrate à Charlotte, en Caroline du Nord, qui va confirmer Obama comme candidat à la présidentielle de novembre. Ces grands rassemblements ne servent vraiment plus à grand-chose, sauf à être des caisses de résonance pour clamer à répétition les vertus des candidats. Rien de plus que des heures de pubs faussées gratuites à la télé. C'est pourquoi les grands médias leur consacrent de moins en moins de temps.

Mitt Romney a beau attaquer Obama et les démocrates pour la situation économique désastreuse des États-Unis, le fait est que ce sont les deux administrations républicaines de George Bush qui ont placé le pays dans cette situation. Lorsqu'il a volé l'élection présidentielle de 2000 avec la complicité de la Cour suprême et de son frère Jeb, qui a manipulé les résultats de Floride, Bush a hérité d'un surplus budgétaire de Bill Clinton.

Bush a baissé les impôts et s'est lancé dans deux guerres inutiles et interminables au lieu de s'en remettre à des interventions militaires ponctuelles contre le terrorisme islamiste. Il a laissé ses amis de Wall Street inventer des combines financières qui ont été proches de provoquer l'effondrement de l'économie américaine et celle de la planète entière. Sur les plans social, culturel et économique, le Parti républicain de Mitt Romney est encore plus à droite que celui de Bush fils.

Le GOP est devenu un parti d'extrême droite et l'élection de Mitt Romney accélérerait la transformation des États-Unis en ploutocratie. Son programme favorise des baisses de taxes et des réductions d'impôts pour les plus riches. Les « réformes » républicaines signifieraient la destruction des grands programmes sociaux comme la sécurité sociale et l'assurance maladie, qui toucheraient surtout les minorités raciales et ethniques. Elles ont un caractère raciste évident. Les républicains reprochent aux démocrates de le souligner tout en accusant de leur côté Obama d'encourager la lutte des classes en augmentant les impôts des riches.

Barack Obama a amèrement déçu ceux qui, en 2008, ont voté pour lui en croyant qu'il allait incarner le renouveau, la transformation de l'Amérique. Dans la plupart des domaines, ce fut « *business as usual* ». Il s'est contenté de poursuivre les politiques néfastes de son prédécesseur ou, simplement, d'en atténuer les effets. Il s'est entouré de conseillers économiques provenant des grands groupes financiers qui ont provoqué le désastre économique de 2008 et il s'est refusé à poursuivre les voleurs cravatés qui ont réalisé des milliards de profits de ces magouilles. À la dernière élection, il était le candidat du changement. Son nouveau slogan est « *Forward* », « En avant ». Vers quoi ?

En politique étrangère, plusieurs critiques l'ont surnommé « Bush 2 ». Il n'a pas osé tenir tête aux maîtres du Pentagone qui vont mener des décennies de guerres au Moyen-Orient tout en préparant de grandes confrontations avec la Chine dans le Pacifique et en Extrême-Orient. À condition, bien sûr, qu'il reste quelques moyens à l'empire déclinant à l'issue de ces guerres moyen-orientales où Obama, comme Bush avant lui, sacrifie les intérêts de son pays à ceux d'Israël.

Pas surprenant donc qu'Obama n'ait qu'une mince avance sur Romney, personnage distant avec un taux d'amabilité frôlant le zéro. Il porte sur ses épaules sa carrière, chez Bain Capital, de financier qui ferme des entreprises pour envoyer des emplois outre-mer ou qui les rentabilise par des mises à pied et des baisses de salaires et d'avantages sociaux.

Mitt Romney et son second couteau Paul Ryan vont d'ici la fin de la campagne jouer sur la déception et le désenchantement des partisans qu'Obama a déçus par le reniement à répétition d'une bonne partie de ses engagements de 2008.

L'élection de Mitt Romney à la présidence des États-Unis serait une catastrophe non seulement pour les Américains, mais aussi pour la Terre entière, même si on pourrait y voir des avantages particuliers pour le Canada gouverné actuellement par des idéologues qui s'inspirent de la droite américaine. Je crois bien que les Américains vont voter pour le « moins pire » des deux candidats.

L'élection du PQ : une victoire qui a le goût amer d'une défaite

4 septembre 2012

« Un gouvernement du Parti québécois, c'est pas rien », a dit Bernard Drainville. Minoritaire, ce n'est pas grand-chose. Ne faire élire que 55 députés dans les conditions de décrépitude actuelles des libéraux et réussir à peine à faire mieux que le PLQ dans le nombre de votes n'est pas une courte victoire, c'est un revers lamentable pour le parti, pour sa raison d'être et l'article premier de son programme : l'indépendance nationale. La population du Québec a eu peur de cette éventualité. À mesure qu'elle vieillit, elle devient de plus en plus frileuse et timorée.

Moins de 1 % de différence entre le PQ et le PLQ. Incroyable ! Le Parti libéral a fait mentir les sondages. Malgré un taux d'insatisfaction incroyablement élevé, malgré la démonstration presque quotidienne de la corruption généralisée dans laquelle il baigne, malgré les scandales à répétition qui l'éclaboussent, le Parti libéral du Québec a réussi à maintenir une présence dans pratiquement toutes les régions du Québec. Pas seulement dans le West Island et les comtés ethniques du Nord-Est de l'Île-de-Montréal, l'électorat pour qui il gouverne. Non seulement les Anglais ont continué à voter massivement libéral, mais aussi une bonne partie du Québec français qui se reconnaît toujours dans ce parti faisandé. En fait, la collusion et les malversations qui ont caractérisé le gouvernement Charest n'ont pas choqué outre mesure une partie importante de l'électorat. Les Québécois, on le sait, se sont aisément accommodés de la corruption politique tout au long de leur histoire.

Le Québec profond craint tellement l'indépendance qu'il a voté pour le parti des voleurs et des tricheurs. On peut penser que la fronde étudiante du printemps, en semant la peur chez les plus vieux, les moins éduqués et les plus vulnérables des Québécois (la majorité silencieuse), a puissamment contribué à éviter l'effondrement du PLQ, qu'avec beaucoup d'autres, je prédisais avec délectation. Bravo, la CLASSE, bravo, les anars masqués, bravo, les casseurs! Allez fêter avec vos potes, Amir et Françoise, sur le Plateau!

Les petits bourgeois politisés qui sont descendus dans la rue n'étaient pas représentatifs de la jeunesse en général. Rien n'indique que les jeunes soient venus massivement dire non au Parti libéral comme les dirigeants étudiants le promettaient.

Je constate aussi que si les trois partis indépendantistes avaient été unis, Pauline Marois aurait sans doute obtenu son gouvernement majoritaire et aurait pu faire avancer considérablement l'idée de l'indépendance. La tragédie du PQ est de ne pas avoir réussi à coaliser tous les indépendantistes. Aussant et Parizeau doivent assumer une part de responsabilité importante pour ce désastre. Il faut le souligner : cette élection était probablement la dernière où le Parti québécois pouvait espérer créer un gouvernement majoritaire. La démographie joue inexorablement contre le PQ et contre le Québec français.

À Toronto et à Ottawa, on sabre le champagne. On remercie Jean Charest, promis à l'Ordre du Canada, d'avoir sauvé le pays. Le rapport de force du gouvernement du PQ minoritaire avec le reste du Canada sera négligeable. Harper peut dormir tranquille. Les deux partis d'opposition auront un droit de *veto* sur la réalisation du programme du gouvernement de Pauline Marois. Tout ce qu'elle pourra faire, c'est d'être un bon gouvernement provincial. C'est le mandat que le peuple du Québec lui a donné.

Un gouvernement minoritaire au Canada a généralement une vie courte, moins de deux ans.

Le PQ pourra-t-il, durant ce temps, réaliser le miracle de convaincre une majorité d'électeurs de la nécessité de l'indépendance et de rassembler en son sein tous les indépendantistes ? C'est tard dans la partie. Ça fait 44 ans qu'il s'y acharne. Sans succès.

Je ne vois pas comment le gouvernement du PQ va réussir à réveiller la population vieillissante, numériquement déclinante et indifférente à son avenir. Le Québec français semble confortable dans son lent déclin.

La Coalition Avenir Québec s'attendait à obtenir de 30 à 40 sièges. Elle n'en a qu'une vingtaine. François Legault va s'ennuyer comme chef de la deuxième opposition. Il était déjà frustré comme député de l'opposition officielle péquiste. Il espérait être un chef d'orchestre, il va devoir se contenter de jouer les seconds violons.

« Je n'ai jamais été aussi fier d'être Québécois », avait dit René Lévesque en novembre 1976. Il ne serait sans doute pas très fier de son parti qui, malgré le bilan épouvantable de neuf ans de pouvoir des libéraux, n'a pas réussi à les écraser et à remporter facilement un gouvernement majoritaire.

Pauline Marois était en train de déclarer que «l'avenir du Québec, c'est de devenir un pays souverain» lorsqu'un anglophone a tenté de la tuer au Métropolis. Les pathétiques résultats électoraux du PQ me font penser que, comme moi, elle prend ses rêves pour des réalités. À moins d'un miracle, l'avenir du PQ semble plus que jamais derrière lui. C'est le triste sentiment qui m'accable à la sortie de cette élection.

L'attaque israélienne contre l'Iran, prévue à l'automne, n'aura pas lieu

6 septembre 2012

Alors qu'une guerre paraissait imminente et inévitable au Moyen-Orient, plusieurs indices laissent maintenant croire qu'Israël n'attaquera pas l'Iran avant les élections américaines du début de novembre.

D'abord, le chef de l'état-major interarmées des États-Unis, le général Martin Dempsey, de passage à Londres, a déclaré que son pays ne serait pas «complice» d'une frappe israélienne contre l'Iran. Le chef du Pentagone a expliqué que non seulement une telle attaque ne détruirait pas le programme nucléaire civil iranien, mais qu'elle serait aussi contre-productive en incitant l'Iran à s'engager dans un programme d'armement nucléaire. Le général affirme que les frappes israéliennes pourraient tout au plus ralentir le programme de recherches actuel.

Le patron des forces armées américaines ne pourrait pas faire de telles déclarations si elles n'avaient pas été autorisées ou même commandées par la Maison-Blanche. Obama peut difficilement, en période électorale, faire des déclarations publiques qui vont à l'encontre de positions soutenues par le gouvernement israélien. Il indisposerait ainsi la communauté juive américaine qui constitue une source de financement majeure de son parti.

L'analyse de Dempsey correspond parfaitement à celle des principaux conseillers du président et de l'ensemble des services de renseignements américains. Les sites d'enrichissement nucléaire iraniens sont trop dispersés sur le territoire iranien, trop redondants et trop bien protégés pour être anéantis par une frappe aérienne israélienne.

Dempsey est même allé plus loin. S'adressant visiblement à Netanyahou, il a averti que les pressions diplomatiques et économiques sur l'Iran pourraient être annulées si ce pays était attaqué prématurément.

Pour montrer sa réprobation face aux intentions belliqueuses d'Israël, le Pentagone avait déjà décidé de réduire considérablement l'importance des manœuvres militaires conjointes avec Israël en Méditerranée.

Autre indice du reflux des bellicistes : Netanyahou, en colère, a mis abruptement un terme à une réunion de son conseil des ministres cette semaine après avoir accusé certains d'entre eux de l'avoir trahi en dévoilant aux journaux des détails secrets d'une réunion précédente. Le premier ministre n'a pas identifié les suspects ou l'information divulguée.

Le journal *Yediot Aharonot*, citant des ministres anonymes, avait révélé que le cabinet s'était penché sur un rapport des services de renseignements israéliens qui mettait en cause la capacité d'Israël de sérieusement endommager le programme nucléaire iranien par une frappe aérienne sans l'aide des États-Unis.

La presse israélienne a également publié cette semaine une information selon laquelle l'administration Obama a envoyé un message clandestin à l'Iran, s'engageant à ne pas soutenir une frappe israélienne, si Téhéran s'abstient d'attaquer les intérêts américains dans le golfe Persique. Même si elle est sans doute avérée, la Maison-Blanche a démenti l'information.

Ces fuites indiquent qu'une partie importante des décideurs israéliens sont opposés à une attaque à court terme contre l'Iran comme le Pentagone, la Maison-Blanche et les services de renseignements américains. Dans ces circonstances, Netanyahou et son ministre de la Défense, Ehud Barak, paraissent, à contrecœur, remettre leur projet à plus tard. Le fauteur de guerres Ehud Barak va même jusqu'à suggérer que la concentration sans précédent des forces américaines dans le golfe Persique pourrait éliminer la nécessité d'une frappe israélienne contre l'Iran.

Soulignons en terminant qu'une frappe israélienne contre l'Iran demeure une réelle possibilité, mais qu'elle a sans doute été reportée à l'année prochaine.

Entre-temps, les sanctions économiques décrétées par les États-Unis et appliquées par l'Occident et le Canada frappent durement la population iranienne en la privant de produits et services qui mettent la vie de dizaines de milliers de civils en danger.

.... La belle-mère Bouchard, le PQ et le référendum
10 septembre 2012 **volé de 1995**

Dans ses *Lettres à un jeune politicien* (Montréal, VLB éditeur, 2012) dont des extraits sont publiés dans le *Journal de Montréal*, l'ancien premier ministre fait des observations qui devraient intéresser même une vieille politicienne comme Pauline Marois.

Rappelons-le : c'est Bouchard qui a gagné le référendum de 1995 pour Parizeau et le PQ. Malheureusement par une série de manœuvres illégales qui, 17 ans plus tard, restent pour la plupart encore secrètes, le gouvernement Chrétien a volé le scrutin.

Pauline Marois est d'ailleurs pleinement d'accord avec Lucien Bouchard pour dire que le référendum d'initiative populaire sur la souveraineté est une aberration monumentale qui pourrait affaiblir encore plus le Québec. La mauvaise idée est de Bernard Drainville, l'un des meilleurs députés du PQ. Il revient donc à lui de dire qu'il s'est trompé et d'affirmer qu'il soumettra une proposition lors d'un prochain congrès pour enlever cet article encombrant du programme du parti.

C'est la prérogative du gouvernement de décider de la tenue d'un référendum. Pas celle de 15 % de la population, poussée par on ne sait quelle lubie temporaire ou quelle vague d'émotion éphémère ! Le référendum que le PQ se doit de lancer est un référendum gagnant.

Bouchard affirme que le débat sur la question nationale est présentement dans l'impasse. Peut-être, mais je n'en suis pas sûr. Le PQ est entré dans cette élection avec une chef qui sortait à peine d'une vive contestation de son leadership qui a profondément divisé le parti et amené certains de ses éléments les plus dynamiques à le quitter. De plus, le mouvement indépendantiste était divisé en trois formations concurrentes rendant ainsi inatteignable la majorité parlementaire. Enfin, la fronde étudiante du printemps est venue brouiller les cartes. Une petite minorité exploitant habilement le besoin médiatique d'images spectaculaires a flanqué la trouille à la majorité silencieuse qui a failli de justesse remettre au pouvoir les libéraux.

Ce résultat électoral n'est pas une manifestation d'amour pour le Canada. La réalité évidente est que, depuis des décennies, les Québécois francophones se sentent de moins en moins Canadiens. L'évocation de ce pays est pratiquement disparue de la vie quotidienne de l'immense majorité des Québécois. Quelle agence de publicité s'adressant à un auditoire francophone du Québec oserait utiliser les mots « Canadiens » ou « Canada » comme cadre de référence ? L'évocation du Canada, ce n'est pas « vendeur » au Québec.

Il y a quand même urgence. Le problème fondamental du PQ est d'abord démographique. Il doit réunir les conditions gagnantes très rapidement vu le déclin démographique des francophones. Et il doit aussi mobiliser une population grisonnante.

Dans toute l'histoire de l'humanité, les vieux n'ont jamais opéré de transformation politique radicale d'une société. L'exercice du pouvoir actuel suivi de l'éventuelle réélection majoritaire du PQ dans quelques mois est probablement la dernière chance qu'a le Québec de devenir indépendant.

Parlant de référendum, j'espère que le nouveau gouvernement péquiste se penchera rapidement sur le référendum volé de 1995. Il pourrait d'abord renforcer les lois sur les fraudes électorales et référendaires. L'enquête du juge Grenier qui a suivi la publication des *Secrets d'Option Canada*, que j'ai écrit avec Robin Philpot (Montréal, Les Intouchables, 2006), identifiait plusieurs contrevenants à la loi lors du référendum de 1995, qui était à l'abri de toutes poursuites à cause de la prescription de cinq ans sur les délits électoraux.

Plusieurs allusions dans le rapport du juge Grenier, dont l'enquête s'est déroulée à huis clos à la demande du gouvernement du Canada, laissent croire que des illégalités encore plus scandaleuses restent aujourd'hui à découvrir. Il faut que le nouveau gouvernement péquiste fasse la lumière complète sur cette question afin de ne pas se faire faire le même coup une seconde fois.

L'attentat contre Pauline Marois : réflexion sur la violence des Anglais

Un lecteur de *La Presse*, Jocelyn Lauzon, s'insurge dans une lettre au journal du fait que ses voisins anglophones du West Island soient incapables de reconnaître que leurs discours intolérants extrémistes à l'égard de la souveraineté ont incité Richard Bain à vouloir tuer Pauline Marois.

«Mes voisins, mes amis anglophones, des gens très bien, des gens polis et intelligents, se permettent souvent de parler de «*fucking separatists*», de «*fucking* PQ» en ma présence, comme si c'était parfaitement normal.» Il se demande comment il se fait que ce discours d'intolérance discriminatoire usuel des Anglo-Montréalais a été ignoré par la plupart des commentateurs pour expliquer la folie meurtrière de Bain.

Affirmant que ça mérite d'être dénoncé, Lauzon ne comprend pas pourquoi les élites de la communauté anglophone ne combattent pas ce discours d'intolérance et de peur. C'est pourtant facile à comprendre. Tout au long de l'histoire, et encore aujourd'hui, l'élite anglo-montréalaise a été la plus fanatiquement braquée contre les aspirations de la majorité francophone.

Richard Bain, vous l'avez noté, était plus rusé que le *West Islander* moyen. Il avait deux discours. Un premier, hypocrite, qu'il tenait devant ses voisins francophones et un autre avec les Anglais. À eux, il confiait qu'il était prêt à prendre les armes pour réaliser la partition du Québec et rattacher Montréal au reste du Canada dans le cas de l'indépendance.

Derrière les propos lénifiants hypocrites des porte-paroles officiels et officieux de la communauté anglophone, il y a les propos violents, racistes et haineux entendus par Jocelyn

Lauzon. Vous les entendez également dans les médias sociaux et les sections « Lettres des lecteurs » des journaux anglophones où les plus lâches s'expriment sous le couvert de l'anonymat.

Le message est clair. Le reste du Canada, sa colonie du West Island et leurs alliés autochtones n'hésiteront pas un instant à avoir recours à la violence pour entraver la volonté d'affirmation nationale des Québécois.

Ce fut le cas tout au long de notre humiliante histoire. Nous la connaissons très peu. Jusqu'à récemment, elle nous a été enseignée par l'Église catholique dont le haut clergé était de connivence avec nos maîtres coloniaux britanniques pour exercer une domination partagée sur ce bon peuple d'habitants ignorants, crédules et soumis.

Maintenant des historiens « scientifiques » apatrides et « bonne-ententistes » ont pris la relève pour déterminer ce qui peut être dit dans les manuels. Il ne faut surtout pas parler des vieilles chicanes qui n'ont plus d'importance et qu'on ne pourra pas changer, de toute façon.

Pour mémoire, rappelons quelques-unes de ces vieilles chicanes. D'abord au sujet des troubles de 1837-1838. Papineau n'a jamais planifié de rébellion ou de révolte. Ce sont les Anglais qui ont pris l'initiative de l'usage de la force en envoyant l'armée arrêter des Patriotes. La population de certaines régions du Québec s'est portée à leur défense. Papineau a été entraîné malgré lui dans la tourmente. D'ailleurs, plutôt que de diriger la résistance, il a fui rapidement vers les États-Unis, alors que les milices du général Colborne, constituées, il faut le souligner, de volontaires Anglo-Montréalais, assouvissaient leur haine et leur besoin de vengeance en mettant à feu et à sang la Rive-Sud de Montréal.

Dix ans plus tard, ces mêmes Anglo-Montréalais, à l'instigation du journal *The Gazette*, qui appelait à l'extermination des Canadiens français, ont incendié le parlement du Canada qui siégeait dans le Vieux-Montréal alors qu'on y votait des compensations pour les fermes de la Rive-Sud détruites par la racaille anglo-montréalaise. Un pavillon de l'hôpital Douglas de Verdun a été nommé en l'honneur et à la mémoire du chef de pompier incendiaire Perry qui a dirigé la destruction du parlement. Une meute hystérique d'Anglais a ensuite tenté de prendre d'assaut la maison de Louis-Hippolyte Lafontaine, dont le gouvernement avait présenté les mesures de compensation, pour le tuer. Pendant des semaines, les hordes d'Anglo-Montréalais ivres ont mené des « ratonnades » contre la population francophone de la ville.

Il y a de troublants parallèles à faire entre la mentalité des Anglo-protestants d'Irlande du Nord et celle des Anglo-Québécois. Même approche à la fois hautaine et craintive des deux peuples soumis par les armes. Vous allez dire que j'exagère. Lisez l'histoire des orangistes au Canada et en Irlande.

Plus près de nous, rappelez-vous les vociférations hargneuses des réunions du West Island lors du référendum de 1995 où des chroniqueurs du *National Post*, bavant leur mépris envers les Québécois, étaient applaudis à tout rompre alors qu'ils proféraient des menaces de violences partitionnistes. L'odieuse Diane Francis grognait que les Anglais devaient traiter les Québécois comme Israël traite les Palestiniens. Elle proposait de les rassembler dans des espèces de bantoustans, loin des centres névralgiques du Québec réservés aux Anglais.

La loi sur la protection de la vie privée protège surtout les élites délictueuses

14 septembre 2012

Le Dr Gilles Bourdon fait face à plusieurs poursuites de parents qui croient que son incompétence a causé la mort d'un proche. Son travail a été mis en cause par un coroner qui a examiné un de ses anciens patients. Il a été radié temporairement en 2009 pour avoir mal effectué des colonoscopies. Pourtant l'hôpital du Lakeshore lui a permis de continuer de pratiquer ses examens. Maintenant, 684 de ses patients à cet hôpital vont devoir se soumettre de nouveau à la procédure. C'est un médecin dont le droit de pratique est sévèrement limité par le Collège des médecins. Il ne peut plus faire de colonoscopies ou de chirurgies dans les établissements publics. Mais l'individu dans la cinquantaine qui a 28 ans d'expérience peut encore pratiquer des chirurgies mineures en cabinet privé.

Rassurez-vous! On nous dit que le syndic suit le dossier de près et que son cas fait l'objet d'une enquête de la part du Collège des médecins du Québec. Avant le scandale actuel, que faisait-il, ce syndic, je me le demande?

Au CSSS de l'Ouest-de-l'Île, on admet bêtement que Bourdon aurait dû être plus adéquatement surveillé. Le Dr Richard Germain, président du conseil des médecins du secteur, affirme qu'«on a appris beaucoup de choses avec cette histoire». Tant mieux, mais permettez-nous de douter, vu la longue histoire de cas semblables impliquant le même médecin.

Tout cela tend à confirmer aux yeux du public l'impression généralisée que les ordres professionnels servent surtout à protéger leurs membres dans la mesure du possible et que c'est le cas, en particulier, pour les médecins.

D'ailleurs, vous ne trouverez nulle part le nom de Gilles Bourdon associé à cette affaire dans les documents publics ou les sites Internet du Collège des médecins ou du gouvernement du Québec. La loi sur les renseignements personnels et la protection de la vie privée le protège. Heureusement, à cause d'un oubli du législateur (incompétence?) les médias ont le droit de le faire. Je suis sûr que quelqu'un va vouloir remédier à cette «lacune».

Quand elle a été adoptée il y a quelques décennies, la loi sur la protection de la vie privée était destinée à protéger l'intimité des citoyens ordinaires. Mais dans les faits, elle a surtout permis aux élites incompétentes ou malhonnêtes d'éviter d'être publiquement identifiées quand elles font des gaffes.

Combien de fois avons-nous entendu au cours des années des porte-paroles du gouvernement ou d'organismes, en principe chargés de protéger l'intérêt public, se cacher derrière cette loi pour protéger des professionnels, des politiciens et des fonctionnaires, incapables ou véreux, de l'opprobre du public?

J'entendais ce matin à la radio un responsable de l'Ordre des médecins dire que c'était regrettable, mais qu'il ne pouvait révéler le nom du médecin tout en soulignant qu'il y était favorable. Il expliquait que pour qu'il puisse le faire, il faudrait modifier non seulement la loi sur les renseignements personnels et la vie privée, mais aussi les chartes des droits et libertés du Canada et du Québec. Mission impossible.

La vie privée de l'immense majorité de gens n'intéresse personne et est sans conséquence sociale. Mais la paranoïa du public concernant la vie privée, à l'origine de la loi, a été créée, en grande partie, par les journalistes et les médias. Faire peur au monde a toujours été une excellente recette pour attirer des lecteurs, des auditeurs et des téléspectateurs. C'est après que les médias se sont rendu compte qu'elle entravait sérieusement le journalisme d'enquête en protégeant les élites délictueuses de la société.

Quant au monde ordinaire, il se délecte à exhiber sa vie privée, même dans les détails les plus sordides, à pleines pages sur Facebook et ailleurs sur Internet. Une mine gratuite d'informations que savent exploiter les services secrets, la police, les agences de détectives privés et tous ceux qui vous veulent du mal et qui cherchent des renseignements sur vous pour réaliser leurs sombres complots.

La juge Charbonneau doit cibler les liens entre la mafia, les Hells et la FTQ

17 septembre 2012

D'après les échos que j'ai eus durant le week-end, confirmés ce matin par la juge Charbonneau, ce sont les liens entre des dirigeants actuels ou passés de la FTQ avec la mafia qui vont être au cœur des enquêtes de la commission. C'est pour cela qu'on tente de convaincre Raynald Desjardins, un associé du parrain déchu Vito Rizzuto, de venir témoigner. Il fait face à l'accusation d'avoir ordonné l'assassinat de l'Américain Salvatore Montagna, le parrain déchu du clan Bonanno de New York, qui tentait de prendre le contrôle de la mafia montréalaise.

Desjardins était proche de plusieurs dirigeants de la centrale syndicale dont Jocelyn Dupuis, l'ancien directeur général de la FTQ-Construction, un ami de Normand «Casper» Ouimet, chef d'un chapitre des Hells Angels. Dupuis a déjà fait appel à un autre Hells accusé de meurtre, Jacques Israël Émond, pour convaincre un candidat à une élection syndicale de se retirer.

Dupuis a été accusé de fraude et de fabrication de faux documents – des fausses factures – aux dépens de la FTQ entre décembre 2007 et novembre 2008. Toutes les autres factures qu'il a soumises durant ses 11 années à la centrale ont été mystérieusement détruites, rendant toute vérification à ce sujet impossible. Rien n'a vraiment changé dans cette centrale pourrie à l'os comme au temps béni du pote de Louis Laberge, «Dédé» Desjardins, assassiné dans un règlement de comptes entre gangsters.

La même source m'explique que l'intérêt pour la FTQ de la mafia, des Hells et des patrons indélicats de la construction qui lui sont associés est centré sur les huit milliards de dollars de son Fonds de solidarité. Ils veulent s'assurer que des « amis » puissent avoir un accès facile au pactole. Les manœuvres mises au jour par les enquêteurs de la commission tournent autour de la nomination de complices parmi les hauts dirigeants du Fonds. Dans leurs conversations téléphoniques, des dirigeants syndicaux et des entrepreneurs de construction parlent de « sièges » pour placer leur homme qui pourrait ainsi contrôler « 500 millions de dollars ».

Mon interlocuteur me rappelle que l'émission *Enquête* de Radio-Canada a diffusé en 2009 des témoignages selon lesquels le Fonds de solidarité traitait en priorité les dossiers de Tony Accurso. La Sûreté du Québec, note-t-il, avait déjà effectué en 2008 une perquisition au siège social du Fonds de solidarité dans une enquête sur le blanchiment d'argent.

Les enquêteurs de la commission ont en leur possession des centaines d'heures d'écoute électronique de Raynald Desjardins, de Jocelyn Dupuis, de Michel Arsenault, de Jean Lavallée et de Tony Accurso, conversations qu'ils ont eues entre eux et avec leurs principaux acolytes.

Selon ma source, trois témoins appelés à s'expliquer devant la commission prétextent des problèmes de santé pour demander de ne pas y être contraints. Au moins un d'entre eux a déjà soumis des attestations médicales à cet effet.

Si la commission a aussi obtenu de la GRC les communications par BlackBerry de tout ce beau monde, les révélations vont être spectaculaires. Comme Raynald Desjardins contre qui la preuve est fondée sur ces messages, les barons de la construction se croyaient protégés par son chiffrement réputé inviolable.

Les spécialistes des questions de sécurité savaient que le Centre de la sécurité des télécommunications Canada, l'organe chargé de l'écoute électronique du gouvernement fédéral, avait accès au code secret du fabricant des BlackBerry, Research In Motion, mais seulement pour des questions impliquant la sécurité nationale. Il n'est pas clair, à l'heure actuelle, comment la GRC a pu, légalement, obtenir ces renseignements dans des enquêtes criminelles.

Ce trésor d'informations que constitue l'écoute électronique de la police dans le scandale de la construction n'est pas à l'épreuve des fuites. Durant la campagne électorale de 2011, trois conversations téléphoniques de Tony Accurso portant sur les moyens à prendre pour placer Robert Abdallah à la direction du port de Montréal ont été mises en ligne sur YouTube. La sécurité interne de la GRC n'a jamais pu découvrir l'auteur de la fuite qui pourrait être en possession de milliers d'heures de conversations concernant des magnats de la construction, la mafia et leurs affidés politiques. Même si la commission n'y a pas accès, des conversations de certains témoins pourraient se retrouver en ligne pour contredire éventuellement leurs propos mensongers.

Mais attendons de voir... Le rideau se lève sur ce qui pourrait devenir la plus intéressante continuité télévisée depuis la commission d'enquête sur le crime organisé des années 1970.

Doit-on laisser Charlie Hebdo jouer avec des armes de destruction massive?

19 septembre 2012

Des amuseurs publics peuvent-ils par leurs dessins provoquer la mort de dizaines de personnes, causer des dégâts matériels importants et perturber encore plus les relations entre le monde musulman et l'Occident simplement parce que c'est légal ou pour respecter leur droit à la défiance et à la provocation? Sinon, comment faire pour les en empêcher?

Ces questions se posent avec la publication par l'hebdo satirique français *Charlie Hebdo* de caricatures de Mahomet nu au moment où le monde musulman est en pleine frénésie au sujet du film anti-islamique d'un copte américain irresponsable voulant se venger du sort de ses coreligionnaires en Égypte.

Le coup de pub de *Charlie Hebdo*, une provocation inutile, fait le jeu des intégristes islamistes qui vont l'exploiter à fond. Les chrétiens d'Orient, déjà l'objet d'exactions effroyables, vont en subir de terribles conséquences.

Au cours des décennies, *Charlie Hebdo* a fait de la religion une de ses cibles de prédilection. Il pouvait donc difficilement laisser passer le brouhaha actuel sans y mettre son bâton de dynamite. Il aurait perdu toute crédibilité auprès de son lectorat déclinant de 75 000 lecteurs.

Lorsque l'hebdomadaire a publié, en 2006, les caricatures de Mahomet tirées d'un journal danois, son tirage était encore de 140 000 exemplaires. Il est monté en flèche à plus de 400 000 après deux réimpressions pour s'aplatir de nouveau lentement et sûrement. Ses scribouilleurs incendiaires ont vu dans la situation actuelle une occasion de relance. *Business is business.* Ils avaient déjà tenté l'expérience l'année dernière avec un numéro spécial « Charia-Hebdo » qui avait entraîné des hausses de tirage intéressantes, mais qui leur avait aussi valu un attentat à l'explosif. Ce sont des anars courageux qui ont le sens des affaires.

Le coup de pub et de fric de quelques anarchistes oblige la France par mesure de sécurité à fermer ses ambassades, ses consulats et les écoles françaises dans une vingtaine de pays musulmans. Le directeur de *Charlie Hebdo*, Charb, affirme pour se défendre qu'il ne faut pas se laisser impressionner par « des clowns ridicules qui manifestent ». Que cela mette en cause la vie et la sécurité d'un grand nombre de Français et d'étrangers partout dans le monde l'indiffère.

Est-ce un prix raisonnable à payer pour la liberté d'expression ? Est-ce que la liberté d'expression aurait été gravement compromise en France si *Charlie Hebdo* n'avait pas publié ces caricatures ? Faute de lecteurs, *Charlie Hebdo* a disparu pendant dix ans dans les années 1980, sans que la liberté d'expression soit inexorablement compromise. La vie d'une seule personne vaut plus que la liberté qu'ont quelques vieux ados irresponsables de griffonner des dessins égrillards sur une table autour de quelques bouteilles de pinard (oui, je sais, je caricature !).

Le problème de la liberté d'expression face à un Islam revendicateur et intolérant se pose dans les démocraties. Faut-il la limiter quand elle risque de mettre des vies humaines en danger ? Est-il possible d'écrire des lois contre l'humour, l'ironie et la parodie qui ne soient pas, elles-mêmes, loufoques ?

Ridiculiser Mahomet ou l'Islam relève-t-il des lois sur les propos haineux envers un groupe identifié ? Les règles d'application sont-elles les mêmes pour le christianisme ? Pour le judaïsme ? Et où fixer les limites ? Sera-t-il un jour interdit de se payer la tête des scientologues, des mormons ou des raëliens ?

Toutes ces questions se résument à se demander comment concilier la liberté et la sécurité. Jusqu'à quand, en Occident, va-t-on préférer les excès des caricaturistes aux excès des censeurs ?

‖‖‖‖‖‖‖‖‖‖‖‖‖‖‖‖ Les assassinats « fratricides » : la fin des espoirs américains
21 septembre 2012 **en Afghanistan**

« Ce n'est qu'un incident isolé ! » mentaient jusqu'à maintenant les porte-paroles des forces occidentales en

Afghanistan lorsqu'ils devaient confirmer, à contrecœur, que des soldats ou des policiers afghans s'étaient attaqués à leurs mentors américains ou alliés.

Après l'assassinat, depuis le début de l'année, de 51 soldats américains et de l'OTAN, le haut commandement occidental a été contraint, cette semaine, devant l'ampleur du phénomène, de mettre fin aux opérations conjointes entre ses forces et l'armée et la police afghanes. Les Occidentaux craignent tellement des attaques sournoises de leurs alliés afghans que leurs soldats ont maintenant l'ordre de ne jamais se départir de leurs armes chargées, même à l'intérieur de leurs camps fortifiés. Ils dorment dorénavant avec leurs fusils à portée de main. La confiance règne !

Le secrétaire à la Défense des États-Unis, Léon Panetta, continue, lui, à nier l'évidence en soutenant que c'est la preuve que les talibans en sont à leur dernier souffle. Ça rappelle l'infâme Dick Cheney qui déclarait en 2005 que l'insurrection irakienne était « dans ses derniers soubresauts ».

Le commandant en chef dans le pays, le général John Allen, tente lui, gauchement, de minimiser l'affaire en affirmant que la plupart des tueurs sont motivés par des ressentiments personnels envers les Américains et qu'ils ne rejoignent les talibans qu'après leur félonie. Qu'est-ce que ça change, idiot ? Les résultats sont les mêmes.

Les spécialistes estiment qu'entre le quart et le tiers des membres des forces de sécurité afghanes n'est pas fiable et est susceptible de retourner ses armes contre les Américains avant de passer du côté des talibans.

Dans un rapport interne, rendu public par le magazine *Rolling Stone*, l'année dernière, le lieutenant-colonel Daniel Davis, après une mission d'inspection partout en Afghanistan, écrivait que dans toutes les régions les forces de sécurité afghanes font des pactes de non-agression avec les talibans locaux avec qui elles ont souvent des liens familiaux ou tribaux. Il rapportait que dans plusieurs secteurs, elles étaient carrément de connivence avec leurs supposés ennemis.

Les assassinats «fratricides» ont détruit ce qui restait de confiance de l'OTAN dans les forces afghanes et renforcent le moral des talibans. Plus forts que jamais, ils mènent des attaques dans la capitale, Kaboul, et contre des bastions de l'OTAN. Une vingtaine de commandos suicides ont attaqué récemment une base britannique, détruisant six avions Harrier. Coût de l'opération? Pratiquement nul pour les talibans (des martyrs sont allés rejoindre Mahomet au ciel). Pour les Anglais : 180 millions de dollars.

La guerre en Afghanistan coûte aux États-Unis 100 milliards de dollars par année. C'est la dépense inutile que paient les contribuables américains pour sauver la face des généraux de la plus formidable armée de l'histoire, incapable de vaincre des va-nu-pieds enturbannés motivés par la foi religieuse et la haine de l'étranger.

L'administration Obama et le Pentagone savent depuis des années que la guerre est perdue. Ils espéraient pouvoir sauver la face en laissant au gouvernement corrompu de Karzai une armée et une police capables de stabiliser la situation pendant quelques années après leur départ en 2014. Ils voulaient créer un «intervalle décent», pour reprendre le mot de Kissinger au sujet du Viêt Nam, entre leur retrait et l'effondrement du régime Karzai.

La guerre en Afghanistan est vouée actuellement à un échec si complet et définitif qu'il va être impossible aux Américains de sauver la face devant le désastre final.

Malheureusement pour le peuple afghan, le départ des armées occidentales ne signifiera pas la paix, mais une nouvelle guerre civile entre les différentes factions des talibans et des seigneurs de la guerre locaux, chacun ayant des appuis différents : Islamabad, New Delhi, Washington et Téhéran.

Welcome to Her Britannic Majesty's Canadian Embassy.
24 septembre 2012 **Speak english, please !**

Il a fallu attendre le Statut de Westminster (1931) pour que la Grande-Bretagne octroie au Canada sa pleine souveraineté internationale et lui confère le droit d'avoir ses propres ambassades à l'étranger. Dans ce domaine, le Québec avait précédé le Canada en ouvrant en France une première représentation internationale qu'il cédera éventuellement au Canada lorsque celui-ci commencera à créer son propre service diplomatique. Et voilà maintenant que le gouvernement anglophile de Stephen Harper fait marche arrière. Pour des raisons d'économie (dit-il), il va partager avec la Grande-Bretagne certaines ambassades dans le monde.

Vous me direz que c'est normal puisque le Canada est un pays anglophone qui a la reine d'Angleterre comme souveraine. Le premier ministre Harper a d'ailleurs donné récemment l'instruction aux Affaires étrangères de placer la photo de notre gracieuse souveraine à la place d'honneur qui lui revient dans toutes nos ambassades. Je me demande si on va aussi les faire régresser en les renommant les « Affaires extérieures ».

Ce que j'aime des conservateurs, c'est qu'ils sont francs. Avec eux on sait où on s'en va.

Cette initiative entre parfaitement dans leur grand projet de resserrer les liens, déjà étroits, qui nous relient à la mère patrie britannique et de donner au Canada un caractère et un visage de plus en plus anglais. Les idéologues de droite au Canada, aux États-Unis et en Grande-Bretagne appellent de tous leurs vœux la création d'une « anglosphère politique » mondiale qui regrouperait le Commonwealth « blanc » et les États-Unis.

L'initiative est totalement absurde du simple point de vue de l'image du Canada. Verrait-on d'anciennes colonies de la France ou de l'Espagne annoncer qu'elles vont demander à leur ancienne métropole de les représenter dans certains pays de la planète?

Nous n'avons pas les mêmes intérêts que la Grande-Bretagne dans de nombreux domaines économiques, politiques et stratégiques. Comment l'ambassade du Canada va-t-elle pouvoir servir les intérêts de la Grande-Bretagne dans le cas où Ottawa et Londres auraient des positions contraires ou concurrentes? Je pense par exemple à la guerre d'Irak où les Anglais se sont engagés aux côtés des Américains, alors que nous avons refusé d'y participer. Ce fut le cas aussi lors de l'intervention franco-britannique de Suez, condamnée par le Canada. Lester Pearson doit se retourner dans sa tombe. Les services en français seront-ils disponibles pour les Québécois dans les ambassades de Sa Majesté britannique? Ils pourront difficilement être pires que ceux offerts par certaines représentations diplomatiques canadiennes.

Ce n'est que la dernière manifestation en date de l'intention du gouvernement Harper d'enterrer les derniers vestiges du mensonge centenaire, entretenu par des générations de «bon-ententistes» québécois, qui voulaient que le pays soit issu de deux peuples fondateurs, anglais et français. La majorité anglophone n'en a jamais eu rien à cirer de ce mythe. Pour elle, s'il y a effectivement deux peuples fondateurs au Canada, ce sont les Anglo-Saxons et les autochtones. Il y a aussi d'autres peuples qui sont venus s'ajouter à ces deux populations fondatrices: les Chinois, les Indiens, les Pakistanais et une petite minorité francophone en voie de disparition, issue des vaincus de 1760.

Des diplomates britanniques qui défendent les intérêts du Canada. Ça n'a aucun sens. Mais le gouvernement Harper va quand même aller de l'avant. Ne serait-ce que pour faire un pied de nez au Québec. Regardez comme je vous méprise. Les dernières élections fédérales ont démontré que je n'ai plus besoin de votre appui politique pour gouverner. Votre vote stupide pour le NPD m'a permis de faire la preuve de votre insignifiance politique grandissante au fédéral. Vous êtes des «*Dead Men Walking*»! Une population de petits vieux. Votre déclin démographique fait que jamais plus vous n'aurez d'influence significative sur la politique canadienne. *Long Live the Queen*!

La commission Charbonneau : les témoins qu'on aimerait tous entendre

26 septembre 2012

De préambules en introductions et préfaces, la commission Charbonneau n'en finit pas de commencer. Quand diable va-t-on en arriver au cœur du sujet : la corruption au Québec et les multiples complicités entre la mafia, des affairistes, la FTQ et le Parti libéral? La liste des témoins qui vont comparaître est secrète. Pour aller au fond des choses, il va falloir que la commissaire Charbonneau pose les vraies questions aux différents personnages qui ont été au centre des révélations médiatiques depuis quatre ans.

Pour éclairer les énigmes liées aux «affaires» qui ont fait les manchettes et qui sont restées en suspens, voici ceux qui, selon moi, devraient être appelés devant la commission et les questions que j'aimerais qu'on leur pose :

Tony Accurso. Donnez-nous la liste nominative des politiciens, des fonctionnaires et des dirigeants syndicaux qui ont été invités sur votre bateau. Quels partis politiques, quels élus fédéraux, québécois et municipaux avez-vous financés, directement ou indirectement? Combien contrôlez-vous d'entreprises? Comment avez-vous financé ces acquisitions depuis que vous avez succédé à votre père après l'assassinat de votre beau-frère, Mario Taddeo? Possédez-vous des placements et des investissements à l'étranger? Lesquels? Qui sont les dirigeants de la FTQ avec qui vous entretenez des relations d'amitié depuis Louis Laberge?

Frank Zampino. Expliquez-nous vos liens avec Tony Accurso et Frank Catania. Quelle était la fréquence de vos rencontres? On y discutait de quoi? Pourquoi l'agence de sécurité BCIA assurait-elle la surveillance de votre résidence à titre gracieux? Quelle est la menace qui planait sur vous? Est-ce que l'expression «*fabulous fourteen*» vous dit quelque chose?

Gérald Tremblay. Vous avez affirmé, avant votre réélection, que vous étiez au courant de certaines irrégularités dans l'attribution de contrats à Montréal depuis une dizaine d'années sans donner plus de détails. On aimerait savoir exactement ce que vous en saviez, de qui vous teniez ces informations et pourquoi vous n'avez jamais rien fait pour mettre un terme à la situation avant les révélations de Radio-Canada. Quel suivi avez-vous fait de l'attribution du contrat des compteurs d'eau de 300 millions de dollars? Combien de fois en avez-vous parlé avec Zampino et quel était l'objet de ces conversations?

Yvan Delorme. Pourquoi avez-vous confié, sans contrat et sans appel d'offres, la surveillance du QG du SPVM à l'agence de sécurité de Luigi Coretti? Dans quelles circonstances avez-vous fait sa connaissance? Avez-vous eu des discussions avec des personnes liées au gouvernement libéral au sujet du renouvellement de votre mandat à la tête du SPVM, alors que vous faisiez l'objet d'une enquête à cause de vos relations avec Coretti?

Luigi Coretti. Comment avez-vous financé l'acquisition et le développement de l'agence de sécurité BCIA ? Quels liens entretenez-vous avec le libéral Pietro Perrino ? Comment avez-vous obtenu pour BCIA le contrat de la Société des alcools du Québec (SAQ) ? Parlez-nous des autres contrats que vous avez obtenus d'entités publiques ou parapubliques et des personnes que vous avez rencontrées pour les obtenir. Pourquoi avez-vous demandé un permis de port d'armes à Jacques Dupuis, le ministre de la Sécurité publique ? Qui vous menaçait ? À part votre ami Tony Tomassi, est-ce que d'autres ministres sont intervenus de votre part auprès de Dupuis ?

Jacques Dupuis. Pourquoi avez-vous décidé d'intervenir auprès du directeur de la SQ pour obtenir un permis de port d'armes pour Luigi Coretti ? Quelle raison vous a-t-il donnée pour expliquer sa demande ? Qui a fait pression sur vous à ce sujet ? Depuis quand connaissez-vous Coretti ? Comment qualifieriez-vous vos liens avec Yvan Delorme ? Étiez-vous au courant de ses liens avec Luigi Coretti ? Si oui, comment avez-vous été mis au courant ? Y a-t-il un lien entre votre démission, la démission d'Yvan Delorme et un rapport de surveillance sur ce dernier établi par des enquêteurs privés à la demande de Pierre Reid, le contrôleur de la Ville de Montréal ?

Est-ce que je pense que ces individus vont être appelés devant la commission pour répondre à ces questions ? Certains, peut-être. À toutes ces questions ? Jamais de la vie.

Le maire Tremblay est une pathétique caricature de lui-même. Mais Montréal l'aime !

28 septembre 2012

Toute personne le moindrement lucide ne croit pas un traître mot de ce que raconte le maire de Montréal quand il prétexte son ignorance complète du système de corruption et de collusion dans lequel il patauge, depuis qu'il a laissé Montréal devenir un cloaque mafieux.

Cela n'empêche pas une confortable pluralité des électeurs de la ville de voter pour lui. Une bonne partie des informations qui sortent actuellement devant la commission Charbonneau avaient été rendues publiques par les médias avant la dernière élection municipale. On doit tristement constater que ça n'a pas préoccupé outre mesure les Montréalais qui l'ont réélu*. La majorité d'entre eux est trop préoccupée par le hockey, Loto-Québec et les téléréalités pour perdre son temps précieux à suivre ces questions de droit et d'éthique complètement hors de portée de sa capacité cognitive de primate.

Cette chronique s'adresse donc aux autres, à ceux que le comportement de clown ubuesque de Gérald Tremblay fait grimper aux rideaux.

Il est encore une fois venu se lamenter avec son air de grand flan mou piteux qu'il ne savait rien de ce qui se passait autour de lui : « Lorsque j'ai vu les images à la télévision, comme citoyen, comme maire de Montréal, j'ai été profondément choqué [...]. On aurait dû avoir accès à cette information bien avant. »

La nouvelle selon laquelle un agent de la GRC dans un procès en Italie a déclaré en 2010 que la mafia percevait une taxe sur tous les contrats de construction à Montréal-en-Sicile a échappé à la mauviette pathétique. Notons que pour protéger la mainmise mafieuse sur la ville, le parti du maire, majoritaire, a battu l'année dernière une motion de l'opposition qui réclamait que la police soit consultée lors de l'octroi de contrats.

Totalement inacceptable pour Tremblay ! Ça aurait empêché les Siciliens d'empocher leur juste part et d'en ristourner une partie au PLQ. Faut pas décourager le club social Consenza.

Sans s'esclaffer, Tremblay a dit que son parti, Union Montréal, n'a pas les mains sales : « S'il y a des personnes dans mon entourage qui ont abusé de ma confiance, que la justice suive son cours. » L'innocence a des limites même pour un ahuri comme lui. Il est le seul à avoir échappé à la police parmi le gang de filous libéraux qui constitue son entourage immédiat. Pour l'instant.

Voici donc le portrait de ses proches collaborateurs pris dans les filets de la police et les accusations qui pèsent contre eux. D'autres sont à venir.

Bernard Trépanier. Fraude, complot, abus de confiance, fraude envers le gouvernement. Responsable du financement du parti du maire, Union Montréal. Surnommé « Monsieur 3 % ». C'est l'argent qu'il exigeait que les entrepreneurs versent à Union Montréal pour obtenir des contrats. Tremblay n'en savait rien. Il pensait que l'argent poussait dans les arbres.

Frank Zampino. Fraude, complot et abus de confiance. La police a qualifié Zampino de « tête dirigeante » du stratagème visant à favoriser le promoteur immobilier mafieux Frank Catania qui lui aurait versé des pots-de-vin. L'ami et bras droit de Tremblay a quitté son poste de président du comité exécutif en 2008 pour devenir vice-président principal d'une compagnie de Tony Accurso. Zampino avait admis avoir séjourné sur le yacht d'Accurso alors qu'une de ses entreprises participait à un appel d'offres pour le plus important contrat de l'histoire de la ville, 356 millions de dollars. Accurso l'a remporté. Le contrat a été résilié à la suite du scandale. Accurso exige 33 millions en indemnisation.

Martial Fillion. Fraude, complot, abus de confiance. Il a été chef de cabinet du maire avant de devenir directeur général de la Société d'habitation et de développement de Montréal (SHDM). Il a démissionné en 2008, après qu'une vérification comptable eut permis de découvrir qu'il avait versé sans autorisation 8,3 millions de dollars au groupe Catania. Libéral notoire, il a appris à magouiller dans l'entourage de Robert Bourassa où grouillait également son ami Claude Trudel, le maire de Verdun. L'épouse de Fillion, Francine Senécal, était vice-présidente du comité exécutif de Zampino. Elle a démissionné en 2008 au moment du scandale autour du projet Faubourg Contrecœur de Catania.

Tremblay n'a rien vu, rien su, rien entendu des activités criminelles de ses hommes de confiance. Des crimes commis au profit de son parti et dans son intérêt. Si vous êtes assez cons, assez débiles pour croire cela, vous êtes parmi les Montréalais qui lui accordent leur confiance et leur vote.

À la place des chefs de deux partis d'opposition, je serais totalement déprimé devant la connerie indécrottable des électeurs montréalais. Ils méritent le maire qu'ils ont.

Allez. Consolons-nous. Allons manger des glaces chez Ital Gelati.

* Comme cela a été noté par un lecteur dans un commentaire de ma chronique, les Anglais et les Italiens ont voté massivement pour le libéral Tremblay parce que la principale opposante, Louise Harel, est une ancienne ministre du Parti québécois.

L'intervention américaine en Irak : une des grandes folies de l'histoire

1er octobre 2012

Barbara Tuchman a écrit un livre célèbre, *The March of Folly : From Troy to Vietnam* (New York, Ballantine Books, 1985), une réflexion sur les aberrations qui amènent des dirigeants à faire des guerres qui vont à l'encontre manifeste de l'intérêt national. Si elle était encore vivante, je suis convaincu qu'elle voudrait mettre à jour son étude sur la déraison d'État dans l'espace et le temps pour y inclure la guerre d'Irak. On assiste actuellement à un autre dérapage de cette malheureuse aventure qui n'en finit pas de mal tourner.

Dans la guerre civile en Syrie, Washington et Bagdad sont dans des camps opposés. Les Américains et leurs alliés sunnites appuient les factions rebelles, également soutenues par al-Qaida, alors que l'Iran chiite et le gouvernement chiite irakien appuient Bachar al-Assad et les Alaouites, une secte chiite. Le premier ministre irakien, Nouri al-Maliki, a affirmé publiquement que son gouvernement rejetait toute tentative de le renverser par la force.

D'ailleurs, les dirigeants irakiens prennent bien soin de se distancier des États-Unis et de clamer qu'ils ne sont pas les alliés de ceux qui les ont mis en place : « Nous essayons d'adopter une position indépendante [...] Les choses ne sont pas noires ou blanches », a souligné le ministre des Affaires étrangères Zebari pour expliquer la politique de l'Irak en Syrie.

Même la position officielle de non-ingérence de Bagdad dans le conflit est une tromperie. Washington est placé ces jours-ci dans la position humiliante de demander à Bagdad d'interdire son espace aérien aux avions iraniens qui ravitaillent en armes et en matériel le régime syrien.

Les États-Unis menacent d'interrompre leur aide économique et militaire à l'Irak s'ils n'obtiennent pas satisfaction. Pour faire semblant, Bagdad a annoncé qu'il allait dorénavant inspecter, au hasard, certains des avions iraniens qui survolent son territoire. La manœuvre est ridiculement transparente. Il suffit au gouvernement chiite de s'entendre secrètement avec ses amis de Téhéran sur les avions qui vont être soumis aux contrôles pour s'assurer de ne rien trouver.

Jamais le premier ministre Nouri al-Maliki ne va laisser tomber Téhéran sans qui il ne pourrait rester au pouvoir. Lorsqu'il a fait face à une révolte parlementaire cette année, Téhéran est intervenu à sa demande pour forcer des opposants à se rallier à sa politique.

Et la chute inévitable d'Assad va avoir pour conséquence d'amener Téhéran à resserrer encore plus son étreinte sur Bagdad.

La guerre religieuse syrienne déborde au Liban et en Irak où le gouvernement Maliki fait déjà face à une insurrection sunnite qui, mois après mois, tue des dizaines de chiites irakiens dans des attentats à la bombe. Du côté irakien de la frontière, Washington défend le gouvernement chiite. Les États-Unis ont vendu pour deux milliards de dollars d'armes à l'Irak en 2012, dont des chars. Plus de 30 chasseurs F-16 seront le fer de lance de la nouvelle aviation militaire irakienne qui est en train d'être constituée avec la collaboration d'une mission militaire américaine.

Le conflit sectaire qui enflamme le monde musulman empêtre les États-Unis pour des décennies dans des guerres à la chaîne où il leur sera impossible de distinguer leurs amis de leurs ennemis (comme au Pakistan).

Peu de guerres dans l'histoire auront eu des conséquences aussi aberrantes et déterminantes que la guerre d'Irak qui a ravivé le conflit plus que millénaire entre chiites et sunnites.

Trudeau junior : la dernière chance des libéraux fédéraux

3 octobre 2012

Tout avait été méticuleusement préparé par les anciens complices de son papa, dont le fourbe en chef, Marc Lalonde, et son odieux homme de main, André Ouellette. Les deux vieux forbans étaient d'ailleurs à ses côtés lors de l'annonce. C'est probablement Lalonde qui a rédigé le discours de Justin avec ses lieux communs typiques de l'époque de son père : une demi-heure d'appel aux Canadiens, aux Canadiennes de tous les horizons, de toutes les croyances, de toutes les origines, bla-bla-bla, pour construire un monde meilleur et renforcer l'unité nationale. Pas une banalité, pas un poncif, pas un mensonge trudeauiste ne manquait.

Je suis convaincu que ça va marcher. D'abord au Canada anglais, toujours aussi incapable de produire des politiciens captivants. À moins que vous considériez Stephen Harper, Joe Clark, Lester Pearson ou Mackenzie King comme des personnalités charismatiques.

Et ça va aussi marcher au Québec parce qu'une partie significative de notre population moutonneuse et complexée va s'emballer à cause de l'effet médiatique inévitablement positif. Ai-je besoin de rappeler le phénomène Layton ? Ça va être fascinant d'observer le rôle de la grosse machine de propagande libérale qui s'appelle Radio-Canada, toujours aux mains de trudeauistes purs et durs.

Trudeau fils a vanté les réalisations de son père dans le discours qui était essentiellement destiné au Canada anglais. C'est le seul auditoire qui compte pour lui. Le Parti libéral est décimé au Québec et les conservateurs de Harper ont fait la preuve qu'on peut désormais gouverner le Canada en se fichant éperdument du Québec français. La petite minorité en voie de se « louisianiser » sous l'effet conjugué du déclin démographique, de l'immigration et de la léthargie béate d'une population vieillissante.

La preuve que *Junior* (prononcez à l'anglaise) s'adressait avant tout aux *Canadians* comme lui, c'est qu'il a choisi de mentionner parmi les grandes réalisations de son père le rapatriement unilatéral de la Constitution, refusé unanimement par tous les partis politiques de l'Assemblée nationale du Québec depuis 1982.

Justin Trudeau est la dernière chance du Parti libéral du Canada en voie d'extinction. Le grand parti de Laurier et de Trudeau est maintenant absent de la plupart des régions du pays. Un quarteron de députés libéraux résiste encore en Ontario. Imaginez! Les derniers châteaux forts libéraux sont l'Île-du-Prince-Édouard et quatre circonscriptions anglo-ethniques de Montréal.

La prise du pouvoir de justesse par le Parti québécois va aider Trudeau Jr dans sa campagne au leadership libéral. Le Canada anglais, on l'a vu par ses réactions à la suite de l'élection du mois de septembre, exige de ses politiciens qu'ils écrasent définitivement les dernières velléités d'affirmation nationale au Québec. Les *Canadians* applaudissent tous les bons coups de Harper en ce sens. La seule chance des libéraux de reprendre le pouvoir est de se montrer encore plus durs que les conservateurs face aux revendications du Québec. Mulcair, qui dépend d'une députation majoritairement québécoise, est hors jeu.

Trudeau *Junior* est l'homme de la situation. Il est profondément *Canadian* par sa mère (il maîtrise mieux l'anglais que le français), par son éducation et par le mépris hautain que son père lui a inculqué à l'endroit du Québec. Comptez sur lui pour faire de la surenchère si c'est requis pour lui assurer des appuis majoritaires au Canada anglais.

Il y a quelques années, Justin Trudeau a incarné, dans *The Great War*, une série télévisée de la CBC visant à mousser le nationalisme *canadian*, un ambitieux illusionniste nommé Talbot Mercer Papineau. Descendant de Louis-Joseph Papineau, il convoitait une carrière à Ottawa en se servant du prestige de son nom et en se faisant passer pour un Canadien français, alors qu'il était un Anglo-protestant d'origine américaine par sa mère. Je m'étais dit à l'époque que Justin était vraiment idéal pour le rôle.

Obama doit se remettre de son K.-O. : la paix du monde en dépend

5 octobre 2012

Comme beaucoup d'observateurs politiques, je croyais que la campagne électorale américaine était terminée. Obama avait plusieurs points d'avance sur Romney et le devançait dans les États clés. Les trois débats télévisés ne feraient qu'accroître l'avance du candidat démocrate sur son adversaire républicain qui multipliait les gaffes.

Dès les premières minutes du débat de cette semaine, je me suis dit que quelque chose n'allait pas. Obama, considéré comme un des meilleurs orateurs parmi les présidents américains, se révélait d'une telle médiocrité que je me suis demandé s'il n'était pas en burn-out ou pris d'un malaise soudain qui allait l'obliger à interrompre le débat. Il était hésitant, cherchait ses idées et ses mots, manquait d'assurance. Hébété et indolent, il laissait son adversaire dire des faussetés sans le reprendre.

Ce premier débat a été un désastre pour Barack Obama. Tous les sondages indiquent que l'immense majorité des téléspectateurs – ils étaient 67 millions – a considéré que Mitt Romney avait facilement triomphé. Certains pensent même que ce débat va ouvrir la porte de la Maison-Blanche aux républicains. C'est aller vite en affaire. On va d'abord voir ce qui va se passer au cours des deux prochaines confrontations télévisées entre les deux candidats.

Une chose est certaine : la victoire de Romney sur Obama redonne vie à une campagne électorale républicaine moribonde.

Les bailleurs de fonds républicains qui étaient de plus en plus réticents à financer un perdant vont de nouveau lui signer des chèques.

J'ai beaucoup de réserves envers Obama. Il a trahi une bonne partie de ses engagements de 2008. Il se prétendait l'homme du changement. Il s'est révélé l'homme de la continuité. Un George W. Bush plus intelligent, plus cultivé, plus montrable. Cela a été particulièrement vrai pour la politique étrangère où il a poursuivi les guerres de son prédécesseur et maintenu son appui inconditionnel à Israël malgré les crimes commis par cet État et son mépris du droit et des conventions internationaux.

Il a aussi refusé de poursuivre Bush, Cheney, Rumsfeld et leur entourage pour les crimes qu'ils ont commis. Il y a peut-être une explication à cela. Sous son administration, les agents de la CIA n'enlèvent plus de suspects à l'étranger pour les envoyer se faire torturer par des régimes dictatoriaux amis. Obama préfère les tuer à l'aide de drones téléguidés. Sous son autorité des dizaines de suspects – dont des citoyens américains – ont été assassinés depuis quatre ans dans une demi-douzaine de pays du monde musulman sans autre forme de procès. La Maison-Blanche d'Obama refuse de révéler selon quels critères les cibles sont choisies. Ces assassinats par drones contreviennent au droit international et même au droit américain lorsque des citoyens américains sont ainsi abattus. Dans la plupart des attaques recensées, des civils – femmes, vieillards, enfants – se trouvant à proximité des cibles sont aussi tués. Les organisations humanitaires estiment les «dommages collatéraux» des drones d'Obama à plusieurs milliers de morts depuis son arrivée au pouvoir. Avec ce bilan, difficile de poursuivre ses prédécesseurs.

Malgré tout cela, j'espère qu'Obama sera réélu. L'élection de son adversaire, Mitt Romney, serait désastreuse pour les États-Unis et mettrait en danger la paix mondiale. Romney s'est engagé, aussi incroyable que cela puisse paraître, à laisser

Israël et Netanyahou décider de la politique américaine au Moyen-Orient, en particulier au sujet de l'Iran.

Avec Romney, c'est le Tea Party, l'extrême droite délirante, ignorante et fière de l'être, du Parti républicain qui inspirerait la nouvelle administration. Pas que lui-même adhère à tout ce fatras idéologique imbécile, mais Romney devra, en partie, orienter sa politique en fonction de ses partisans les plus motivés et les plus argentés. Une administration Romney serait l'une des plus réactionnaires, culturellement régressives et va-t-en-guerre de l'histoire des États-Unis.

Au Québec les renégats et les héros se confondent de Salaberry à Trudeau

8 octobre 2012

Vingt-huit millions de dollars. C'est la somme que le gouvernement Harper va dépenser pour commémorer la guerre de 1812, opposant l'armée américaine à l'armée britannique. Longtemps oubliée au Québec, elle était l'objet d'un souvenir vague en Ontario, surtout à cause des bonbons Laura Secord nommés en l'honneur de l'une des héroïnes du conflit.

Le Canada anglais de l'époque était majoritairement constitué de loyalistes, des Américains qui, pour rester fidèles au roi d'Angleterre, avaient déménagé leurs pénates au Haut-Canada et dans les Cantons-de-l'Est où la Couronne leur avait donné des terres pour les remercier de leur fidélité. En Estrie, l'objectif stratégique de Londres était d'établir un cordon sanitaire entre le Québec français de la Vallée du Saint-Laurent et la révolution américaine.

C'est difficile de considérer la guerre de 1812 comme une victoire canadienne puisque le Canada n'existait pas et que les officiers qui commandaient les forces britanniques et les milices coloniales étaient Anglais. La commémoration de 1812 entre parfaitement dans la stratégie du gouvernement Harper de réaffirmer l'appartenance du Canada à la Couronne britannique. Pour Harper, le Canada et l'Angleterre ne font qu'un.

Les Anglais ont effectivement gagné cette guerre dans la mesure où les Américains n'ont pas conquis le Canada et où les forces britanniques ont même réussi à s'emparer de la nouvelle capitale américaine, Washington, pour y incendier la Maison-Blanche et le Capitole. Ce fait d'armes rend ridicules les prétentions de certains historiens américains qui soutiennent que la guerre s'est terminée par un match nul.

Au Québec on met l'accent sur Charles-Michel de Salaberry qui a arrêté, à Châteauguay, une force d'invasion américaine qui avançait sur Montréal. Il est présenté dans la propagande actuelle du gouvernement du Canada comme un grand héros québécois.

Dans les faits, lui et sa famille sont des traîtres qui, pendant trois générations, ont renié leurs racines. Les seigneurs de Salaberry, après avoir servi la France, se sont mis au service du roi d'Angleterre. Comme plusieurs seigneurs après la Conquête, ils se sont intégrés à la nouvelle élite britannique qui s'installait ici, achetant leur seigneurie et mariant leurs filles.

Le père du vainqueur de Châteauguay, Ignace de Salaberry, se lia d'amitié avec le prince Edward, un des fils de George III. Il en profita grandement et fit profiter ses descendants du patronage du prince. Lui-même et ses trois fils servirent dans l'armée britannique. Ainsi son fils, Charles de Salaberry, était un officier de Sa Majesté et très fier de l'être. Je ne l'insulte pas en disant cela. Il combat la France révolutionnaire dans les Antilles et, ensuite, Napoléon en Europe.

Le reniement courait dans les gènes de la famille Salaberry. Son fils, Melchior-Alphonse de Salaberry, un lieutenant-colonel britannique, participa à la répression durant les troubles de 1837-1838. Il repoussa l'attaque des Patriotes contre le fort Chambly. Certains de ses subalternes l'accusèrent cependant de lâcheté.

Son frère cadet, Charles-René-Léonidas de Salaberry, après avoir lui aussi servi dans l'armée britannique, ne fit jamais rien d'autre dans la vie que de vivre du prestige de son nom qui lui assura une succession de postes secondaires dans l'administration coloniale. Il était un des représentants du gouvernement fédéral lors du premier soulèvement métis à la Rivière-Rouge en 1869-1870. Louis Riel refusa de négocier avec lui.

C'est une de nos caractéristiques ici au Québec d'honorer les traîtres et les renégats. D'abord parce que notre histoire a largement été écrite par des clercs et que l'Église catholique s'est longtemps faite l'auxiliaire du pouvoir anglais. Ensuite, parce que le gouvernement fédéral est le successeur direct du pouvoir colonial britannique. Comme Harper entend nous le rappeler à toutes les occasions, propices ou pas.

Sous les conservateurs comme sous les libéraux, on honore les Judas de chez nous. Si les Québécois avaient été consultés, pensez-vous vraiment que l'aéroport de Dorval porterait le nom de Pierre Elliott Trudeau, l'homme qui a fait emprisonner 467 personnes sans qu'aucune accusation soit portée contre elles lors de la crise d'Octobre et qui a rapatrié la Constitution sans l'aval du Québec ? Son fils suit ses traces. Comme les fils de Salaberry.

Les télécoms chinoises mouchardent comme les canadiennes et les américaines

10 octobre 2012

Deux géants chinois des télécommunications, Huawei Technologies Co., Ltd. et ZTE Corporation, des leaders mondiaux de matériel de télécommunications et de téléphones mobiles, sont pointés du doigt par un comité de la Chambre des représentants des États-Unis comme des menaces à la sécurité nationale.

Fondé par un ancien ingénieur militaire chinois, Huawei est rapidement devenu le deuxième équipementier mondial de télécoms. Son chiffre d'affaires américain atteint 1,3 milliard. ZTE Corporation est le quatrième plus grand fabricant mondial de téléphones mobiles.

Huawei fait aussi des affaires au Canada, notamment avec Bell et TELUS. Elle est en train de préparer un projet de réseau sécurisé pour le gouvernement fédéral. Sans doute une coïncidence : depuis deux ans, de mystérieux cyberpirates chinois ont attaqué des entreprises canadiennes et se sont infiltrés dans les systèmes informatiques du gouvernement fédéral.

Le rapport du comité affirme que Washington devrait les empêcher de réaliser des fusions et des acquisitions aux États-Unis. Il recommande aussi que les systèmes informatiques du gouvernement des États-Unis ne comprennent pas de composants des deux entreprises parce que cela pourrait représenter un risque d'espionnage.

Selon le rapport, le matériel et les logiciels malveillants implantés dans les composants de télécommunications fabriqués en Chine pourraient permettre à Pékin d'arrêter ou de dégrader les systèmes critiques pour la sécurité nationale en temps de crise ou de guerre.

Est-ce encore une tentative d'élus américains pour limiter la concurrence étrangère et favoriser des entreprises américaines incapables de les concurrencer ? On pense aux manœuvres pour bloquer l'entrée aux États-Unis de médicaments et de bois d'œuvre canadiens. Les Américains sont les apôtres du libre-échange seulement quand ça les arrange.

Les Américains ont sans doute raison de se méfier des Chinois. Ils leur reprochent de faire comme eux. Il est hautement probable que les équipementiers chinois ont introduit dans leurs systèmes des « trappes » leur permettant d'en tirer des renseignements et d'en influencer le fonctionnement. C'est exactement ce que font les grandes sociétés de télécoms occidentales, dont celles du Canada et des États-Unis.

Un cas que je cite souvent est celui des BlackBerry. Son chiffrement a été développé par RIM en collaboration avec la National Security Agency américaine et le Centre de la sécurité des télécommunications Canada, l'organe d'écoute électronique du gouvernement fédéral. Les services de sécurité des deux pays ont accès à toutes les informations qui circulent sur le réseau mondial BlackBerry. Les services de sécurité étrangers en sont parfaitement conscients. L'Union européenne, la France et plusieurs autres pays interdisent à leurs hauts fonctionnaires d'utiliser ces appareils pour cette raison.

La surveillance électronique des systèmes de communication mobile est généralisée depuis les années 1990. Des conférences ultrasecrètes appelées International Law Enforcement Telecommunications Seminar (ILETS) réunissent les services de sécurité et de renseignement des principaux pays producteurs de téléphones mobiles pour établir des normes techniques communes afin de permettre l'accès clandestin par les gouvernements à tous les appareils. Une de ces réunions s'est déroulée au siège du SCRS à Ottawa. On s'y entend sur la façon d'activer le téléphone à l'insu de l'utilisateur, sur les meilleurs moyens d'écouter les conversations et de capter les échanges de données, sur les méthodes pour relever les mots de passe et les codes d'accès ainsi que sur les techniques de géolocalisation de l'utilisateur à l'aide du GPS intégré.

L'espionnage et les manipulations informatiques clandestines vont beaucoup plus loin. De nos jours, tous les systèmes militaires : avions, chars, navires, canons, drones sont largement informatisés. Tous les grands fabricants d'armes, Américains, Russes, Français, etc., introduisent dans leurs produits exportés des accès informatiques clandestins.

Les Chinois font comme tout le monde. Il faut les inviter aux réunions ILETS.

Caveat emptor !

llllllllllllllllllllllllll La crise des missiles d'octobre 1962 : 13 jours où le monde 12 octobre 2012 retint son souffle

Ce mois-ci marque le 50ᵉ anniversaire de la crise des missiles de Cuba. Elle commence le 14 octobre 1962, lorsque des photos prises par un avion américain espion U-2 révèlent la présence d'armes nucléaires soviétiques à Cuba. Le secrétaire à la Défense Robert McNamara écrit dans ses mémoires que le 27 octobre 1962, alors que la crise atteignait son paroxysme, il leva les yeux vers le ciel, en sortant de la Maison-Blanche, et se demanda s'il n'allait jamais voir un autre coucher de soleil.

Les Soviétiques avaient décidé de placer des missiles sur l'île pour répondre au déploiement par les États-Unis de missiles nucléaires de portée intermédiaire en Italie et en Turquie. Ces missiles étaient capables de frapper Moscou rendue ainsi plus vulnérable. Jusqu'alors, la capitale soviétique était surtout sous la menace de bombardiers stratégiques, beaucoup plus lents, et des missiles basés en territoire américain.

J'ai beaucoup de réserves au sujet du président Kennedy, mais il faut reconnaître que dans cette crise il a été à la hauteur de la situation. Inébranlable dans sa détermination de forcer les Soviétiques à retirer leurs missiles de Cuba, il a aussi habilement trouvé le moyen d'éviter une guerre nucléaire. Au début de la crise, ses conseillers militaires le poussaient vers une frappe aérienne contre missiles russes et une invasion de Cuba, qui auraient inévitablement mené à une confrontation majeure entre les États-Unis et l'URSS.

Plusieurs participants et des spécialistes ont, après coup, minimisé la crise en affirmant que le résultat était prévisible et que Khrouchtchev n'avait pas le choix de reculer. Les États-Unis avaient un avantage de dix-sept contre un en armement nucléaire et les sites de missiles soviétiques étaient vulnérables. Mais on ne pouvait écarter la possibilité que les Russes lancent un ou deux missiles sur des villes américaines avant que l'aviation américaine détruise leurs bases de lancement. Le risque était suffisant pour convaincre Kennedy de refuser une première frappe.

Son idée géniale a été d'imposer un blocus – un acte de guerre – contre toute livraison supplémentaire de missiles à Cuba, mais de ne jamais l'appeler ainsi. Les États-Unis n'utiliseront que le mot «quarantaine» pour décrire leur blocus de Cuba. C'était pour permettre aux Soviétiques de sauver la face. De son côté, Khrouchtchev a sauvé la face de Kennedy en acceptant de ne pas évoquer publiquement le compromis des Américains de retirer leurs missiles Pershing de Turquie et d'Italie en échange du retrait des missiles soviétiques de Cuba. En retour, Kennedy s'est engagé publiquement à ne pas envahir Cuba.

Depuis 50 ans aucune autre crise internationale n'est venue aussi près de déclencher un holocauste nucléaire. Heureusement pour nous tous qu'une telle situation ne s'est pas passée alors que George W. Bush était au pouvoir.

Imaginez une crise semblable dans un proche avenir avec le Venezuela de Chávez à la place de Cuba et Téhéran dans le rôle de Moscou. Qui d'Obama ou de Romney préféreriez-vous voir à la Maison-Blanche pour négocier avec le successeur d'Ahmadinejad ?

Certains disent qu'il serait préférable pour la paix mondiale que l'Iran possède l'arme nucléaire et crée ainsi un équilibre de la terreur au Moyen-Orient. Le nucléaire iranien face au nucléaire israélien. Compte tenu de l'irrationalité généralisée de la région où toutes les parties sont motivées par des fanatismes ou des angoisses d'origine religieuse (islam et judaïsme), cela ne me semble pas une bonne idée. Mieux vaudrait d'ailleurs qu'Israël n'ait pas d'armes nucléaires.

Il n'est pas sûr qu'on retrouve à l'avenir des acteurs aussi rationnels que Kennedy et Khrouchtchev dans une crise opposant des puissances nucléaires, particulièrement au Moyen-Orient.

||||||||||||||||||||||||| À quand la commission Charbonneau pour les avocats, les comptables
15 octobre 2012 **et les autres ?**

D'après les témoignages entendus jusqu'à maintenant à la commission Charbonneau, c'étaient les ingénieurs et les entrepreneurs en bâtiments/travaux publics qui contribuaient par personnes interposées à la caisse du Parti libéral du Québec afin d'obtenir de juteux contrats. L'organisation de cocktails était au cœur du financement du PLQ. C'est aussi vrai pour le Parti libéral fédéral. Des partis municipaux, qui sont souvent des filiales du PLQ, comme le parti Union Montréal du maire Tremblay à Montréal, y ont aussi recours.

Ce n'est qu'un volet du cancer généralisé de corruption et de concussion qui gangrène nos institutions politiques. La juge Charbonneau ne peut enquêter que sur l'industrie de la construction. Mais avez-vous pensé que les mêmes combines, les mêmes tours de passe-passe salopent tous les secteurs où des organismes publics et des gouvernements octroient des contrats*?

Des milliards de dollars sont distribués chaque année par les gouvernements du Canada, du Québec, les municipalités et les commissions scolaires. Ceux qui veulent en profiter ont tout intérêt à avoir des amis influents dans les instances qui donnent des contrats et à s'entendre pour limiter la concurrence.

On va découvrir dans les prochains mois l'étendue de la pourriture dans la construction. Mais dites-vous bien que c'est la même chose pour les bureaux d'avocats, les firmes d'architectes, les bureaux de comptables et les autres secteurs d'activité qui sollicitent des contrats publics. C'est du donnant, donnant; de l'aller-retour. Les politiciens vont quêter de l'argent aux ingénieurs, aux entrepreneurs, aux avocats, aux comptables qui leur organisent même, à l'occasion, des élections «clés en main». Et, une fois élus, ils ristournent à leurs commanditaires. Voilà dans toute sa crudité le fondement de la démocratie au Québec. Ah! vous étiez de ceux qui croyaient au financement populaire!

Donnons à titre d'exemple un cas sur lequel j'ai personnellement enquêté à plusieurs reprises. Depuis 30 ans, le financement politique dépend d'une puissante «filière» italienne à Anjou, à Saint-Léonard, à Montréal-Nord, à Pointe-aux-Trembles, dans le nouveau Rosemont, à Rivière-des-Prairies et dans les secteurs de Laval où les Italiens ont une présence significative. Ce groupe structuré agissait à tous les niveaux de la commission scolaire au fédéral en passant par le municipal et le provincial. Feu Joe Morselli, de triste mémoire (voir la commission Gomery), dominait cette cabale au profit des libéraux et de leurs amis qui avaient des ramifications ombrageuses jusqu'au club social Consenza.

Il semble que le record absolu dans le domaine du financement politique par personnes interposées a été atteint lors d'un cocktail organisé en 1999 au célèbre buffet Rizz à Saint-Léonard, ayant permis d'amasser, en une soirée, plus d'un million de dollars pour les libéraux fédéraux. Mille personnes à mille dollars. Bien sûr, l'immense majorité des mille personnes présentes n'a pas sorti l'argent de sa poche. C'était l'employeur qui payait. Se pressaient en rangs serrés autour du buffet, verre de blanc à la main, les avocats, les ingénieurs, les comptables, les architectes, les « consultants », les relationnistes et les autres qui vivaient ou qui espéraient vivre de la manne du gouvernement Chrétien. Les plus grands bureaux d'avocats, de comptables et d'ingénieurs de Montréal étaient représentés. Ce cocktail fut un immense succès pour ses organisateurs, Alfonso Gagliano et Joe Morselli, le propriétaire du Rizz. Autre succès sans précédent, pour le PLC la même année : le redoutable organisateur Marc-Yvan Côté (Philippe Couillard fait appel à ses services pour devenir chef du PLQ) avait réussi à amasser plus de 700 000 $ au cocktail de Québec. Des résultats encore plus impressionnants qu'à Montréal, compte tenu de la population respective des deux villes.

Les membres de plusieurs autres professions grouillent dans cette bauge à cochons. Par exemple, les avocats. Pensez-vous vraiment que la cohue d'avocats qui gravitait autour du Parti libéral était là par conviction ? Ils étaient là parce qu'ils savaient que c'était, jusqu'à tout récemment, la voie royale pour devenir juge. Mais l'accès assuré à la magistrature n'était pas l'unique intérêt de ces libéraux « bénévoles ». Le gouvernement du Québec donne chaque année des dizaines de milliers de lucratifs mandats à des avocats. Les amis du parti au pouvoir – et du premier ministre – ont la priorité absolue (voir la commission Bastarache). J'espère que ça ne vous étonne pas de la part des membres d'une profession, aussi opportuniste et dépourvue de conviction.

Après les ingénieurs et les entrepreneurs en construction, va-t-on lever le voile sur les magouilles politiques des avocats, des comptables, des «consultants» et des autres qui veulent avoir un accès privilégié et abusif aux mamelles généreuses de l'État? Voyons donc, vous n'y pensez pas! Il y en a trop. On n'en finirait plus et ça découragerait les citoyens.

* Mise à jour: J'aurais dû mentionner le secteur de l'informatique. On a d'ailleurs appris que l'UPAC l'avait dans le collimateur lors de la conférence de presse de fin d'année du commissaire Robert Lafrenière.

Pourquoi le Québec se complaît-il dans sa (relative) médiocrité?

17 octobre 2012

Les mots solidarité et égalité résonnent au Québec plus que partout ailleurs en Amérique du Nord parce que ces deux notions sont au cœur de ce que nous sommes comme peuple. On l'a encore vu avec l'arrivée au pouvoir du Parti québécois et les controverses qu'il a provoquées avec son intention de «faire payer les riches» et d'éliminer «la sélection» dans les écoles privées.

Nous sommes déjà, par nos programmes sociaux et le rôle majeur que nous confions à l'État (qui s'est substitué à l'Église), une des sociétés les plus égalitaires et les plus solidaires de la planète. Nous sommes aussi l'une des sociétés nord-américaines les plus pauvres, les moins éduquées et les moins entreprenantes, et ce, malgré d'immenses efforts collectifs depuis 50 ans pour rattraper les peuples qui nous entourent.

Nulle part ailleurs en Amérique (sauf, peut-être, à Cuba) l'écart entre les riches et les pauvres n'est-il si restreint. C'est à notre honneur. Mais nos voisins ontariens, qui ont peu de choses à nous envier socialement (à part notre réseau de garderies), ont 30 % environ plus de « riches » que nous et paient considérablement moins d'impôts que nous.

Nos chefs politiques, depuis plus d'une génération, même les indépendantistes, nous comparent souvent à l'Ontario quand il s'agit de fouetter nos ardeurs collectives pour réaliser des objectifs économiques et sociétaux. À part Québec solidaire, peut-être, personne ne pense que Québec devrait s'inspirer de La Havane.

Notre objectif en tant que société devrait-il être encore plus d'égalité ou plus de prospérité ? Bien sûr, le Parti québécois entonne le slogan qu'il faut créer de la richesse, mais il ne semble pas particulièrement favoriser cette orientation. Pour le moment, il ne semble pas non plus s'orienter vers la réalisation de l'article premier de son programme et sa raison d'être, mais c'est là une autre histoire.

Revenons à notre réflexion. Qu'est-ce qui explique que nos valeurs fondamentales soient si différentes de celles des sociétés qui nous entourent ? C'est notre mentalité héritée de la France et du catholicisme. Même sous la monarchie, l'État français centralisateur était beaucoup plus présent dans toutes les sphères de la société que, par exemple, la monarchie anglaise, particulièrement après la rupture avec Rome.

Même si une majorité de Québécois a renoncé à la foi catholique, la vieille religion palpite toujours en eux. Nous sommes restés profondément catholiques, même si nous le manifestons maintenant différemment. Nos leaders voudraient que nous nous inspirions du modèle scandinave. C'est particulièrement vrai du PQ. Mais notre mentalité épouse encore les valeurs de l'Europe latine et catholique. C'est aussi le cas de nos cousins français qui nous ont transmis ces coutumes et traditions. La France, comme le Québec, est réfractaire à « l'éthique protestante et l'esprit du capitalisme » pour reprendre le titre du livre célèbre de Max Weber. Dans les pays catholiques, les idéologies socialistes ont simplement remplacé la vieille mentalité solidariste/communautariste de l'Église romaine. L'Europe catholique a vécu le phénomène à la fin du XIXe siècle, nous l'avons vécu dans les années 1960-1980. Les défilés de la Fête-Dieu de mon enfance ont été remplacés par ceux du 1er Mai. Le même peuple crédule marche derrière des banderoles et des pancartes en réclamant maintenant le paradis sur terre plutôt que dans les cieux. Heureux les pauvres, car le ciel leur appartient! Pas besoin de s'en faire, Dieu (et l'État providence) veille sur nous! Ce paradigme central du catholicisme est profondément incrusté dans tous les Québécois de souche. On ne change pas les mentalités. Elles n'évoluent qu'avec une lenteur tectonique. Regardez en Russie le retour en force de la religion orthodoxe après 75 ans de communisme athée.

On est bien dans notre (relative) médiocrité. Tous les sondages indiquent que les Québécois sont plus heureux que les autres Canadiens, plus industrieux, plus entreprenants et plus riches, mais qui n'ont pas notre «joie de vivre». Pas rigolotes, les sociétés de tradition protestante.

Prions la divine Providence pour qu'elle nous protège du tsunami financier qui dévaste présentement les autres sociétés «latines et catholiques» européennes. La joie de vivre risque de s'émousser durant les années de vaches maigres.

Radio-Canada et son contenu canadien devant le CRTC: ma solution perfide

22 octobre 2012

Le sénateur Pierre De Bané, un vieux complice de Pierre Trudeau (pas le plus futé), surveille de près Radio-Canada soupçonnée de connivences «séparatisses». Son idole avait déjà menacé il y a 40 ans d'y mettre «la clé sous la porte» pour cette raison.

De Bané, dans une intervention auprès du CRTC qui étudie le renouvellement de la licence de la SRC, cite une étude qu'il a lui-même commandée, pour affirmer que les téléspectateurs québécois de la SRC sont soumis insidieusement à une «vision non représentative de la réalité canadienne». Le bon sénateur de la Gaspésie a demandé à un chercheur de l'Université Carleton d'étudier les téléjournaux de 2010. Surprise! Le perspicace universitaire a découvert que le pendant anglais du *TJ*, *The National* de la CBC, était beaucoup plus *Canadian*.

L'auteur de l'étude, Vincent Raynauld, docteur en journalisme et en communications (on ne rit pas!), conclut à un «déséquilibre criant de la couverture de l'édition nationale du *Téléjournal* de Radio-Canada des différentes régions géographiques du Canada».

De Bané clame que la SRC manque à son devoir de faire «partager la conscience et l'identité» du grand pays qu'est le Canada, comme le veut la loi. Son homme engagé, le «docteur» Raynault, écrit que «les Canadiens syntonisant l'édition nationale du *Téléjournal* sont généralement exposés à une vision partiale et potentiellement non représentative de la réalité canadienne».

Le sénateur voudrait que le CRTC impose au *TJ* de Radio-Canada de ressembler à son grand frère, la CBC, pour ce qui est du contenu et de la propagande «nationaleuse» pancanadienne. Ça voudrait dire encore plus de reportages lents et sans intérêt sur les pêcheurs de Terre-Neuve et sur les courses de chiens du Nunavut.

De Bané se dit incapable de comprendre pourquoi le *TJ* ne couvre pas davantage l'ensemble du pays. Souffre-t-il de discordances cognitives? Même plus jeune, il était plutôt lent à comprendre.

Bien sûr que la SRC est «Québec centriste», pour reprendre l'anglicisme utilisé par De Bané et son comparse. La raison est simple. Près de 90 % des téléspectateurs de Radio-Canada sont Québécois et ils se foutent comme de l'an quarante de ce qui se passe dans le reste du Canada. En fait, si le service de l'information de Radio-Canada a de moins bonnes cotes d'écoute que son principal concurrent à TVA, c'est justement parce qu'il y a encore trop de sujets platement *Canadian* à son horaire.

Les dirigeants de la SRC comprennent parfaitement «l'alternative du diable» qu'ils affrontent: ou bien ils sont fidèles à leur mandat et font fuir les Québécois vers TVA, ou ils tentent de satisfaire les besoins et les demandes de l'immense majorité de ceux qui regardent encore le *TJ* et vont à l'encontre de leur mission de refléter la réalité *Canadian* d'un océan à l'autre.

Pour satisfaire la vision trudeauiste biscornue du Canada, la SRC prive déjà son auditoire francophone de services auxquels il a droit. Ainsi dans les années 1990, lors d'une vague de compressions budgétaires, Radio-Canada a préféré fermer sa salle des nouvelles de Rimouski afin d'en maintenir une à Vancouver. La rédaction de Rimouski joignait un auditoire de centaines de milliers de personnes dans l'Est du Québec. Les bulletins produits par celle de Vancouver avaient une cote d'écoute proche de zéro: des Québécois et des Français de passage et des Anglos qui apprenaient le français.

Il y a, au Nord des États-Unis, deux réalités nationales, une québécoise et une canadienne, et Radio-Canada est écartelée entre les deux. Il lui est impossible de satisfaire à la fois ses rares et déclinants auditoires dans le reste du Canada et ceux du Québec qui sont déjà agacés par l'importance démesurée accordée aux infos canadiennes hors Québec.

J'ai une suggestion perfide à faire que le duo De Bané/ Raynauld va sans doute applaudir: traiter Radio-Canada équitablement, en imposant les mêmes règles de contenu à TVA.

Je ne crois pas que Péladeau apprécierait. Il serait intéressant de voir comment sa chaîne Sun News (droite idiote *Canadian*) traiterait la question.

Il est temps que Pauline Marois mette ses culottes et zappe Gérald Tremblay

24 octobre 2012

La preuve a été faite par quatre devant la commission Charbonneau de l'incompétence totale de ceux qui gouvernent Montréal. Dans une seule journée, le témoignage du ripou Gilles Surprenant a démontré que 64 contrats des 64 approuvés par les « zoufs » qui siègent au comité exécutif de la ville, avaient leur prix gonflé du tiers.

Le maire, on le savait, est un clown pathétique sans colonne vertébrale qui a tout toléré pour se maintenir au pouvoir. Maintenant, on apprend qu'il était aussi entouré d'incapables ou de corrompus qui espèrent, eux aussi, nous faire croire qu'ils étaient aussi aveugles et sourds que leur chef. Ils n'ont rien vu, rien su, rien entendu, alors que c'était un secret de Polichinelle que tout le processus d'attribution des contrats était frauduleux.

Ils ont tous cru l'ingénieur scélérat Surprenant, alors que les logiciels de vérification clignotaient en rouge « au voleur ! au voleur ! » Les prix payés par Montréal à la coalition de mafiosos pour ses services dépassaient de 30 à 35 % ceux payés par Toronto et Québec. Et Surprenant est formel. Sous serment, il affirme qu'une partie de cet argent sale allait au comité exécutif de la ville.

Rappelons que durant la période 2001-2006, le comité exécutif était présidé (lorsqu'il n'était pas sur le yacht de son pote Tony Accurso) par Frank Zampino. Il fait face actuellement à des accusations d'abus de confiance, de fraude et de conspiration avec son autre *paisan*, «l'homme d'honneur» Frank Catania dont on a pu voir la photo, fièrement assis à la droite du parrain Nick Rizzuto.

Tous les membres du comité exécutif sont-ils des escrocs? Non, je ne le pense pas. Il y a parmi eux, j'en suis sûr, un bon nombre de sous-doués, de «fafouins» et quelques andouilles. Qu'espérer d'autre? Ces deux de pique hébétés obéissent comme des zombies à un casque de bain retors.

Mais ils ne sont pas les seuls à souffrir d'un manque aigu de perspicacité. La Ville de Montréal a le plus gros bataillon d'élus de toutes les villes d'Amérique du Nord. Cent trois maires d'arrondissements et conseillers tètent les mamelles de la truie municipale. Avant que *Le Devoir* sorte le scandale des compteurs d'eau en décembre 2007, aucun d'entre eux ne s'était posé de questions. Il faut dire que l'ancien chef de l'opposition officielle à la Ville de Montréal, Benoît Labonté de Vision Montréal, participait aussi à l'assiette au beurre. C'est le cas de le dire : on était comme larrons en foire à l'Hôtel de Ville.

Un aspect qu'on oublie dans ce scandale, c'est que pratiquement tout ceux qui sont impliqués, élus, cadres, entrepreneurs mafieux, ont des attaches au Parti libéral du Québec, Tremblay en tête. Il doit d'ailleurs sa réélection, en bonne partie, aux votes anglo-ethniques. Ces gens-là, à cause de leur peur morbide de l'indépendance du Québec, voteraient pour le diable s'il se disait fédéraliste.

Que faire? Je l'ai déjà dit à plusieurs reprises, bien avant les révélations actuelles : il faut mettre la Ville de Montréal en tutelle. Ça s'est fait à deux reprises dans le passé et ça doit se faire maintenant. C'était impossible tant que l'alliance mafia-libérale était au pouvoir à Québec. Ça l'est, maintenant que le PQ est au gouvernement.

Il faut que Pauline Marois mette ses culottes et qu'elle montre la porte à Gérald Tremblay. On ne peut plus attendre. Elle doit aussi virer Gilles Vaillancourt. Il faut dératiser la région de Montréal. La salubrité publique l'exige.

Dans un monde idéal, l'ensemble des institutions municipales de Montréal serait à revoir de fond en comble. Mais je sais que cela n'est pas possible, les « anglo-ethniques » s'y opposeraient et leur poids électoral grandissant leur donne un droit de veto sur la question.

On est en train de redevenir des Canadiens français à la Elvis Gratton

26 octobre 2012

Statistique Canada confirme les grandes tendances démographiques qui sous-tendent ce que je dis ici, depuis près de trois ans : les francophones sont à terme condamnés à mort linguistiquement ailleurs que dans quelques enclos linguistiques au Nouveau-Brunswick et au Québec.

C'est une réalité inexorable qui ne peut être renversée qu'au Québec à condition qu'il devienne un pays souverain. Mais, ici, la majorité francophone, vieillissante et déclinante, semble accepter sa disparition inéluctable pourvu que cela se fasse doucement sur une assez longue période de temps. L'histoire universelle est claire. Jamais dans le passé une population qui a les caractéristiques de celles du Québec n'a réalisé de grandes transformations politiques et sociales. Cela est réservé aux peuples jeunes.

Regardez ce qui se passe dans le monde. Ça va mal au Japon qui rétrograde économiquement depuis 20 ans. Pourtant les troubles sont rares. Pourquoi ? Pas de jeunes. La pyramide des âges du pays, elle tient sur sa tête. Le pays des manifs, c'est celui d'à côté, la Corée du Sud dynamique, où les jeunes hommes sont nombreux.

Pour en revenir au Québec français, il est facile de voir ce qui nous attend. Ça s'est passé en Louisiane et dans les États du Midwest au XIXe siècle où des agglomérations francophones, en une cinquantaine d'années, sont devenues majoritairement anglophones, faisant de la langue de leurs habitants d'origine un simple reliquat culturel, une curiosité qu'on évoque brièvement dans les guides touristiques et dans les manuels d'histoire.

C'est en train de se produire au Québec. Y a-t-il une mobilisation nationale pour enrayer le déclin ? Les jeunes bourgeois préfèrent se mobiliser pour sauver une poignée de dollars de droits de scolarité et refiler la facture aux contribuables.

Les Québécois vieillissants n'aiment pas qu'on leur rappelle la réalité angoissante de leur agonie linguistique. Ils aiment mieux se passionner pour le hockey ou les tribulations des participants à *Occupation Double*.

Aux dernières élections fédérales, ils ont littéralement exterminé le Bloc québécois pour le remplacer par une formation fédéraliste, centralisatrice et sans aucune racine au Québec. Pourquoi ? Par sympathie pour son chef mourant qui les avait touchés un soir sur le plateau d'une émission de télé de grande écoute.

Ils ont réitéré leur indifférence à leur avenir en tant que peuple au dernier scrutin national alors qu'une majorité d'entre eux, de toutes les régions du Québec, a voté pour deux partis, le PLQ et la CAQ, qui font de leur désintérêt pour la question nationale un élément central de leur programme politique.

Le parti qui incarne depuis 45 ans la volonté de créer un État québécois indépendant, a été élu de justesse, réussissant à peine à obtenir quelques milliers de voix de plus que le parti le plus corrompu de l'histoire du Québec. Le fait que les collusions, les corruptions, les malversations et les associations mafieuses du PLQ ont été démontrées, soir après soir, pendant des années, à la télévision n'a pas empêché près du tiers des Québécois de voter pour lui.

J'espère que le PQ va pouvoir rapidement se transformer en gouvernement majoritaire et qu'il va ensuite convaincre une majorité de vieux Québécois repus, craintifs et indifférents de voter pour l'indépendance.

Mais pour l'instant, je dois tristement constater que le nouveau sauveur du Canada, Justin Trudeau, a raison de dire que la majorité des Québécois, comme les électeurs bigarrés de sa circonscription de Papineau, veut surtout bien apprendre l'anglais et que l'avenir du français l'indiffère.

Tout laisse croire, malheureusement, que la majorité vieillissante des Québécois aspire à redevenir ce qu'elle était il y a 50 ans : des Canadiens français à la Elvis Gratton.

La commission Charbonneau, la stupidité humaine et le banditisme

29 octobre 2012

Les Presses universitaires de France publient un petit livre d'un historien économiste italien, Carlo Cipolla, décédé en 2000, qui mérite réflexion alors que siège la commission Charbonneau (Carlo M. Cipolla, *Les lois fondamentales de la stupidité humaine*, Paris, PUF, 2012). Le prof de l'Université de Berkeley propose dans son opuscule de telles lois sur un ton ironique.

Être stupide est généralement défini comme manquer d'intelligence. Cipolla propose une nouvelle définition du phénomène, y ajoutant une composante socioéconomique, qui place l'individu stupide dans la société dans laquelle il vit.

Cipolla établit ainsi les lois universelles de la stupidité humaine dans le cadre sociétal :

1. Être stupide, c'est nuire ou autrement provoquer des pertes à autrui sans en tirer aucun avantage et même en subir des inconvénients ;

2. La stupidité d'une personne est indépendante de sa race, de sa religion, de son sexe et de son statut social. Elle est équitablement répartie dans l'espèce ;

3. Le monde méconnaît le pouvoir néfaste des gens stupides. En tout temps, en tout lieu et en toutes circonstances, traiter ou s'associer avec eux s'avère toujours une erreur coûteuse. Une personne stupide est la plus dangereuse des personnes avec qui faire affaire ;

4. On sous-estime généralement le nombre d'individus stupides dans le monde.

Cipolla distingue les stupides des naïfs qui, eux, contribuent à la société, mais d'autres qui profitent de leurs initiatives abusent de leur bonne foi, alors que les naïfs n'en tirent aucun avantage. Il reconnaît que certains naïfs, les pacifistes et les altruistes, se placent dans cette catégorie en toute connaissance de cause pour des raisons éthiques. Il y a aussi ceux qu'il appelle les «bandits». Eux ne s'intéressent qu'à leurs intérêts propres même au détriment de la société. Les intelligents sont ceux qui parviennent à la fois à agir par intérêt tout en contribuant au bien-être collectif. Il y a enfin la catégorie des incapables et des impuissants.

Selon Cipolla, qui se défend d'être cynique ou défaitiste, l'humanité est dans le pétrin parce qu'elle comprend des stupides contrairement aux espèces inférieures du règne animal. Il considère que, pris comme groupe, les gens stupides sont plus puissants et plus dangereux que la mafia ou le complexe militaro-industriel.

J'ai pensé que la réflexion de Cipolla sur la stupidité humaine dans un contexte social s'appliquait au Québec actuel avec les audiences de la commission Charbonneau et les polémiques que ses révélations engendrent quotidiennement. On peut classer les témoins qui comparaissent devant elle et les autres acteurs de l'actualité qui réagissent à leurs déclarations selon les grandes catégories définies par Cipolla. Pour certains, il va falloir attendre la suite des audiences pour savoir où exactement les placer.

Zambito et Surprenant sont clairement dans la catégorie des bandits.

Gérald Tremblay est sans doute le plus difficile à catégoriser. Se place-t-il parmi les stupides, les bandits, les naïfs ou les incapables/impuissants? Certainement pas parmi les intelligents. Le témoignage de Jacques Duchesneau et son rôle à la tête de l'unité anticollusion du ministère des Transports le placent dans le groupe des intelligents.

Personne, parmi ceux qui ont défilé jusqu'ici devant la juge Charbonneau ou qui ont été pointés du doigt, ne peut encore être carrément placé dans le groupe des naïfs et des incapables/ impuissants. Certains voudraient volontiers se réfugier dans ces catégories (le maire Tremblay?) plutôt que de se retrouver parmi les bandits.

Il faut poursuivre au civil le cartel mafieux qui exploite Montréal

31 octobre 2012

Avez-vous pensé aux implications morales de la phrase qui a été prononcée devant la commission Charbonneau: «Tout le monde le savait »? Cela ne s'applique pas seulement à l'Hôtel de Ville, à ses élus, ses collaborateurs et ses fonctionnaires. Ça implique aussi des milliers d'employés des firmes d'ingénieurs, des compagnies de construction qui préparaient les faux devis avec des prix gonflés : les ingénieurs, les techniciens, les dessinateurs, les secrétaires, etc.

Des témoins ont déclaré qu'ils n'avaient rien dit parce que personne n'aurait corroboré leurs révélations tellement les ripoux étaient nombreux à la fois chez les donneurs de contrats et chez ceux qui répondaient aux appels d'offres. « Je ne suis pas pour dénoncer mon patron pourri, je vais perdre ma *job* et tous mes collègues de travail vont se porter à sa défense parce qu'ils profitent du système. »

Et c'est connu, les policiers municipaux, québécois ou fédéraux, tout comme les avocats chargés des poursuites criminelles, ne sont guère enthousiastes quand il s'agit d'enquêter sur des élus qui siègent aux organes exécutifs.

La corruption malheureusement fait partie de nos mœurs, aussi loin qu'on remonte dans le temps, tant à Québec qu'à Montréal, comme je l'ai souligné dans une chronique précédente. Le déclin des valeurs morales qui a accompagné l'effritement des valeurs religieuses a sans doute aussi contribué à la situation actuelle. J'ai l'impression qu'on enseigne l'éthique dans les écoles comme une matière théorique, comme le calcul différentiel plutôt qu'une science d'application personnelle.

Quand on cesse d'investir dans l'éducation morale, il faut investir dans la police. C'est ce qui nous arrive actuellement.

J'ai été fasciné par le témoignage de Martin Dumont. Il incarne parfaitement le jeune opportuniste carriériste, parfaitement amoral et orienté à droite. Ils pullulent depuis une vingtaine d'années dans le monde politique, particulièrement dans les partis fédéralistes et dans le domaine municipal (pourquoi pensez-vous à Denis Coderre ?).

Dumont est un homme d'appareil, un technicien qui est là pour faire élire les gens qui le paient, peu importe ce qu'ils proposent comme programmes. Il a fait les trois partis montréalais et le Parti conservateur à Ottawa. Ses seules hésitations, on le voit dans son témoignage, c'est quand il craint que ses activités louches laissent des traces qui pourraient un jour l'embêter. S'il témoigne, j'en suis sûr, c'est parce que justement, il y a eu un genre de *deal* avec la commission.

J'écoutais ce matin Paul Arcand s'entretenir avec l'avocat Guy Paquette, spécialisé en recours collectifs. Il expliquait que la meilleure façon pour les contribuables montréalais, frappés d'une hausse de taxes de 3,3%*, de récupérer l'argent volé serait pour la Ville de Montréal de poursuivre au civil le cartel des ripoux. Me Paquette se disait cependant convaincu que cela ne se fera pas parce que le maire Tremblay, son parti Union Montréal et le comité exécutif sont directement impliqués dans les combines et ont eux-mêmes été corrompus par le cartel mafieux.

Tremblay clame son innocence. Voilà une façon pour lui de la prouver hors de tout doute. Qu'il annonce que son administration va lancer des poursuites contre tous ceux qui ont participé aux collusions au détriment des contribuables de Montréal. Bon, vous savez comme moi que cela ne se fera pas. Le ripou en chef ne va tout de même pas attaquer ses complices.

C'est pour cela que je réclame de Pauline Marois la mise en tutelle de la Ville de Montréal, le plus rapidement possible. L'administrateur nommé par Québec pourrait, lui, entreprendre immédiatement de tels recours contre les voleurs.

* Mise à jour : La hausse de taxes a depuis été révisée à 2,2 % par le nouveau maire Applebaum.

Coderre, maire de Montréal ? Mieux vaut son ami Lino Zambito !

2 novembre 2012

Denis Coderre est vraiment le dernier «fafouin» qu'on veut voir comme maire de Montréal. Mais comme, s'il ose se présenter, il va bénéficier de l'appui massif des «anglo-ethniques» qui ont une répulsion épidermique pour Louise Harel, ancienne ministre péquiste, ce n'est pas dit qu'il ne réussira pas à mettre la main sur la Ville.

La principale préoccupation de Coderre a toujours été, d'abord et avant tout, de servir les intérêts de Coderre. L'autopromotion est la principale activité connue du bonhomme. Pourquoi s'intéresse-t-il à la mairie de Montréal ? Il arrive à 50 ans et ses perspectives se rétrécissent. Retors et intelligent, il voit bien que le Parti libéral fédéral n'a guère de chances de reprendre bientôt le pouvoir à Ottawa et surtout qu'il n'est pas de taille à contester le leadership du parti à Justin Trudeau.

Québec n'offre pas non plus d'ouverture à son ambition effrénée. Oublions le PLQ. Ni le PQ ni la CAQ ne voudraient d'un tel mouflet. Il ne lui reste donc que la mairie de Montréal. On passerait d'un clown pathétique à un pitre désopilant, mais on resterait dans la même lignée que Tremblay. Le bouffon du comté de Bourassa est un libéral pur et dur. Pire, c'est un libéral d'Ottawa, du PLC, le parti du scandale des commandites, de la commission Gomery, le grand frère du Parti libéral du Québec de la commission Charbonneau, de la commission Bastarache, le parti de la mafia, des concussions et des corruptions. Les deux formations pataugent dans la même bauge à cochons.

Vous avez remarqué comme il est peu loquace devant ce qui se passe à la commission Charbonneau ? Ne devait-il pas être de toutes les tribunes pour commenter, jour après jour, les audiences ? Il devrait être de ceux qui dénoncent Gérald

Tremblay et demandent sa démission au plus sacrant. Tout ce qu'il a trouvé à dire, c'est que « Montréal mérite mieux », c'est-à-dire lui-même, ajoutant qu'il était désolé des révélations qui souillent l'administration Tremblay.

Coderre se fait élire et réélire par la puissante machine à dominante italienne qui fait les élections depuis des décennies pour les libéraux dans l'Est de Montréal et à Laval, et qui fait élire « clés en main » des maires et des conseillers de la couronne Nord. Son organisation électorale s'est toujours appuyée sur des proches et des membres de la famille Zambito.

La Presse révèle de nouvelles informations intéressantes sur ces accointances avec des individus qui défilent cet automne devant la juge Charbonneau et des entreprises dont les activités sont évoquées durant leurs témoignages. Voici d'où vient l'argent qui permet à Coderre de se faire élire dans Bourassa : Infrabec de Lino Zambito ; Elio Pagliarulo, associé dans le prêt usuraire avec Catania ; Gino Lanni, actionnaire d'une entreprise qui s'est reconnue coupable d'avoir fraudé le fisc ; Donato Tomassi, le papa de l'ex-ministre libéral Tony Tomassi, accusé d'abus de confiance et de fraude (papa avait dit de fiston qu'il est normal de privilégier ses amis en politique) ; Clementina Teti, la femme de Tony ; Giuseppe (Joe) Borsellino, « homme d'affaires » actuellement dans la mire de l'escouade Marteau ; Construction Catcan inc. appartenant à Tony Catania et son fils Paolo. Gilles Surpenant affirme avoir reçu de Catcan des pots-de-vin pour un contrat de reconstruction d'un égout et d'une conduite d'eau. Tout ce beau monde a contribué, <u>ouvertement et légalement</u>, il faut le souligner, aux campagnes de Coderre. C'est quand même extrêmement embarrassant pour lui. On voit d'où viennent ses appuis.

Imitant pitoyablement le maire Tremblay, le bonze rondouillard s'est dit étonné d'apprendre les allégations qui salissent ses commanditaires lorsque *La Presse* l'a appelé à commenter.

Cet homme n'est vraiment pas celui qui peut nettoyer les écuries d'Augias. Mais Saint-Léonard, Rivière-des-Prairies et le West Island vont voter massivement pour lui.

Élection présidentielle américaine : Obama mérite-t-il de gagner ?

5 novembre 2012

Les sondages indiquent qu'Obama et Romney sont nez à nez ou qu'Obama est légèrement en tête. Les analystes prévoient une mince victoire pour Obama. Mais une prudence extrême est de rigueur. On sait comment les prévisionnistes politiques se sont lamentablement fourvoyés chez nous, étant aveugles à la montée du NPD au Québec. Et ils ont récidivé cette année en ignorant la robustesse de l'électorat du Parti libéral qui s'est presque fait réélire grâce aux jeunes bourgeois dont le refus colérique de contribuer à leur propre éducation a fait peur à la majorité silencieuse.

Mais revenons-en à l'élection américaine. Si Obama perd, il ne pourra que s'en prendre à lui-même à cause de son étrange comportement, hautain et distant, durant le premier débat télévisé. Et sa gouvernance a eu de quoi décourager même ses plus chauds partisans. Il se voulait l'homme du changement, il n'a été que le continuateur de George W. Bush dans plusieurs domaines névralgiques. Il a laissé les crimes commis par les accapareurs de Wall Street impunis. Pire, il a confié à certains de leurs amis des postes économiques dans son administration.

La baisse du chômage et la reprise économique qu'il promettait ne se sont jamais réalisées. Le Prix Nobel d'économie et chroniqueur du *New York Times*, Paul Krugman, met en cause son approche timorée de la relance. La réforme timide de la sécurité sociale américaine, «Obamacare» disent les républicains, est une de ses réalisations notables.

Sa gestion énergique et compétente des suites de l'ouragan Sandy sauvera peut-être son administration. Rappelez-vous le comportement incongru de Bush lorsque Katrina a dévasté la Nouvelle-Orléans. Ces deux catastrophes sont sans doute, en partie, liées au réchauffement planétaire. Pourtant la question du changement climatique est totalement occultée de la campagne présidentielle actuelle. Obama en avait parlé durant celle de 2008 et les démocrates avaient continué d'en faire un thème électoral aux législatives de 2010. Ça leur a fait perdre plusieurs sièges à la Chambre des représentants.

Les Américains ne veulent rien savoir de la question. Comme dirait l'ancien président Al Gore, c'est une réalité inconvenante. Ça arrange parfaitement Romney et le Parti républicain qui y voient un complot contre l'ordre capitaliste. Les ploutocrates qui les financent tirent d'immenses profits de la pollution planétaire.

C'est une question vitale pour l'avenir des États-Unis et de toute la planète, pourtant Obama et les démocrates n'osent pas en parler parce que c'est suicidaire électoralement. Les électeurs refusent de reconnaître que des dizaines, sinon des centaines de milliards de dollars d'investissements vont être nécessaires dans les prochaines décennies pour les protéger des menaces climatiques et de la montée des océans, en particulier leurs grandes villes cotières.

On reproche souvent aux dirigeants politiques de ne pas vouloir affronter les problèmes difficiles tant qu'il n'y a pas crise : *Management by Crisis*. C'est malheureusement le cas des peuples qui, eux aussi, ne veulent pas faire face à des vérités déplaisantes. On aime mieux les lendemains qui chantent.

En politique étrangère, Obama a continué, de façon générale, les politiques de Bush. Le camp de concentration de Guantánamo fonctionne toujours, alors qu'il avait promis de le fermer en arrivant au pouvoir.

Malgré les engagements de son discours du Caire, au début de son mandat, de prendre en compte les revendications des pays arabes, il a maintenu son soutien inconditionnel à Israël. À son crédit, il a résisté jusqu'ici aux pressions de Netanyahou et du lobby proIsraël en faveur d'une attaque contre l'Iran. La profonde détestation que se vouent le président américain et le premier ministre d'Israël contribue ainsi à la paix mondiale.

Romney, de son côté, est un ami personnel de Netanyahou. Le groupe médiatique américain McClatchy a révélé récemment que la campagne électorale de Netanyahou a bénéficié des dons de 42 Américains. Vingt-huit de ses commanditaires américains ont également donné à Romney et au Parti républicain. L'extrême droite des deux pays se recoupe.

En plus d'en appeler à une confrontation décisive avec l'Iran, Romney veut accroître le budget du Pentagone et proclame que son administration va adopter une posture de confrontation avec la Russie et la Chine.

Espérons que la balance penche du côté d'Obama, ne serait-ce que parce qu'il représente un moindre mal dans la perspective de la sécurité internationale.

La SQ veut-elle dissimuler l'étendue de son infiltration par la mafia?

7 novembre 2012

L'agent Serge Parent de la Sûreté du Québec comparaît actuellement à huis clos en audience disciplinaire devant trois officiers supérieurs qui vont décider de son sort. Il est suspendu depuis son arrestation et sa remise en liberté en 2007.

Il a plaidé coupable en janvier 2012 de complot pour avoir fait disparaître une contravention pour excès de vitesse remise à Frank Arcadi, l'un des *underbosses* du clan Rizzuto. Le juge Robert Marchi de la Cour du Québec a imposé à l'agent Parent une condamnation avec sursis de 180 heures de travaux communautaires. Il s'est ainsi retrouvé avec un casier judiciaire qui devrait normalement entraîner sa destitution. Son audience disciplinaire se prolonge depuis avril 2012. À la SQ, la discipline n'a rien de sommaire.

Voici donc le film de cette bien étrange histoire. Le 17 juillet 2003, Frank Arcadi est arrêté pour excès de vitesse alors qu'il revient d'une partie de golf avec un de ses hommes de main, Lorenzo Giordano. Sitôt rentré chez lui, le caïd appelle le club social Consenza, le QG de l'organisation Rizzuto, et parle au gérant, Giuseppe Lazzara. Arcadi lui dit de faire disparaître sa contravention, comme si c'était une requête routinière, un petit service qui a été rendu à plusieurs reprises dans le passé à lui ou à d'autres chefs du clan. La GRC est à l'écoute dans le cadre du projet Colisée.

Lazzara téléphone à l'agent Serge Parent, son neveu, au service de la surveillance physique (filature) de la SQ. Le soir même, la contravention émise à Arcadi est volée et détruite. Avec la complicité du sergent Guy Senécal, maintenant décédé, toute trace de l'infraction disparaît des registres. Le lendemain, Lazzara avise Arcadi qu'il peut déchirer le billet.

La GRC informe immédiatement la SQ de la présence d'une taupe mafieuse en son sein, lui enjoignant de ne pas intervenir tant que l'opération Colisée ne sera pas terminée. Ce n'est qu'en 2007 que la SQ porte des accusations contre son agent. Il a fallu attendre cinq ans, en 2012, pour que son procès débute, qu'il plaide coupable et qu'il soit finalement condamné. La justice au Québec n'est pas expéditive.

Plusieurs choses clochent dans cette affaire. Il est troublant que la SQ n'ait pas su avant de l'apprendre de la GRC qu'un membre de son service de filature avait des liens familiaux avec Lazzara, le gérant du Consenza, un proche d'Arcadi, un criminel notoire.

Arcadi purge actuellement une peine de prison de 15 ans, reçue dans le cadre de Colisée. Il supervisait, au sein du clan Rizzuto, l'importation et la distribution de drogues et gérait un réseau international de paris sportifs sur Internet en collaboration avec des Mohawks de Kahnawake.

La SQ a été très peu loquace sur cette affaire qui dure maintenant depuis près de dix ans. De 2007 à janvier 2012, Parent a été payé à demi-salaire. Depuis qu'il a plaidé coupable, il encaisse de nouveau un plein salaire, comme l'exigent les curieuses règles contractuelles de la SQ, tant qu'il n'aura pas été radié du corps policier. L'organe disciplinaire de la SQ doit de nouveau se pencher sur son cas le 30 novembre. Mais d'ici là son avocat a l'intention de contester en Cour supérieure la compétence de l'organisme de renvoyer son client.

Parent soutient en effet que les avocats de la poursuite lui ont garanti qu'il ne serait pas congédié s'il plaidait coupable et évitait ainsi un procès public. Il n'a jamais eu à témoigner et n'a jamais impliqué de complices sauf évidemment son collègue décédé. Qui a intérêt à empêcher que les détails de cette affaire soient ébruités ?

On ne peut en rester là. Pensez-y. La mafia a eu l'outrecuidance de téléphoner directement de son quartier général à un membre d'un service « sensible » de la SQ sur son lieu de travail pour lui ordonner de faire disparaître un document accusatoire contre un de ses chefs. Mission promptement accomplie !

Serge Parent «travaillait» pour la mafia depuis combien de temps? Quels autres services a-t-il rendus au clan Rizzuto? Notre police nationale doit répondre publiquement à ces questions et expliquer ce qui semble être une embarrassante pénétration de son organisation par la mafia.

On peut aussi se demander s'il n'y a pas d'autres Serge Parent à la SQ et jusqu'à quel niveau hiérarchique ils s'y sont incrustés. Le Parti libéral du Québec avait, sous le gouvernement Charest, des «hommes d'influence» au plus haut niveau du corps policier, il ne serait donc pas étonnant que la mafia en ait eu également.

Les républicains américains sont-ils condamnés aux poubelles de l'histoire?

9 novembre 2012

Avec un soupir de soulagement, la planète entière a applaudi la réélection de Barack Obama à la présidence des États-Unis. Le Pakistan est l'exception qui confirme la règle. Une majorité y favorisait Romney. Obama y est perçu comme un «tueur d'enfants» à cause des dommages collatéraux que font, parmi les civils, les drones américains qui ciblent les alliés pakistanais des talibans.

Nous l'avons échappé belle! La victoire d'Obama réduit les possibilités d'une confrontation militaire avec l'Iran et les conséquences terribles qu'elle aurait pour les peuples de la région et l'économie mondiale. Netanyahou doit être particulièrement frustré que son ami Romney ait été défait. Romney qui avait publiquement déclaré que les États-Unis seraient derrière Israël si le pays décidait d'attaquer l'Iran.

Les ploutocrates de Wall Street, pourtant bien traités par Obama, appuyaient aussi le *ticket* républicain. La chute importante des indices boursiers depuis l'élection est une manifestation de leur amertume.

Obama a obtenu 50,4 % des suffrages contre 48,1 % pour Romney. Je trouve inquiétant que tant d'Américains, plus de 57 millions, aient accordé leur confiance au Parti républicain qui est devenu, sous la houlette du *Tea Party* et de fanatiques religieux, une formation dont le programme extrémiste le placerait à la droite du Front national français si les deux partis évoluaient sur le même échiquier politique.

Même s'il a obtenu près de la moitié des voix, les résultats de la présidentielle sont quand même de très mauvais augure pour le Parti républicain. Ils démontrent qu'il est condamné d'ici quelques décennies seulement à suivre le chemin des dinosaures comme le Parti whig qui s'est désintégré peu avant la guerre de Sécession.

Regardez la carte des résultats électoraux. Les États dynamiques du Nord-Est et ceux de la côte Ouest ont voté Obama, alors que les États à dominante rurale du centre et le *Deep South* fondamentaliste ont opté pour Romney.

Pire pour les républicains, la démographie du vote. L'électeur typique de ce parti est un homme blanc de plus de 50 ans, souvent sous-éduqué. Les démocrates ont le vote des femmes, des jeunes, des bien-éduqués et des minorités ethniques (les Noirs à 91 % et les Latinos à 71 %). Les Blancs non hispaniques ne constituent plus que 72 % de la population américaine. Ils étaient 76 % aux élections de 2008. D'ici trois décennies, ils seront moins de 50 %. La forte natalité des non-Blancs et l'immigration rendent encore plus minoritaires les WASP et l'électorat républicain. Le catholicisme est déjà la première religion des États-Unis avec 25 % de la population à cause des 52 millions de Latinos (16,5 %). Pour la première fois dans l'histoire américaine, les nouveau-nés non blancs étaient plus nombreux que les Blancs en 2011.

Il est extrêmement difficile d'imaginer comment le Parti républicain peut modifier sa plate-forme politique d'extrême droite pour attirer cet électorat. D'abord parce qu'au centre droit la place est déjà occupée par le Parti démocrate. Ensuite parce que s'il tente de se déplacer vers le centre, il va être délaissé par sa base électorale traditionnelle qui, elle, se radicalise à droite.

Le mieux qu'il puisse faire, c'est de se donner des porte-étendards non WASP pour défendre ses idées régressives. On pense au gouverneur de la Louisiane, Bobby Jindal, d'origine indienne et, surtout, au sénateur latino Marco Rubio de Floride que Romney a considéré comme vice-président. Un tel maquillage ne changera pas la réalité rétrograde du parti.

Le parti de Lincoln, d'Eisenhower et de Ronald Reagan semble condamné aux poubelles de l'histoire.

⁞⁞⁞⁞⁞⁞⁞⁞⁞⁞⁞⁞⁞⁞⁞⁞⁞⁞⁞⁞⁞ Le chef de la CIA démissionne pour avoir « incorporé » 12 novembre 2012 sa biographe

Les médias américains raffolent des scandales de sexe parmi les élites de Washington. Rien de mieux pour titiller le public. C'est bon pour les tirages et les cotes d'écoute. Ça manquait depuis un certain temps. Le cas du général David Petraeus qui démissionne comme directeur de la CIA pour avoir eu une liaison avec sa biographe arrive à point nommé. Mais à cause du personnage, cela crée quand même un certain malaise dans la classe médiatique. Unanimement respecté, il était considéré comme au-dessus de tout soupçon. Les commentateurs exercent donc dans son cas une étonnante retenue. Absence totale de sarcasme et d'ironie. On évite de dénoncer les faiblesses humaines et les turpitudes morales de celui qui était jusqu'ici le chouchou des médias.

Comme l'a noté un commentateur, le culte de Mars, dieu de la guerre, est devenu la religion dominante aux États-Unis. Le Pentagone est de loin l'institution la plus respectée et la plus aimée des Américains. Les grands médias n'osent pas aller à l'encontre de ce genre de sentiment populaire.

Le plus célèbre prédécesseur du général Petraeus, Allen Dulles, directeur de la CIA de 1953 à 1961, a couché avec des dizaines de femmes alors qu'il était en fonction sans que cela nuise à sa carrière. Les médias de l'époque ne parlaient pas des «peccadilles» des élites. À son tableau de chasse figure la reine de Grèce qu'il a montée dans une penderie attenante à son bureau au siège de la CIA. Il s'est aussi envoyé la femme du fondateur de *TIME Magazine*, Clare Boothe Luce, future ambassadrice américaine en Italie et la fille du célèbre maestro Arturo Toscanini, Wanda, l'épouse du pianiste Vladimir Horowitz.

Dulles racontait ses aventures à sa femme. Elle exigeait des bijoux pour lui pardonner ses caprices. Eisenhower et Kennedy savaient, mais, eux-mêmes, maris adultères, ils étaient mal placés pour s'en offusquer. Les deux biographes de Dulles, James Srodes et Peter Grose, partagent le même avis. Ils sont dans doute plus objectifs que Paula Broadwell qui est tellement laudative dans celle de Petraeus qu'elle était sans doute assise sur ses genoux pour l'écrire. Elle avait été pendant des mois «incorporée» (*embedded*), c'est le cas de le dire, par le général, en Afghanistan, pour préparer sa biographie.

Un seul autre directeur de la CIA, qu'on sache, s'est mis dans l'embarras à cause du sexe. Il s'agit de John Deutch, qui a «démissionné» en 1996. Il avait transcrit illégalement des documents secrets à l'aide de son portable. Quand le FBI l'a saisi chez lui, il a découvert que les dossiers sur le terrorisme et l'espionnage étaient mêlés à des photos pornographiques. Deutch fréquentait des sites pornos sur Internet avec l'ordinateur, compromettant ainsi la sécurité nationale des États-Unis. Il ne fut jamais poursuivi. Bill Clinton, un autre amateur de galipettes, lui a accordé un pardon présidentiel. Les élites ne se traitent pas entre elles comme elles disposent du commun des mortels.

Les détails de l'enquête sur le général Petraeus ne sont pas connus. Peut-être a-t-il utilisé un portable officiel pour communiquer avec sa maîtresse, l'exposant ainsi à une pénétration possible par virus informatique?

Petraeus est l'architecte des montées en puissance des forces américaines en Irak en 2007 et en Afghanistan en 2009, présentées comme des tournants décisifs. Elles se sont révélées, dans les faits, des succès éphémères. Dans les deux cas, les forces hostiles aux États-Unis sont encore dans des positions stratégiques favorables, la seule variable positive étant la baisse des pertes de vie américaines, le critère le plus important politiquement.

Depuis le départ de Robert Gates de la Défense, David Petraeus était le dernier néoconservateur de l'époque Bush à participer à l'administration Obama. Son principal allié, Hillary Clinton, va bientôt abandonner son poste. Plusieurs analystes estiment qu'Obama va ainsi avoir une plus grande liberté d'action pour négocier avec Téhéran au sujet du programme nucléaire iranien.

La Palestine à l'ONU : Israël rage de ne pouvoir l'empêcher

14 novembre 2012

Le président de l'autorité palestinienne Mahmud Abbas a annoncé qu'il va demander, le 29 novembre à l'Assemblée générale de l'ONU, qu'elle accorde le statut d'observateur à la Palestine. Une immense majorité des États membres va l'accueillir avec enthousiasme. Contrairement au Conseil de sécurité, les États-Unis n'y ont pas le droit de veto et ne peuvent s'y faire l'instrument d'Israël.

Israël s'y oppose totalement. Pour voter contre, il peut compter sur les États-Unis, le Canada harperien et quelques pseudo-États (îles du Pacifique) inféodés à Washington. Quelques autres pays, dont l'Allemagne, vont suivre Israël par mauvaise conscience*.

Pourquoi le gouvernement d'extrême droite israélien est-il déterminé à empêcher par tous les moyens que la Palestine soit reconnue par les Nations Unies?

D'abord parce que c'est une nouvelle embûche dans la réalisation de *Eretz Israël*, le grand Israël de la Méditerranée au Jourdain, dont rêvent la droite israélienne et plusieurs membres du gouvernement Netanyahou. Pour le réaliser, Israël poursuit à grande vitesse sa politique de colonisation de la Cisjordanie et de Jérusalem-Est au mépris du droit international et d'une multitude de résolutions onusiennes. Les négociations de paix ont échoué il y a deux ans à cause du développement accéléré des colonies juives.

Il y a encore quelques jours, un plan de construction de 800 logements dans la colonie de Gilo à Jérusalem-Est a reçu le feu vert des autorités. L'emplacement est considéré par le droit international comme occupé illégalement et Jérusalem-Est est la capitale du futur État palestinien.

Un autre effet redoutable de l'accession de la Palestine à l'ONU est qu'elle va s'affilier à la Cour pénale internationale et pouvoir lui demander d'enquêter sur les nombreux crimes de guerre commis par Israël lors de ses brutales interventions en Cisjordanie et à Gaza.

Pour empêcher la reconnaissance onusienne, Israël envisage des mesures spectaculaires. Le ministre des Affaires étrangères, le raciste Avigdor Lieberman, fait présentement circuler un document de réflexion dans lequel il propose de renverser le président Mahmud Abbas si les Palestiniens entrent à l'ONU. Le document affirme qu'un État palestinien reconnu par les Nations Unies allait anéantir les capacités dissuasives d'Israël et ainsi porter atteinte à sa crédibilité. Le mois dernier, Lieberman avait déjà prévenu la chef de la diplomatie de l'Union européenne, Catherine Ashton, qu'Israël allait détruire l'Autorité palestinienne plutôt que de la voir à l'ONU. Israël menace également d'annuler les accords d'Oslo de 1993 qui ont permis la création de l'Autorité palestinienne.

Pour la remplacer par quoi? Ces menaces sont absurdes à moins de vouloir provoquer une nouvelle intifada aux allures de printemps arabe. Elles risqueraient de se propager aux Arabes israéliens qui acceptent de moins en moins les injustices et l'oppression qu'ils subissent en tant que citoyens de seconde classe. La situation se répercuterait aussi inévitablement à Gaza. Sans compter que, depuis trois ans, Israël a perdu le soutien, au moins tacite, des deux plus importants États musulmans du Moyen-Orient, la Turquie et l'Égypte. Ils ne pourraient accepter sans réagir une répression massive contre un soulèvement palestinien.

Depuis des décennies les dirigeants israéliens se croient tout permis parce qu'ils sont sous l'aile protectrice des États-Unis. La situation a radicalement changé à leur détriment avec le printemps arabe. Les mesures draconiennes qu'ils disent envisager pour empêcher que la Palestine accède à l'ONU pourraient provoquer une nouvelle guerre au Moyen-Orient.

Pour leur propre bien, on espère qu'il s'agit de menaces en l'air. Israël a un intérêt vital à maintenir l'Autorité palestinienne. Elle sert de tampon entre son armée et le peuple palestinien en Cisjordanie.

* Mise à jour: Cette fois, même l'Allemagne s'est abstenue lors du vote massivement favorable à la Palestine.

Netanyahou et le Likoud : faire la guerre pour éviter la paix et gagner les élections

16 novembre 2012

Le nouveau conflit entre Israël et le Hamas arrive alors qu'ils étaient sur le point de s'entendre sur un cessez-le-feu de longue durée. C'est ce qu'affirme le médecin israélien Gershon Baskin sur le site d'informations *The Daily Beast*. Baskin révèle qu'il était engagé dans des négociations secrètes à ce sujet au Caire avec un représentant du Hamas quelques heures avant qu'Israël assassine Ahmad Jaabari, le chef militaire du groupe. Il attendait la réponse du Hamas pour la présenter aux dirigeants israéliens. Selon lui, Jaabari voulait un cessez-le-feu et était disposé à l'imposer aux autres factions armées de Gaza.

Gershon Baskin s'y connaît dans ce type de négociations. C'est lui qui avait obtenu la libération du soldat Gilad Shalit détenu pendant cinq ans par le Hamas. Pour Baskin, Netanyahou est celui qui a le plus à gagner politiquement d'une attaque contre Gaza et la meilleure façon pour lui de la déclencher était d'ordonner la mort de Jaabari.

Le grand quotidien israélien *Haaretz* affirme aussi que les considérations électorales sont primordiales dans le conflit actuel. Il y est écrit que « l'assassinat de Jaabari passera à l'histoire comme une autre mesure militaire spectaculaire prise par un gouvernement sortant, à la veille d'une élection ».

Le ministre israélien de la Défense, Ehud Barak, a aussi de bonnes raisons de mener une belle petite guerre au Hamas. Il peut espérer qu'une offensive réussie pourrait augmenter suffisamment la popularité déclinante de sa formation pour lui garantir quelques sièges au Parlement aux élections législatives du 22 janvier 2013.

Par contre, si la violence dégénère en un conflit majeur comme en décembre 2008, elle pourrait se retourner contre les deux hommes. Le public israélien est extrêmement sensible aux pertes civiles en son sein. Le sentiment populaire pourrait ainsi s'inverser, si les nouvelles roquettes à longue portée palestiniennes font de nombreuses victimes*.

Récemment des dirigeants israéliens évoquaient de plus en plus la possibilité de revenir à la politique d'«assassinats ciblés» contre les dirigeants du Hamas pour le forcer à arrêter les tirs de roquettes sur Israël. D'autres prônaient une invasion avec l'objectif de renverser le gouvernement du Hamas pour le remplacer par une administration de collabos. Un objectif carrément irréalisable dans les conditions actuelles du Moyen-Orient. Ça impliquerait une nouvelle occupation de Gaza. Cela n'a pas marché dans le passé. Et ça ne peut plus marcher maintenant.

Le renversement du Hamas ouvrirait la voie aux organisations palestiniennes les plus radicales, enhardies par la récente victoire électorale des Frères musulmans en Égypte.

Beaucoup de Palestiniens de Gaza considèrent le cessez-le-feu relatif avec Israël comme une trahison et transféreraient facilement leur appui à ces groupes ultras. Certains sont liés à al-Qaida, qui opère dans la péninsule du Sinaï qui sert dorénavant de base arrière aux combattants palestiniens.

Gershon Baskin est fermement convaincu que l'assassinat de Jaabari visait à empêcher la réalisation d'un cessez-le-feu à long terme par Netanyahou et les éléments les plus extrémistes du gouvernement israélien. En frappant un grand coup contre les rares éléments pragmatiques du Hamas, ils ouvrent la voie aux islamistes suicidaires disposés à s'engager dans un djihad pour détruire Israël quelles qu'en soient les terribles conséquences pour les Israéliens, les Palestiniens et le reste de la planète.

La dernière incursion israélienne à Gaza en décembre 2008 a fait 1 400 morts, la plupart des civils. On peut craindre que des centaines de Palestiniens et d'Israéliens meurent dans ce nouveau conflit* qui n'a éclaté que pour permettre au Likoud et à ses alliés de faire des progrès significatifs aux élections générales.

* Mise à jour : Heureusement ce ne fut pas le cas.

L'écrivain anglophone Yann Martel, un Elvis Gratton infatué ?

19 novembre 2012

Je trouve particulièrement agaçante la manie de l'écrivain canadien-anglais gagnant du prestigieux Man Booker Prize, Yann Martel, de se faire passer pour un Canadien français. Ses parents, des diplomates canadiens, ont, par choix, décidé d'en faire un parfait petit *Canadian* en le confiant à des institutions d'enseignement ontariennes dont le Trinity College School de Port Hope et l'Université Trent de Peterborough.

La seule langue qu'il maîtrise est sa langue d'usage, l'anglais. Ses livres sont écrits dans cette langue. Ils sont traduits en français par son père puisque lui-même paraît incapable de l'écrire convenablement.

Martel doit sa notoriété à son roman *Life of Pi* publié en 2002 (Toronto, Random House of Canada) et vendu à plus de 7 millions d'exemplaires dont on a tiré un film qui va bientôt prendre l'affiche. De temps à autre, cet individu suffisant se travestit en francophone pour faire la leçon aux Québécois sur ce qu'ils sont et, surtout, ce qu'ils devraient être. Le résidant de Saskatoon s'est fendu d'un texte condescendant dans *Le Devoir* où il affirme qu'utiliser le terme « québécois » autrement que dans son acception géographique est la manifestation d'un nationalisme rétrograde. De quoi je me mêle? Où diable se trouvait-il quand la Chambre des communes a reconnu en 2006 que les Québécois forment une nation? Dérivait-il sur un canot de sauvetage dans le Pacifique?

Rappelons certains faits de sa carrière littéraire qui permettent de prendre la mesure du personnage. Au lancement de son livre, Martel avait raconté qu'il en avait trouvé l'inspiration en Inde. Un jour, il serait allé faire une petite promenade sur une colline et, soudain, l'idée du roman a jailli.

Malheureusement pour lui, plusieurs critiques ont découvert de troublantes ressemblances entre son livre et l'œuvre du grand romancier brésilien maintenant décédé Moacyr Scliar, *Max et les chats*, publié en 1981. Ils ont crié au plagiat.

Scliar mettait en scène un adolescent juif à la dérive dans un bateau avec un jaguar après un naufrage. Dans le livre de Martel, c'est un jeune Indien qui est à la dérive sur un canot de sauvetage avec un tigre du Bengale.

Martel s'est ravisé et a reconnu l'«emprunt» tout en soutenant n'avoir jamais lu le livre de Scliar. Il soutenait maintenant avoir pris l'idée pour *Life of Pi* dans une critique négative de John Updike du livre du Brésilien publiée dans le *New York Times*. Oups! nouvelle gaffe. Le *NYT* n'a jamais publié un tel article. Scliar a envisagé de poursuivre Martel pour plagiat, mais il est mort sans l'avoir fait. Les médias brésiliens se sont scandalisés de voir le travail d'un des écrivains les plus éminents d'Amérique latine usurpé par un imitateur outrecuidant de langue anglaise.

Tout le monde attendait donc avec intérêt le roman suivant de Martel. On serait en mesure de voir s'il a vraiment un talent littéraire exceptionnel. *Beatrice & Virgil*, pour lequel il a reçu une avance de plus de trois millions de dollars, est paru en 2010 (Toronto, Random House of Canada).

Le livre, on devrait plutôt dire la plaquette, a été «var-lopé» par la critique. Sans action ni intrigue, l'opuscule met en scène deux personnages, l'ânesse Beatrice et le singe Virgil, qui discutent sous un arbre. Quinze de ses deux cents pages sont consacrées à résumer une nouvelle de Flaubert, *La légende de Saint Julien L'hospitalier*, avec de longues citations. Martel fait de la fable au sujet d'un garçon qui aime à tuer des animaux une métaphore de l'Holocauste. Une idée plutôt saugrenue.

Pas de quoi crier au génie et mener au prix Nobel de littérature. Martel semble destiné à être l'homme d'un seul livre dont l'idée a été plagiée d'un auteur brésilien.

Face aux Québécois, Yann Martel se présente comme un *Canadian* à la Trudeau. Sa définition de lui-même comme Canadien français correspond à celle d'Elvis Gratton dans la célèbre déclamation du personnage de Pierre Falardeau.

Israël, l'État le plus militarisé du monde, est aussi l'un des plus « insécures »

21 novembre 2012

L'État d'Israël a été créé par la force des armes et a recours régulièrement à la violence guerrière pour persister. Sept guerres majeures ont marqué son existence. Il est engagé actuelle-ment dans ce qui peut devenir la huitième. Ses dirigeants sont convaincus que seule la suprématie absolue de ses forces armées sur celles de ses voisins arabes assure son avenir dans la région la plus violente et la plus instable de la planète.

Il n'est donc pas surprenant qu'Israël soit l'État le plus militarisé de la planète selon le groupe de réflexion allemand Bonn International Center for Conversion (BICC), qui publie un indice de militarisation mondiale (IMM) qui couvre 135 pays.

L'indice est basé sur un ensemble de variables pondérées, comme la comparaison entre le budget militaire d'un pays et son produit intérieur brut et le pourcentage du PIB qu'il consacre aux soins de santé, à l'éducation et aux services sociaux.

Israël s'est classé en tête au cours de 17 des 20 dernières années. Il se classait en deuxième place, les trois autres années. Suivent sur la liste Singapour (2), la Syrie (3), la Russie (4), la Jordanie (5), Chypre (6) le Koweït (7), l'Azerbaïdjan (8), Bahreïn (9) et l'Arabie saoudite (10). On notera que six des dix premiers pays sont au Moyen-Orient, la région qui présente le plus haut degré de militarisation au monde. Une surprise : l'Iran, la cible de menaces conjuguées d'Israël et des États-Unis, est loin dans la liste, au 34e rang. Il est l'État le moins militarisé du Moyen-Orient, précédé par l'Égypte (28), l'Irak (26), le Liban (17), les Émirats arabes unis (13), Oman (11) et les six pays mentionnés plus haut.

Le Canada se situe au 89e rang. Il est encourageant de constater qu'il descend dans la liste depuis 20 ans. En 1990, il était au 61e rang et en 2000, au 79e. Les dépenses militaires annoncées par le gouvernement Harper vont sans doute faire remonter notre indice de militarisation.

Même s'ils ont le plus important budget militaire de la planète avec 689 milliards de dollars, les États-Unis ne se classent qu'au 29e rang, entre l'Égypte et l'Angola. Pourtant, le budget du Pentagone constitue à lui seul 40 % des dépenses mondiales d'armement. Il dépasse les dépenses militaires combinées des 20 autres puissances militaires les plus importantes. Il est près de 7 fois le budget militaire de la Chine, la grande puissance montante, qui consacre 106 milliards de dollars à ses armées. Avec le deuxième budget militaire le plus important, elle est au 82e rang, derrière l'Inde, en 71e place.

Le BICC note que les pays d'Asie sont ceux qui progressent le plus rapidement. Ils consacrent plus de ressources aux armes par rapport à leurs dépenses civiles.

Et dans tout cela, où est la Corée du Nord, considérée comme l'un des États les plus militarisés du monde? Les analystes du BICC pensent qu'elle contesterait facilement la première place à Israël, mais ils ne possèdent pas suffisamment de données vérifiables sur son économie pour lui appliquer leur grille d'analyse. Son ennemi, la Corée du Sud, qui se classait depuis de nombreuses années dans le top 10, est descendue au 18e rang cette année. La Grèce (14), le plus militarisé des pays de l'OTAN, surclasse sa rivale régionale, la Turquie (24).

Si vis pacem, para bellum. La vieille devise latine n'a jamais été aussi d'actualité pour le plus grand malheur de l'humanité. La force des armes seule ne peut garantir la paix et la sécurité, comme le démontre le cas d'Israël.

La justice sociale est-elle compatible avec la croissance économique?

23 novembre 2012

La question est au cœur des débats de société actuels tant au Québec, en Europe qu'aux États-Unis alors que l'économie mondiale peine à se remettre de la crise de 2008 largement provoquée par les abus criminels de Wall Street.

Obama est accusé de socialisme par le Parti républicain parce qu'il a décidé d'augmenter légèrement les impôts sur les hauts revenus et qu'il a eu l'audace de suggérer, très timidement il faut le dire, que la finance doive assumer sa part de responsabilité dans le fiasco économique.

L'idéologie économique dominante aux États-Unis est que la croissance dépend essentiellement des riches, qui doivent être imposés le moins possible afin qu'ils investissent et que leur prospérité engendre des retombées économiques qui permettent aux autres de vivre. Le Prix Nobel d'économie et chroniqueur au *New York Times,* Paul Krugman, offre d'intéressantes réflexions à ce sujet.

La droite américaine est obsédée par l'idée que les faibles taux d'imposition des plus riches sont essentiels à la croissance. Pourtant, souligne Krugman, vers 1960, 0,01 % des Américains les plus riches payaient un taux d'imposition fédéral de plus de 70 %, le double de ce qu'ils paient aujourd'hui, et l'économie connaissait une prospérité sans précédent. Il affirme que le succès de l'économie américaine d'après-guerre démontre que, contrairement à l'orthodoxie conservatrice d'aujourd'hui, la prospérité est possible sans rabaisser les travailleurs et dorloter les riches.

Les taux d'imposition élevés des riches et une forte syndicalisation accompagnaient une croissance spectaculaire dont les fruits étaient plus équitablement partagés dans l'Amérique du républicain Dwight Eisenhower qu'actuellement sous le démocrate Obama. Krugman croit que des syndicats puissants, en obtenant des gains salariaux importants, ont aidé à créer une grande classe moyenne et la prospérité généralisée de l'époque. Dans les bons vieux *Fifties*, rappelle-t-il, il allait de soi que le plein emploi et les bons salaires assurent la croissance économique.

L'extrême concentration actuelle de la richesse aux États-Unis se compare, selon Krugman, à la situation dans les années 1920. Dans les décennies suivantes, les revenus réels des Américains les plus riches ont fortement baissé par rapport à la classe moyenne et en termes de revenu absolu. Leur part dans le revenu total avait diminué des trois quarts dans les années 1950. Aujourd'hui, on revient aux disparités de richesses des années folles. C'est de nouveau le temps des ploutocrates avec de vastes manoirs, des armées de serviteurs et des yachts flamboyants, et une classe moyenne menacée par le spectre de la pauvreté.

Il faut quand même mettre un bémol à l'analyse de Krugman. Dans les années d'après-guerre, aucun pays ne pouvait concurrencer l'Amérique. Tous les grands pays de la planète, sauf les États-Unis, étaient en ruine. Les États-Unis avaient alors le quasi-monopole de la production industrielle et ont prospéré, en bonne partie, parce qu'ils étaient le moteur qui a relancé l'économie mondiale.

Les années 1960-2000 changeront la donne en rendant les États-Unis dépendants des importations de pétrole et de moins en moins concurrentiels, notamment à cause du coût élevé de leur main-d'œuvre. L'économie américaine se révélera difficile à adapter pour concurrencer les économies dynamiques d'Allemagne, du Japon, de la Corée du Sud et, plus tard, de la Chine et des autres pays émergents.

Cela dit, contrairement à ce que pense la droite américaine, la prospérité économique n'est pas incompatible avec la justice sociale. Ses ténors aiment donner en contre-exemple la Grèce, l'Italie, l'Espagne et le Portugal où le laxisme « social-démocrate » a entraîné des déficits ingérables. Ils devraient plutôt regarder ce qui se passe en Europe du Nord, dans les social-démocraties scandinaves où l'équité sociale accompagne la prospérité.

Les élections en Catalogne : une leçon pour les indépendantistes québécois ?

26 novembre 2012

Les sondeurs et les analystes espagnols ne sont pas meilleurs que les nôtres. Personne n'a vu venir le recul important du parti gouvernemental catalan Convergence et Union

(CIU). Le parti indépendantiste conservateur d'Artur Mas, qui dirige la Catalogne depuis 2010, perd 12 sièges au Parlement, alors que la gauche indépendantiste fait d'importants progrès. Au total, les 4 partis indépendantistes ont cependant la majorité absolue au Parlement avec 87 des 135 sièges.

Les électeurs ont préféré voter pour de vrais indépendantistes plutôt que pour la CIU dont les convictions semblent peu profondes. Sa conversion à l'idéal indépendantiste est toute récente. Artur Mas n'a pas prononcé une seule fois le mot indépendance durant la campagne électorale. Certains le soupçonnent d'avoir joué la carte indépendantiste pour faire oublier les coupes spectaculaires qu'il a effectuées en éducation, en santé et dans les services sociaux à cause de la crise.

La situation de la Catalogne n'est pas exactement parallèle à celle du Québec même si elle compte une population semblable avec 7,5 millions d'habitants. Elle est la région la plus prospère d'Espagne, alors que ce n'est manifestement pas le cas pour le Québec au Canada. Les Catalans revendiquent l'indépendance notamment parce qu'ils versent plus d'argent à l'État central qu'ils n'en reçoivent de Madrid. On n'en est pas là au Québec.

Si les Catalans souhaitent la création d'une Catalogne indépendante, ils désirent cependant rester dans l'Union européenne qui a dit qu'elle refuserait leur demande d'adhésion. On craint à Bruxelles l'effet d'entraînement des résultats électoraux catalans. D'autres peuples minoritaires européens vont en effet bientôt se prononcer sur leur indépendance : les Écossais et les Flamands.

Y a-t-il des leçons à tirer pour le Québec de la montée des partis indépendantistes catalans ?

L'ancien premier ministre Bernard Landry note que c'est un parti indépendantiste de droite qui a eu le plus grand nombre de sièges, mais minoritaire, il va avoir besoin de l'appui de partis indépendantistes de gauche pour réunir la majorité qui va conduire au référendum. Il s'interroge : « Ça ne vous fait pas penser à une certaine comptabilité électorale ? »

Le problème, c'est qu'au Québec, il n'y a pas de parti indépendantiste de droite, alors qu'il y a de nombreux souverainistes qui se situent au centre et à droite de l'échiquier politique.

Cela place la chef du Parti québécois, Pauline Marois, dans une position difficile. Pour faire le plein des votes indépendantistes, elle va devoir, d'une part, conclure des pactes de non-concurrence électorale avec Québec solidaire et Option nationale pour permettre aux deux petites formations indépendantistes de faire élire quelques députés et, d'autre part, courtiser l'électorat centriste de la CAQ pour l'amener à voter pour le PQ.

Est-ce possible sans être accusée d'opportunisme politique et risquer de perdre toute crédibilité ?

L'analyse des résultats des dernières élections montre en tout cas que Bernard Landry a raison lorsqu'il souligne qu'une entende de non-concurrence aurait permis au chef d'Option nationale, Jean-Martin Aussant, de battre François Legault dans sa circonscription, ce qui aurait été une victoire significative pour les indépendantistes.

Un « pacte mathématique » aux prochaines élections, selon l'expression de Landry, serait déjà une réalisation importante. Espérons que le congrès national québécois que veut organiser le Nouveau Mouvement pour le Québec (NMQ) permettra de jeter les bases d'une telle convergence.

Mais il faut aussi que le PQ s'empare d'une partie importante des électeurs de la CAQ. C'est le plus grand défi qui interpelle Pauline Marois. Sans cela, elle va être chassée du pouvoir à la prochaine élection et rendre encore plus lointain le rêve de l'indépendance.

Pourquoi avoir attendu huit ans pour enquêter sur la mort suspecte d'Arafat ?

28 novembre 2012

Si on l'avait fait plus tôt, la possibilité de découvrir des preuves qu'il a été assassiné aurait été beaucoup plus grande. Étrangement, on n'a même pas procédé à une autopsie même si les causes de la mort n'étaient pas évidentes et qu'il se trouvait dans un hôpital militaire français.

Le blogue de la revue *Foreign Policy* suggère qu'en 2004, il y avait des chances sérieuses d'en arriver à un règlement négocié du conflit israélo-palestinien et personne du côté palestinien ne voulait saborder le processus qui s'engageait. Israël s'est retiré de Gaza en 2005 et un accord avait été conclu sur les déplacements des Palestiniens en 2006. Même si on soupçonnait que la mort d'Arafat n'était pas due à des causes naturelles, la direction palestinienne voulait éviter de braquer les Israéliens contre elle.

Depuis, le gouvernement d'extrême droite israélien, élu démocratiquement il faut le souligner, a tout fait pour rendre tout accord de paix impossible. Il a, en particulier, accéléré la création de colonies de peuplement juives, illégales en vertu du droit international, en Cisjordanie et à Jérusalem-Est.

Aujourd'hui, les conditions ont changé. Les Palestiniens ont compris que les négociations bilatérales n'iraient jamais nulle part et que la reconnaissance de leur État se ferait d'abord en obtenant le statut d'observateur à l'ONU, au grand dam d'Israël et des États-Unis. De plus, la récente attaque israélienne contre Gaza a eu pour effet de resserrer les liens entre frères ennemis palestiniens. Le Hamas a annoncé qu'il appuyait maintenant la demande de l'Autorité palestinienne pour sa reconnaissance par les Nations Unies. Soutenu par les gouvernements islamistes de Turquie et d'Égypte, le Hamas est maintenant un acteur diplomatique crédible qui a obtenu des concessions de Netanyahou. La réconciliation palestinienne ne fera qu'accroître la stature internationale de la Palestine.

Le journal israélien *Haaretz* révèle dans son édition d'aujourd'hui que l'administration Obama, exécutrice des basses œuvres de Netanyahou, a exercé des pressions sur l'Autorité palestinienne pour qu'une fois admise à l'ONU, elle s'engage à ne pas porter plainte contre Israël devant la Cour internationale de La Haye pour crimes de guerre. Les Palestiniens ont rejeté du revers de la main les exigences américaines.

Dans ce contexte, les spéculations entourant la mort d'Arafat ne peuvent maintenant que favoriser la cause palestinienne.

Si les experts français, russes et suisses découvrent des preuves irréfutables qu'Arafat a été assassiné, l'Autorité palestinienne (peut-être alors réunifiée) aura une raison de plus de repousser toute nouvelle négociation bilatérale avec Israël et de s'en remettre à la communauté internationale pour faire valoir ses droits.

Les résultats des experts sont attendus vers mars ou avril 2013. Je ne crois pas qu'ils puissent être hors de tout doute raisonnable. Même s'il est établi que c'est l'irradiation au polonium 210 qui a directement causé la mort d'Arafat, ce qui n'est pas une mince réalisation, cela n'implique pas que c'est Israël qui est l'auteur du crime. Une telle preuve paraît pratiquement impossible à établir à moins qu'un complice se mette à table. Ce qui n'est guère probable.

Les circonstances pourtant sont troublantes. Durant les deux dernières années de sa vie, Arafat était littéralement prisonnier des Israéliens, confiné dans son quartier général de Ramallah assiégé. Tout ce qu'il buvait et mangeait était contrôlé par l'armée israélienne. Le polonium 210, ingéré avec des aliments, a causé la mort de l'ancien espion russe Alexandre Litvinenko, ennemi de Poutine, à Londres en 2006. Le réacteur nucléaire israélien de Dimona produit du polonium 210.

Israël niera avec véhémence être responsable de sa mort, mais aux yeux du monde arabe et de l'immense majorité des observateurs, sa responsabilité ne fera pas de doute.

SNC-Lavalin : la fraude gigantesque implique de nombreux complices

30 novembre 2012

L'ancien président de SNC-Lavalin, Pierre Duhaime, vient d'être arrêté par l'escouade Marteau de l'Unité anticorruption et accusé de fraude, complot et usage de faux liés au contrat de construction de 1,3 milliard de dollars du Centre universitaire de santé McGill. Il aurait agi avec la complicité du vice-président international de la compagnie, Riadh Ben Aïssa. Ils n'ont certainement pas agi seuls.

Duhaime avait quitté son poste au printemps après qu'une enquête interne eut révélé qu'il avait indûment autorisé 56 millions de dollars de paiements sans pièces justificatives à des « agents commerciaux étrangers » en dépit des objections du chef de la direction financière de la compagnie.

Incroyablement, le conseil d'administration de l'entreprise l'a félicité pour son excellent travail et l'a récompensé en lui donnant une indemnité de départ de 4,9 millions de dollars. Sa présidence a pourtant été marquée par une baisse de 21 % des bénéfices et une chute de 14 % du prix de l'action.

Le président du conseil de Lavalin, Gwyn Morgan, avait expliqué que personne de la direction ne savait quoi que ce soit sur la disparition de 56 millions de dollars chez SNC-Lavalin. Une explication totalement invraisemblable.

J'avais alors écrit dans ma chronique du 9 avril 2012 : « Pas besoin d'être aussi cynique que moi pour comprendre que Pierre Duhaime doit savoir dans quels placards sont cachés, depuis des décennies, les squelettes de SNC-Lavalin et que son silence, dans les enquêtes policières actuelles et les autres à venir, vaut son pesant d'or ou plus. »

Il était déjà impossible de croire qu'une entreprise multinationale gérée avec le minimum de compétence ait pu perdre toute trace de deux paiements totalisant plus de 50 millions de dollars. Et de nouvelles révélations s'ajoutent : la Radio Télévision Suisse et Radio-Canada rapportent que la police suisse enquête maintenant sur des transferts irréguliers de 139 millions de dollars impliquant SNC-Lavalin.

SNC-Lavalin reconnaît d'ailleurs avoir retenu les services des deux sociétés de façade des îles Vierges, identifiées par la police, Duvel et Dinova, pour obtenir des contrats en Libye de 2001 à 2011 sans qu'on se demande pourquoi on versait cet argent et où il allait.

Je suis convaincu qu'à l'interne, nombreux étaient ceux qui savaient, mais n'ont rien fait pour ne pas nuire au cours des actions de SNC. La plupart des cadres participent à des programmes de compensation par actions.

Deux autres anciens dirigeants de SNC, Sami Bébawi et Jacques Lamarre, ont été interrogés en Suisse sur les mouvements de fonds suspects qui ont transité vers les banques suisses. Ils ont accepté de s'y rendre à condition qu'on leur garantisse qu'ils ne soient pas arrêtés et qu'ils puissent revenir au Canada. Considérés comme « témoins assistés », ils pouvaient être conseillés par un avocat et refuser de répondre à des questions.

Les polices suisses et canadiennes vont-elles réussir à débusquer les autres présumés complices de Pierre Duhaime et de son coaccusé, Riadh Ben Aïssa, au sein de la haute direction et parmi les cadres supérieurs de SNC ? Cela dépendra en grande partie si l'on parvient à convaincre un des participants à la combine de dénoncer ses complices en échange d'une atténuation de peine.

Va-t-il être possible de purger le conseil d'administration des incompétents et des « complices par omission » qui n'ont rien vu, rien su, rien entendu ? L'image de l'entreprise et, surtout, son avenir en dépendent.

Avec les mises en accusation qui se multiplient dans le cadre des enquêtes sur l'industrie de la construction au Québec, si ça continue, le Service correctionnel canadien va devoir ouvrir une aile spéciale à Archambault ou à Cowansville pour les MBA et les ingénieurs.

À Ottawa comme à Québec, le triage sécuritaire est fait par des nuls

3 décembre 2012

Les gouvernements, tant à Ottawa qu'à Québec, se targuent de réaliser de sérieuses enquêtes de sécurité avant de confier des postes sensibles dans l'administration de l'État. Tant à la GRC qu'à la SQ, des services sont spécialement chargés de vérifier les antécédents des personnes choisies pour occuper de tels postes : ministres, hauts fonctionnaires ou conseillers.

Deux cas récents, l'un à Québec et l'autre à Ottawa, soulèvent des questions sur la compétence des policiers chargés de ces enquêtes et de ceux qui dirigent les services de « triage sécuritaire ».

À Québec, il s'agit du cas du ministre démissionnaire de l'Environnement, Daniel Breton. Candidat du NPD fédéral en 2008, il déclare que la souveraineté du Canada sur son économie et ses richesses naturelles est plus importante que l'indépendance du Québec. L'opportuniste revient à la souveraineté du Québec quand il voit que le PQ a de bonnes chances de se faire élire en 2012.

Breton, pendant des décennies, avait le profil d'un irresponsable. Il a été reconnu coupable d'avoir conduit une automobile à la vitesse criminelle de 275 km/h. Les fins limiers de la SQ n'ont pas réussi à découvrir qu'il avait été reconnu trois fois coupable de fraudes à l'assurance-emploi. Et qu'il avait aussi été condamné à 400 $ d'amendes en 2007 par Revenu Québec. Le « triage sécuritaire » de la SQ était dans le noir quant au fait qu'il avait été expulsé deux fois pour ne pas avoir payé son loyer et qu'il devait toujours 8 000 $ à l'un de ses propriétaires.

Marois avait déjà des informations à son sujet qui auraient dû le disqualifier. Mais l'enquête à la Dupond-Dupont de la SQ qui n'a pas découvert ses « transgressions » les plus graves est sans doute la principale cause du mauvais choix de Marois (oui, je sais, les paranos et les adeptes des conspirations vont dire que les flics ont fait exprès pour mettre la première ministre dans l'embarras).

En passant, un aspect consternant de cette affaire est la « montée de lait » des écologistes de tout poil qui se sont portés à la défense de Breton considéré comme « victime d'un lynchage politique honteux et mesquin ». De quoi conforter leur image de rêveurs brumeux, faciles à manipuler. À leur place, je revérifierais les comptes des divers groupes écologistes et environnementalistes qu'il a dirigés avant de se lancer en politique.

Il y a aussi la gaffe récente à Ottawa. Un incendie manifestement criminel, perpétré la nuit dernière dans un secteur huppé de Montréal, nous rappelle que les responsables du « triage sécuritaire » à Ottawa sont tout aussi incapables que ceux du Québec. Le propriétaire de la maison incendiée est Ari Ben-Menashe qui s'affiche lui-même comme un ancien agent des services secrets israéliens. Au cours des 20 dernières années, il a été impliqué dans plusieurs affaires de trafic d'armes en Afrique et au Moyen-Orient et dans un complot visant à assassiner le président du Zimbabwe, Robert Mugabe.

L'année dernière le *National Post* révélait que Ben-Menashe était associé à l'ancien directeur général du Centre universitaire de santé McGill, Arthur Porter, pour attirer des investissements russes de 120 millions en Sierra Leone. On apprenait aussi du journal que le Dr Porter était ministre plénipotentiaire de ce pays. Le problème, c'est qu'il était aussi président du Comité de surveillance des activités de renseignement de sécurité, l'organe chargé de s'assurer que les services secrets fédéraux respectent la loi. Porter avait accès aux informations les plus secrètes du gouvernement du Canada.

Le «triage sécuritaire» fédéral n'avait pas réussi à découvrir que Porter se présentait comme diplomate de la Sierra Leone et qu'il était en affaire avec un trafiquant d'armes louche. Ses agents l'ont appris en lisant le *National Post*. Porter a été forcé de démissionner de ses fonctions fédérales et québécoises. Il s'est réfugié aux Bahamas où il dirige le principal bar de danseuses de l'archipel. Sans aucun doute la plus distrayante des nombreuses activités de cet étrange personnage. Il doit avoir de bonnes histoires à raconter en prenant un cognac avec ses clients sur le sérieux des gouvernements du Canada et du Québec.

Je me demande si des têtes sont tombées dans ces deux fiascos sécuritaires.

La nomination de Boisclair : un argument pour mettre la gauche K.-O.

5 décembre 2012

J'accuse souvent le Parti québécois d'être devenu le parti de la bourgeoisie bureaucratique au détriment de sa mission première de réaliser l'indépendance du Québec. Regardez sa députation. Une majorité de ses élus viennent de l'administration publique, des milieux de l'éducation et de la santé, des agences parapubliques ou des syndicats de fonctionnaires. Ça ne ment pas.

La scandaleuse nomination d'André Boisclair au poste de délégué général du Québec à New York avec en prime un poste de sous-ministre s'inscrit parfaitement dans ce contexte. Il obtient l'assurance d'un revenu annuel de 170 000 $ indexé au coût de la vie et une retraite, sans pénalité actuarielle, à 55 ans. L'État est là pour protéger les fonctionnaires contre les aléas de la vie que doivent affronter les autres citoyens.

La seule défense du ministre Jean-François Lisée a été de dire que les libéraux à Québec et les conservateurs à Ottawa avaient fait des nominations semblables, en se servant d'exemples boiteux ou carrément erronés. Lisée s'est fourvoyé lorsqu'il a affirmé, pour justifier sa décision, que les conservateurs avaient fait le même cadeau à Lawrence Cannon lorsqu'ils l'ont nommé ambassadeur en France. L'intéressé l'a formellement démenti.

Notons d'abord que le PQ savait parfaitement qu'il faisait un geste répréhensible puisqu'il a caché, dans le communiqué annonçant la nomination de Boisclair à New York, qu'il le nommait aussi sous-ministre. Le vice-premier ministre, François Gendron, a affirmé qu'il ignorait la double nomination de M. Boisclair, alors que Lisée soutient que cette décision a été entérinée par le Conseil des ministres.

« Une décision exceptionnelle », assure Lisée. Oui, exceptionnellement insolente. Il se défend en disant que c'est Boisclair qui a lui-même posé cette exigence. Et alors ? C'est lui, Lisée, le ministre. Son devoir était de lui répondre tout simplement non. Au suivant.

Mais, comme Boisclair avait été parmi les rares à soutenir Pauline Marois dans la fronde contre son leadership, il était difficile de l'éconduire. Il était peut-être un choix qui se justifiait pour représenter le gouvernement péquiste aux États-Unis. Mais pas à n'importe quel prix.

Je dis « peut-être » parce que j'ai un doute à son sujet. Rappelez-vous, en septembre dernier, il a accusé Mario Dumont d'avoir « payé et commandité » l'affaire d'Hérouxville. Pire, malgré l'hilarité générale qui a accueilli ses propos, il a persisté dans ses affirmations insolites. Certains se sont demandé s'il n'était pas retombé dans ses vieux travers. Il a admis avoir consommé de la cocaïne alors qu'il était ministre.

Si Boisclair avait vraiment voulu servir le Québec et la cause de l'indépendance, il aurait dû accepter de mettre sa boîte de consultation en veilleuse pendant quelques années. Il aurait pu la relancer avec le prestige accru d'avoir été un ancien délégué général du Québec aux États-Unis. Il aurait été bien placé également pour devenir le premier ambassadeur du Québec à Washington. Mais Boisclair juge sans doute que les perspectives de voir se réaliser la souveraineté du Québec sont trop minces pour miser sa carrière dessus.

Pauline Marois doit convaincre Boisclair de renoncer à cette nomination « indécente », comme le réclame Françoise David. Ou, au moins, lui demander de refuser le poste de sous-ministre*.

Un parti de fonctionnaires qui garantit à ses amis des postes de sous-ministre à vie avec le fric à l'avenant, cela me semble être le degré zéro de la « social-démocratie », qui doit assurer la protection sociale aux plus pauvres, aux plus vulnérables et aux laissés-pour-compte.

Voilà malheureusement où en est rendue la formation qui a été créée comme un rassemblement pour réaliser l'indépendance du Québec. Selon le vieux cliché, René Lévesque doit se retourner dans sa tombe.

* Mise à jour : André Boisclair a décidé de renoncer à sa nomination de sous-ministre.

Gouvernement Marois : après les 100 premiers jours, les 100 derniers ?

Les finances du Québec étaient dans le trou. C'était connu durant la campagne électorale. Ça n'a pas empêché le PQ de promettre tout et n'importe quoi pour prendre le pouvoir. Depuis, le parti recule sur tous les fronts... sauf sur celui du moratoire sur les hausses des droits de scolarité, alors que le ministre Pierre Duchesne demande aux universités et aux cégeps de réduire leur budget de 140 millions de dollars.

Pauline Marois a annulé la hausse des droits de scolarité, mais elle a maintenu la « taxe santé » malgré sa promesse de l'abolir. Le parti de la probité et de la transparence a tenté de donner en catimini un « subside » à vie à un ami du régime nommé pour représenter le Québec à l'étranger.

Le bilan des 100 premiers jours de pouvoir du gouvernement péquiste n'est pas très reluisant. Même les Québécois qui ont un préjugé favorable au parti et à son idéal ont de quoi être déçus. Il donne l'impression d'une bande d'amateurs qui accumule les gaffes et les faux pas et qui recule lorsque les médias et l'opinion publique dénoncent l'inanité des décisions prises. Il n'y a pas de quoi fêter, vraiment.

On me dira qu'il ne peut faire mieux parce qu'il est un gouvernement minoritaire.

Il y a deux réponses à cette objection. *Primo*, heureusement, car s'il avait été majoritaire, il se serait probablement obstiné dans ses erreurs. *Deuzio*, c'est en partie de sa faute s'il n'a pas obtenu une confortable majorité des voix. Il a apporté son appui au boycottage étudiant, alors que l'immense majorité des Québécois était contre. Ensuite, il a profilé son programme en s'inspirant de celui de Québec solidaire, une formation qui n'a guère d'influence ailleurs que sur le Plateau-Mont-Royal, au lieu de s'ouvrir à l'électorat centriste de la CAQ.

Vous me direz que cela est impossible pour un parti qui se veut social-démocrate. Vous avez parfaitement raison. Le problème est que la création d'un État « syndicalo-bureaucratique mou » n'est pas l'objectif central de ce parti fondé en 1968 par René Lévesque pour réaliser l'indépendance du Québec.

Ce gouvernement, à cause de son extrême faiblesse, est condamné à des initiatives timides sinon timorées. Voici un exemple parmi d'autres. Il avait promis d'agir rapidement et avec détermination dans le cas des écoles passerelles qui permettent aux parents riches de contourner la loi 101 et d'envoyer leurs enfants à l'école anglaise en les faisant « transiter » par une institution privée. La ministre responsable de la Charte de la langue française, Diane de Courcy, a décidé de reporter au printemps prochain l'abolition des passerelles linguistiques en expliquant que Pauline Marois devra utiliser la « clause nonobstant » pour les éliminer.

Qu'est ce qui l'empêchait de le faire maintenant ? Cela aurait au moins été une mince consolation pour ses électeurs qui se demandent pourquoi au juste ils ont voté pour ce parti.

On doit se faire à l'idée que le PQ n'imposera jamais le français dans les cégeps, mais je trouve particulièrement savoureux qu'on donne aux anglophones la priorité pour y accéder... Qui peut s'en plaindre ? Enfin de la finesse de sa part !

Pour compléter le tableau désolant du gouvernement péquiste, il ne va manquer que sa reddition sans condition aux exigences absurdes des organisations étudiantes lors du prochain sommet sur les universités. Pierre Duchesne osera-t-il se confronter aux jeunes morveux insolents? Je crains que non. On verra bien.

On ne doit pas avoir très hâte au PQ de voir les sondages sur les intentions de vote qui vont sans doute être réalisés après la fin de la session, d'ici Noël. Le jugement des Québécois risque d'être plutôt sévère sur ce gouvernement qui proclamait en campagne électorale qu'il ferait la politique autrement.

Les 58 députés NPD du Québec : des moutons qui aiment se faire tondre

10 décembre 2012

On devrait élire des députés à la Chambre des communes pour qu'ils nous représentent. Pas par compassion et par pitié pour un chef sympathique affligé d'une maladie mortelle. C'est pourtant ce qu'ont fait une majorité des électeurs québécois du Nouveau Parti démocratique aux dernières élections fédérales. Résultat : la destruction du Bloc québécois et l'élection de 58 individus dont une majorité de poteaux étonnés d'avoir été pris au sérieux par leurs électeurs.

Aujourd'hui, on voit ce que ça donne. Ces 57 moutons ont suivi Mulcair et se sont associés aux libéraux pour appuyer massivement la décision du gouvernement conservateur d'aider Terre-Neuve à vendre son hydroélectricité au détriment du Québec. Ottawa garantit le financement de 6,3 milliards de dollars afin qu'elle puisse faire concurrence à Hydro-Québec sur le marché nord-américain de l'hydroélectricité avec son projet de développement du Bas-Churchill. L'énergie transitera du Labrador vers l'île de Terre-Neuve et ensuite vers le Cap-Breton, en Nouvelle-Écosse, par câble sous-marin pour finalement aller vers les États-Unis.

Le soutien fédéral va permettre à Terre-Neuve de faire des économies d'un milliard de dollars. Sans quoi, le projet ne serait pas rentable... en fait, il ne l'est peut-être pas, même avec l'aumône fédérale. L'Assemblée nationale a déjà condamné à l'unanimité cette injustice criante. Et on n'entend pas un bêlement de nos brebis oranges à Ottawa.

Le Québec a développé seul sans aucune aide fédérale son hydroélectricité tout au long du XXᵉ siècle. Pendant ce temps, Ottawa a largement contribué au développement du nucléaire en Ontario, qui assure plus des 50 % des besoins en électricité de la province. Énergie atomique du Canada ltée était étroitement lié à Hydro-Ontario. Pendant des décennies Ottawa a aussi aidé l'industrie du pétrole albertaine par des subventions de milliards de dollars.

Est-il nécessaire de rappeler que Harper est aussi venu en aide massivement à l'industrie automobile ontarienne il y a quelques années, alors qu'il a refusé de donner un coup de main à l'industrie forestière québécoise? Et je ne vous parle pas des contrats de renouvellement des navires de la marine canadienne qui ont échappé en totalité aux chantiers québécois.

Voilà le fédéralisme rentable que soutiennent les 58 potiches néodémocrates censées représenter des circonscriptions du Québec au Parlement fédéral. La chef du Parti vert, Elizabeth May, a manifesté plus de courage que les 58 « zoufs » québécois du NPD en n'hésitant pas à évoquer le caractère déloyal de la concurrence ainsi créée. Voilà un cas patent où le Québec perd à ne pas avoir de députés qui le représentent vraiment à Ottawa sauf les quatre du BQ.

On a dit que le soutien de Harper compensait l'« injustice » commise à l'endroit de Terre-Neuve en 1969 par le contrat de 65 ans pour la vente de l'hydroélectricité du barrage des chutes Churchill. Il accordait une rente extraordinaire à Hydro-Québec. Quelle injustice? Le contrat a été autorisé par le premier ministre Joey Smallwood qui fait figure de héros national à Terre-Neuve. Et à l'époque, Hydro-Québec était seule à posséder la technologie du transport d'électricité sur de longues distances avec des lignes de 735 000 volts. Depuis, Terre-Neuve est allée deux fois en Cour suprême pour tenter de faire casser le contrat et chaque fois les juges ont donné raison au Québec.

Le silence scandaleux du troupeau néodémocrate québécois à Ottawa va-t-il choquer une partie significative des électeurs du Québec? Cela me surprendrait. Tout indique qu'ils vont être nombreux à acclamer la réincarnation de Trudeau que le Parti libéral s'apprête à couronner chef. Trudeau Jr, comme il l'a montré à l'émission Larocque Lapierre à TVA, a le même mépris que son père pour le Québec.

Nous sommes nos propres pires ennemis.

Le PQ encourage la « bilinguisation » et le partitionnisme du Québec

12 décembre 2012

Le Devoir de ce matin nous apprend que sur les 84 municipalités soi-disant «bilingues» du Québec, la moitié ne remplit plus la condition de compter une majorité anglophone et ne devrait donc plus offrir des services anglais selon le projet de loi 101.

Ces municipalités devraient donc communiquer avec leurs citoyens uniquement en français et l'article 12 du projet de loi 14 déposé par la ministre responsable de la Charte de la langue française, Diane de Courcy, va permettre à Québec de retirer le statut bilingue à celles qui n'en remplissent plus les conditions.

Pensez-vous que le nouveau gouvernement péquiste va faire diligence pour s'assurer qu'elles respectent le projet de loi 101 ? Vous devez rigoler. On est au Québec, le pays des lâches, des « chie-en-culotte » et des timorés.

De crainte d'indisposer nos maîtres anglais, dès le dépôt du projet de loi, la ministre s'est empressée de les rassurer : *Don't worry my dears!* Le retrait du statut bilingue ne sera pas automatique. Il n'y aura pas « d'agression » à l'endroit des municipalités faussement bilingues.

Le Devoir cite des cas scandaleux : Otterburn Park, 6,8 % d'anglophones ; Rosemère, 12,6 % ; Morin-Heights, 20,3 %. Dans le bastion anglophone du West Island, la proportion des anglophones est passée sous les 50 % dans 7 municipalités. Et aussi Ville Mont-Royal, 20 % ; Dorval, 41 % ; Kirkland, 41 % ; Côte-Saint-Luc, 40 % ; Dollard-Des Ormeaux, 39 %.

Non seulement la ministre ne semble pas vouloir agir rapidement pour faire respecter le projet de loi 101 dans ces municipalités, mais elle permet aussi à son sous-ministre, Jacques Beauchemin, d'affirmer que de nouvelles municipalités pourraient devenir bilingues parce que leur population anglophone dépasse le seuil de 40 %. Et le ministre responsable de la Métropole, Jean-François Lisée, est parfaitement d'accord avec ça. Il a confié à *The Gazette* qu'il a convaincu le gouvernement que le seuil pour perdre son statut bilingue ne devait pas être 50 %, mais 40 %.

L'attitude à-plat-ventriste du gouvernement Marois dans ce dossier est particulièrement affligeante. Rappelez-vous : les municipalités soi-disant bilingues du Québec ont été les fers de lance du mouvement partitionniste après le référendum de 1995. Les Anglais craignaient alors vraiment de perdre le prochain qui s'annonçait à brève échéance. Discrètement appuyés par Ottawa, les anglophones avaient l'intention d'utiliser les municipalités qu'ils contrôlaient comme cadre institutionnel de l'opération. Elles allaient demander leur sécession du Québec et leur rattachement au reste du Canada (82 % des non-francophones, habitant majoritairement ces municipalités, souhaitaient la partition).

La plupart de ces municipalités avaient fait adopter des résolutions réclamant du gouvernement fédéral qu'il protège le droit de leurs citoyens de rester au Canada.

Le gouvernement fédéral a financé et activement soutenu le mouvement partitionniste comme il a financé le programme des commandites. Un certain Quebec Committee for Canada avait procédé en 1997 à une distribution de drapeaux canadiens dans les municipalités du West Island pour qu'ils soient agrafés aux toits des maisons. Ce comité a fait la promotion de résolutions pro-unité adoptées par plus de 40 municipalités «anglophones» concentrées dans l'Outaouais et le West Island. Les traîtres Trudeau père, Dion et Chrétien inciteront d'ailleurs publiquement à la partition en affirmant que «si le Canada est divisible, le Québec l'est aussi».

La presque totalité des municipalités du West Island a entériné ce genre de résolutions : Côte-Saint-Luc, Hampstead, Montréal-Ouest, Dollard-Des Ormeaux, Pointe-Claire, Beaconsfield, Dorval, Mont-Royal, Kirkland, Pierrefonds, Baie-D'Urfé, Saint-Laurent, Senneville et Roxboro.

Soulignons le caractère totalement illégal de leur action. Les villes n'ont pas le pouvoir de se prononcer sur des questions constitutionnelles. Mais comme l'a déjà affirmé Jean Chrétien, toutes les illégalités sont permises pour sauver l'unité canadienne.

Les municipalités bilingues du West Island réussiront partiellement leur partition avec l'aide du Parti libéral du Québec qui leur permettra de se défusionner de Montréal en attendant un éventuel référendum. Maintenant c'est le PQ qui vient à leur rescousse.

La caisse noire de la SQ : les
14 décembre 2012 **copains d'abord**

Une enquête criminelle est ouverte sur les activités de trois anciens officiers d'état-major de la Sûreté du Québec quant à l'utilisation de sommes considérables provenant de la caisse noire du corps policier, le fonds d'opérations spéciales.

Selon le journal *La Presse,* on se serait servi de l'argent pour «récompenser» clandestinement des membres de la haute direction et pour dissimuler des surplus de budgets. Si ces allégations se confirment, cela s'est fait au mépris des lois par des policiers dont la mission est de faire respecter la loi. L'intention de contourner les règles et les procédures ne fait pas de doute. On voulait donner des indemnités de départ occultes à des amis, rémunérer au noir l'éminence grise du directeur général, interdite d'embauche par la SQ à cause de problèmes avec le fisc et éviter de retourner des sommes non dépensées au gouvernement à la fin de l'année budgétaire.

Ces révélations indiquent que les langues se délient au sein de la police nationale depuis que les libéraux ont quitté le pouvoir. Des situations troubles survenues depuis quelques années laissent croire qu'il y a peut-être eu d'autres irrégularités dans les hautes sphères du corps policier, liées à des affaires à caractère politique.

Voici sur quoi je fonde mes soupçons. D'abord la lenteur extrême qu'a mise la SQ à ouvrir des enquêtes sur les malversations impliquant l'industrie de la construction. Déjà en 2003, un consultant du ministère des Transports du Québec, François Beaudry, l'avait alertée à propos de concussions dans l'octroi de contrats de voirie et leurs dépassements de coûts. Pourtant, il a fallu plus de cinq ans, des appels répétés de sa part et surtout qu'il passe à l'émission *Enquête* de Radio-Canada pour que la SQ sorte finalement de sa léthargie.

Il y a ensuite l'opération Diligence touchant spécifiquement les liens entre la FTQ, le Parti libéral, la mafia et l'industrie de la construction. On sait que les enquêteurs se sont plaints à plusieurs reprises dans les médias que la haute direction mettait des entraves à leur travail dans ce domaine. Une filature a même été interrompue subitement alors qu'Eddy Brandone de la FTQ, proche du caïd Johnny Bertolo, assassiné en 2005, de Tony Tomassi et de Raynald Desjardins, est allé rencontrer le premier ministre Charest dans un hôtel de Dorval.

Toujours au sujet de Diligence, la commission Charbonneau a dû se plaindre au gouvernement Marois parce que l'ancien directeur Deschesnes ne voulait pas lui remettre tous les dossiers réclamés sur cette opération. Pourquoi cette réticence, sinon pour protéger des élus libéraux et des dirigeants de la FTQ ?

Et enfin, il y a l'imbroglio concernant Luigi Coretti, le président de l'agence de sécurité privée BCIA. Grâce aux pressions du ministre Tony Tomassi, qui utilisait des cartes de crédit de BCIA, sur son collègue Jacques Dupuis de la Sécurité publique, Coretti a obtenu de la SQ un permis de port d'armes dissimulées, alors qu'il n'en remplissait pas les conditions. Coretti était aussi un proche du chef Yvan Delorme de la police de Montréal alors en relation amoureuse avec la vice-première ministre Nathalie Normandeau. Delorme et Dupuis ont démissionné sans explication après que la GRC eut ouvert une enquête sur Coretti qui a finalement fait une faillite de 20 millions de dollars. Son entreprise BCIA avait accumulé pendant des années des contrats où des libéraux et leurs amis étaient des donneurs d'ordres. Tomassi fait face à des accusations d'abus de confiance et de fraude envers le gouvernement.

Je crains qu'on ne soit pas encore arrivés au fond du baril, avec la multitude de scandales qui éclaboussent le Québec.

Le tueur de masse de Newtown, ses complices et ses instigateurs

17 décembre 2012

Obama a déclaré qu'il allait agir pour resserrer le contrôle des armes à feu aux États-Unis. C'est la quatrième fois depuis qu'il est président qu'il prononce un discours pour réconforter les parents et amis de victimes d'une tuerie de masse majeure. C'est sans compter les assassinats collectifs « mineurs » qui ensanglantent maintenant le pays presque chaque semaine. Le fait que la majorité des morts soit, cette fois, de jeunes enfants est ce qui force le président à, enfin, envisager d'intervenir.

Le forcené a agi avec plusieurs complices. D'abord la classe politique américaine tant fédérale que locale, totalement inféodée à la National Rifle Association, le puissant lobby des armes à feu, qui porte une responsabilité directe pour ces massacres à répétition.

Au cours d'une journée normale aux États-Unis, quelque 80 personnes sont assassinées avec des armes à feu et 300 autres, blessées. La libre circulation des armes à feu et les tueries qu'elle engendre sont un fléau et une honte nationale qui n'a jamais troublé les Américains, qui souffrent d'une folie collective, le syndrome de l'amour des armes à feu.

Que vont faire le président et les démocrates ? Sans doute parrainer un projet de loi restreignant la possession d'armes avec des chargeurs à grande capacité et à grande rapidité de tir. Ils pourraient également interdire la vente libre d'armes d'occasion dans les Gun Fair si populaires dans les régions rurales.

Le Dr David Hemenway, un professeur à l'École de santé publique de Harvard, propose dans un livre *Private Guns, Public Health* (Ann Arbor, University of Michigan Press, 2004) une approche différente qui devrait aussi être retenue. Il voudrait que les autorités fédérales considèrent la prolifération des armes à feu comme un problème de protection du consommateur et de santé publique et qu'elles agissent en conséquence. Il souligne que c'est de cette façon que les États-Unis ont réussi à réduire dramatiquement les décès causés par les maladies infectieuses, les accidents de voiture et la consommation de tabac au cours des 50 dernières années. Actuellement, la réglementation fédérale sur les échelles et les escabeaux, les véhicules automobiles et les jouets représentant des armes à feu est plus détaillée que celle sur les armes à feu réelles.

De telles mesures diminueraient la capacité des tueurs fous de donner la mort. Mais ça ne réglerait pas pour autant le problème. Il y a près de 300 millions d'armes à feu en circulation aux États-Unis. La folie des armes à feu et le goût de la violence sont trop généralisés depuis trop longtemps dans la société américaine pour pouvoir la guérir. Un peu comme l'étaient les meurtres rituels sanguinaires dans les sociétés précolombiennes.

Cet amour de la violence sanguinolente et cet appétit pour le macabre sont propagés par Hollywood aux États-Unis et au-delà, depuis 100 ans, toujours en plus morbides et en plus monstrueux avec les progrès des effets spéciaux et des technologies numériques.

Pensez aux films abjects de Quentin Tarantino qui ne sont qu'une succession de crimes violents, sanglants et gratuits, entrecoupés de dialogues incohérents des personnages. L'auteur affirme lui-même qu'il est convaincu que la longue hémorragie sadique que sont ses films explique leur succès.

Mais on n'arrête pas le progrès... ni la décadence des mœurs et des valeurs. Maintenant, les jeunes hommes, avec troubles mentaux ou pas, sont à même de vivre à la première personne la frénésie d'être un tueur de masse, d'être un donneur de mort avec des jeux vidéo hyper violents qui font l'apologie du meurtre comme façon de régler ses problèmes, de se réaliser soi-même et d'accroître son ego.

Il n'y a aucun rapport, diront certains. Une nouvelle étude considère que l'exposition prolongée à des jeux violents crée autant la dépendance que le tabac. Des recherches menées à l'Université Pierre-Mendès-France, à l'Ohio State University et à l'Université de Hohenheim ont permis de constater que l'exposition prolongée à ces jeux vidéo augmente l'agressivité chez les jeunes hommes et les désensibilise à la violence.

Adam Lanza, l'auteur du massacre de Newtown, avait une obsession pour les jeux vidéo violents. Plus les simulations où le joueur est lui-même le tueur sont violentes, plus elles se vendent bien. Des dizaines de millions d'exemplaires de *Kindergarten Killer*, de *Grand Theft Auto*, de *Postal*, de *Thrill Kill*, de *Mortal Kombat* et d'*Assassin's Creed* (conçu à Montréal) ont été vendus*.

Voilà où en est rendue notre société dite civilisée à la remorque de la culture de masse américaine, inspiratrice d'Adam Lanza.

* Mise à jour : Dans son édition du 24 décembre 2012, le *New York Times* révèle que des fabricants de fusils d'assaut et de chargeurs de haute capacité s'associent à des créateurs de jeux vidéo violents dans des campagnes de promotion sur Internet.

Vers une réorientation de la politique étrangère américaine?

19 décembre 2012

Obama envisagerait pour son deuxième mandat une réorientation de la politique étrangère de son administration, qui risque de braquer contre lui la droite américaine et de désorienter celui qui est devenu un de ses principaux alliés, le Canada de Stephen Harper.

Des informations persistantes qui circulent à Washington indiquent qu'il a l'intention de nommer John Kerry pour remplacer Hillary Clinton au Secrétariat d'État et Chuck Hagel pour prendre en main le Secrétariat à la Défense. Aux yeux des va-t-en-guerre ignares qui dominent le Parti républicain, ce sont de dangereux radicaux.

Les deux hommes sont des réalistes conscients des limites de la puissance militaire. Ils savent, pour l'avoir vécu, qu'il est beaucoup plus facile d'entrer dans une guerre que d'en sortir. Kerry et Hagel, des héros de la guerre du Viêt Nam, se méfient du recours à la force pour régler les différends. Après avoir soutenu la guerre d'Irak, ils s'y étaient ensuite opposés. Le sénateur Kerry est devenu l'un des principaux opposants au Congrès.

Chuck Hagel hérisse particulièrement la droite. C'est un républicain hors normes, élu sénateur deux fois pour représenter le Nebraska avant de se retirer de la politique. Le président Obama avait même considéré en faire son colistier en 2008. Certains placent l'ancien sénateur dans la lignée de Dwight Eisenhower, le président républicain qui, dans son discours d'adieu, a été le premier à dénoncer le complexe militaro-industriel.

Si effectivement Obama pense à lui pour la Défense, cela impliquera un changement de cap de sa politique étrangère. Le site Foreign Policy affirme qu'il n'est pas favorable à la stratégie actuelle de renforcement de la présence militaire américaine en Asie-Pacifique et à toute tentative d'«endiguement» de la Chine qu'il considère comme néfaste pour les deux pays et pour la planète entière.

En plus de vouloir mener une politique étrangère moins interventionniste, Obama a peut-être une seconde idée derrière la tête s'il a l'intention de placer le républicain Hagel au Pentagone.

L'administration Obama prépare des réductions importantes du budget militaire et quoi de mieux que d'avoir un secrétaire à la Défense républicain pour les appliquer, atténuant ainsi les critiques de l'opposition. Le F-35, si cher aux conservateurs canadiens, serait dans la mire des comptables d'Obama qui voudraient en réduire considérablement la commande. Cela augmenterait d'autant le coût unitaire de l'avion et le rendrait probablement impossible à acquérir par le Canada.

Les pressions sont énormes actuellement sur Obama pour qu'il renonce à nommer Hagel à la Défense. Le lobby proisraélien est mobilisé contre lui. On l'accuse d'antisémitisme parce qu'il a osé dire en 2008 en parlant du Congrès : «La réalité politique est que le lobby juif intimide beaucoup de gens ici», utilisant le terme «lobby juif» au lieu de «lobby proisraélien». Un écart de langage inadmissible aux États-Unis.

À ces accusations Hagel répond : «Je suis un sénateur américain. Je ne suis pas un sénateur israélien. Mon serment est à la constitution des États-Unis. Pas à un président, pas à un parti et pas à Israël.»

Le site pacifiste et libertaire Antiwar signale que Hagel était en 2000 l'un des quatre seuls sénateurs américains sur cent qui ont refusé de signer une lettre exprimant leur soutien à Israël au cours de la deuxième intifada palestinienne. En 2006, il a demandé au président Bush de lancer un appel aux Israéliens pour qu'ils cessent immédiatement leur attaque contre le Liban. Bush et sa secrétaire d'État Condoleezza Rice sont restés silencieux. Et en 2009, Hagel a exhorté le président Obama à ouvrir des négociations directes avec le Hamas. Il est aussi favorable à des pourparlers inconditionnels directs avec l'Iran. Compte tenu de ses positions, de la puissance et de l'influence de ses ennemis, il me paraît difficile de croire que le président Obama va nommer Chuck Hagel secrétaire à la Défense.

Sans prédire un virage carrément pacifiste de la politique étrangère américaine, on peut quand même en espérer une moins belliqueuse si Chuck Hagel et John Kerry* entrent dans l'administration Obama.

Mais la «république impériale» – l'expression est de Raymond Aron – aura toujours comme objectif central de maintenir tant qu'elle le pourra son hégémonie mondiale quels que soient les hommes et les femmes qui la dirigeront. C'est dans la nature même des empires universels.

* Mise à jour : John Kerry a été confirmé à ce poste.

Le scandale du CUSM et le PLQ : les affairistes ont perdu leur bouclier rouge

21 décembre 2012

J'ai été très dur dans cette chronique envers le responsable de l'UPAC, le commissaire Robert Lafrenière, dans les mois qui ont suivi sa création. J'avais l'impression que l'unité anticorruption n'allait nulle part, qu'elle évitait de s'en prendre au gros gibier pour cibler les mairesses de villages. J'y soupçonnais une ingérence de l'ancien gouvernement libéral. Aujourd'hui, je corrige le tir. L'UPAC a pris du temps, mais elle fonctionne maintenant à plein régime. Bravo à Lafrenière et à ses enquêteurs! Il est vrai qu'il y a eu un changement de gouvernement.

Je suis content que le ministre Réjean Hébert lui ait demandé d'élargir son enquête sur le Centre universitaire de santé McGill (CUSM) pour y inclure les transactions immobilières douteuses qui lui ont fait perdre de gigantesques sommes d'argent. L'UPAC a déjà mis en accusation l'ex-PDG de SNC-Lavalin, Pierre Duhaime, en rapport avec le contrat de construction du mégahôpital.

Au cœur de l'intrigue, encore une fois l'inénarrable Dr Arthur Porter. Une transaction qu'il a réalisée est particulièrement troublante: celle impliquant l'édifice jouxtant l'Hôpital général au 1750, avenue Cedar. L'immeuble est inutilisable par le CUSM à cause du zonage. Il a été acquis du promoteur immobilier Vincent Chiara pour l'équivalent de 1 000 $ le pied carré, «une valeur dépassant largement les valeurs du marché immobilier», selon les vérificateurs mandatés par le gouvernement.

Et qui donc est ce Vincent (Vincenzo) Chiara? Le livre *Mafia inc.* d'André Cédilot et d'André Noël (Montréal, Éditions de l'Homme, 2010) révèle qu'il a agi, alors qu'il pratiquait le droit, comme avocat de la famille mafieuse Caruana, associée aux Rizutto, poursuivie par Revenu Québec en 1997. Depuis, Chiara s'est recyclé dans l'immobilier où il s'est associé à la famille Saputo. Le journal Les Affaires indique que les Saputo avec leurs partenaires Giuseppe (Joe) Borsellino et Vincent Chiara sont propriétaires de la tour de la Bourse, de la tour CIBC et des immeubles sis au 1060 et au 1100, rue University.

Le *Globe and Mail* signale que le vérificateur de la Ville de Montréal, Michel Doyon, a demandé à la SQ d'enquêter sur la vente par Société d'habitation et de développement de Montréal (SHDM) d'un édifice à un prix inférieur à sa valeur marchande et sans appel d'offres à une compagnie à numéro où Vincent Chiara, Joey Saputo et Giuseppe (Joe) Borsellino figurent parmi les propriétaires. Sous Gérald Tremblay, Chiara s'occupait du financement d'Union Montréal.

Me Chiara est aussi membre du bureau des gouverneurs de la Fondation communautaire canadienne-italienne avec d'autres personnalités italo-canadiennes respectées, dont Tony Accurso, Frank Catania, Frank Zampino, Joe Borsellino, Lino Saputo, Rocco Di Zazzo, Tony Tomassi et Alfonso Gagliano. Le premier ministre Charest et sa femme, des habitués du bal annuel à 1 000 $ le couvert de l'organisme, selon *Le Devoir*, ont choisi de ne pas assister au plus récent. Je me demande pourquoi.

Au sujet du fiasco du CUSM, notons que le rapport de vérification remis au ministre Hébert déclare que la fondation du CUSM a été utilisée pour cacher la transaction aux autorités. La CAQ rappelle dans un communiqué que «la presque totalité des membres du conseil d'administration de la fondation sont de très généreux donateurs au PLQ, tout comme le propriétaire du terrain, Vincent Chiara, et le PDG de l'hôpital, Arthur Porter».

Qui a nommé Porter au poste de PDG du deuxième plus important centre de santé du Québec? Nul autre que le candidat actuel à la chefferie du PLQ et ancien ministre de la Santé, son pote Philippe Couillard. Les deux amis ont même créé ensemble une entreprise de consultants en santé. Les compères siégeaient également au Comité de surveillance des activités de renseignement de sécurité qui a la responsabilité de contrôler au nom du Parlement les opérations des services secrets fédéraux. Ils sont donc manifestement au-dessus de tout soupçon!

Est-ce possible que ni Couillard ni personne d'autre dans notre lourde bureaucratie de la santé ne se soient donné la peine de vérifier les antécédents de Porter*? Il venait de quitter précipitamment à mi-mandat son poste de responsable des hôpitaux publics de Detroit qu'il laissait dans une situation financière désastreuse.

Le Dr Porter a «été démissionné» du CUSM fin 2011. Il fait actuellement l'objet d'une enquête pour avoir utilisé les ressources du réseau de la santé pour d'importantes transactions d'affaires personnelles. L'Université McGill cherche à se faire rembourser un prêt de 317 000 $ qu'on lui a consenti pour acheter un luxueux condo**. Porter s'est réfugié aux Bahamas où il est propriétaire du plus important bar de danseuses de Nassau.

Robert Lafrenière et l'UPAC s'attaquent à du gros – du très gros – gibier. Heureusement pour nous que le PLQ n'est plus au pouvoir. Les magouilleurs et les affairistes ont perdu leur bouclier rouge.

* Alors qu'il était président du Comité de surveillance des services secrets, Porter était associé d'affaires d'un ancien vice-président d'une compagnie appartenant à la famille du parrain Vito Rizzuto, rapporte le *Globe and Mail* du 22 décembre 2012.

** Porter l'a mis en vente pour près de 1,6 million de dollars, selon Radio-Canada.

⁞⁞⁞⁞⁞⁞⁞⁞⁞⁞⁞⁞ Québec 2012 : une *annus horribilis*. À quand l'*annus mirabilis* ?

24 décembre 2012

Comme titre pour cette dernière chronique de l'année 2012, c'est la fameuse expression de la reine Élisabeth qui me vient à l'esprit. En cette fin d'année, j'ai l'impression de vivre dans une société qui prend conscience qu'elle s'est engagée sur la voie de la dissolution de ses valeurs morales et sociales. Et qui s'en fout!

La très grande majorité des Québécois a renoncé au catholicisme qui a été, pendant la plus grande partie de notre histoire, le cadre structurant de notre société et ne l'a remplacé par rien. Sinon par une vague idéologie social-démocrate où l'État providence joue maintenant le rôle qu'assumait jadis l'Église catholique.

Les reliquats les plus manifestes liés à nos croyances chrétiennes abandonnées sont, outre l'habitude de se soûler en fin d'année, un culte et une valorisation maladive de la pauvreté et de la médiocrité et un préjugé défavorable envers la richesse et la réussite. Il faut dire que la commission Charbonneau, l'UPAC et l'escouade Marteau ont eu pour effet de conforter ces travers.

Malgré l'étalage public de la corruption, de la concussion et des liens avec la mafia du gouvernement libéral et de diverses administrations municipales aux mains de libéraux notoires, un important segment de l'élection a presque réussi à le reporter au pouvoir. Les résultats du 4 septembre 2012 sont à se décourager d'être Québécois. La coalition libéralo-mafieuse, en plus de faire l'unanimité dans les circonscriptions anglo-ethniques, a pu compter sur de solides appuis dans toutes les régions du Québec.

La corruption est une réalité de notre histoire politique que, malheureusement, nous n'avons pas encore réussi à évacuer. Pensez-y. Si Gilles Vaillancourt se présentait de nouveau à Laval, il aurait de bonnes chances d'être élu. Tout comme Tony Tomassi dans son comté.

Si les libéraux corrompus ont failli conserver le pouvoir, c'est en bonne partie à cause du grand boycottage étudiant du printemps où des rejetons de la petite bourgeoisie se sont déguisés en révolutionnaires. C'était particulièrement hilarant de voir de vieux gauchistes les appuyer dans leur défense de leurs intérêts de classe : faire payer leurs études par la société au détriment des autres groupes sociaux moins mobilisables et donc moins influents politiquement. Le PQ s'est malheureusement associé à cette mascarade grotesque. Il en paie un terrible prix politique : un gouvernement minoritaire.

Est-ce qu'un jour on verra les mêmes foules enthousiastes et déterminées descendre dans la rue pour défendre des revendications nationales du Québec ? N'y pensez même pas.

Le PQ réussira-t-il à se faire réélire avec une majorité et des appuis suffisants pour lui permettre de mettre en branle les démarches pour réaliser l'article premier de son programme ? En cette fin de l'année 2012, il y a lieu d'être pessimiste.

Côté positif : la commission Charbonneau va se pencher dans l'année qui vient sur les liens entre le Parti libéral du Québec, la mafia, la FTQ et la construction. Les révélations seront-elles suffisantes pour troubler ceux qui votent encore pour ce bac à détritus qu'est le PLQ ? Personnellement, j'en doute.

Côté négatif : la dénatalité et le vieillissement de la population de souche transforment inexorablement le portrait démographique du Québec. Les vieux et les nouveaux arrivants veulent la paix, pas le changement, pas le bouleversement de nos institutions politiques. En plus, les vieux sont timorés et sous-éduqués. Donc faciles à faire paniquer. La minceur de la victoire du PQ cette année et la destruction imméritée du Bloc québécois aux élections fédérales de 2011 en sont des manifestations évidentes.

Le Québec en cette fin d'année 2012 donne l'impression d'une société en voie d'effritement tranquille. D'une collectivité grisonnante essoufflée, assez satisfaite d'elle-même dans son aisance relative et totalement apathique face à son avenir en tant que nation. « Le confort et l'indifférence », pour reprendre le titre du grand documentaire acerbe de Denys Arcand encore si vrai dans la description de ce que nous sommes. Il faudrait presque un miracle pour que la situation se renverse. Je ne vois pas en 2013 une *annus mirabilis*.

Qui sont les terroristes musulmans ? Se tuent-ils vraiment pour Allah ?

Summum, octobre 2005

L'attentat suicide est devenu la forme la plus dévastatrice du terrorisme. Les kamikazes islamistes sont entrés dans la conscience universelle le 11 septembre 2001 lorsque 19 d'entre eux, à bord d'avions de ligne transformés en bombes volantes, ont tué quelque 3 000 Américains. George W. Bush les dénonce comme des lâches et des fous, issus de l'ignorance et de la pauvreté, qui n'ont qu'une idée en tête : détruire la liberté et la démocratie. Plusieurs études faites sur les djihadistes suicidaires démontrent que Bush était encore une fois dans l'erreur.

Au Moyen-Orient contemporain, c'est le Hezbollah libanais proiranien, dont les militants-martyrs se nomment eux-mêmes les « fous de Dieu », qui a été le premier à avoir recours aux attentats suicides comme technique de guerre. On attribue au Hezbollah l'assassinat du président libanais proisraélien Bachir Gemayel en septembre 1982. Ensuite, deux « fous de Dieu » kamikazes attaquèrent simultanément avec des camions bourrés d'explosifs les casernes américaines et françaises à Beyrouth, en octobre 1983. Bilan de 300 morts français et américains. Mission accomplie. Washington et Paris retirèrent rapidement leurs forces du Liban comme le voulait le Hezbollah.

Les kamikazes devinrent par la suite l'une des plus redoutables armes de son arsenal contre l'occupation israélienne du Liban. De 1982 jusqu'au retrait israélien du Liban en 2000, 40 «fous de Dieu» se sont sacrifiés contre des cibles israéliennes. Voyant l'efficacité des attaques suicides, le Hamas palestinien a repris la même tactique à Gaza, en Cisjordanie et en Israël. Quelque 135 militants du Hamas se sont tués en s'attaquant à des colons juifs ou à des Israéliens. En Irak, où il n'y avait jamais eu d'attentats suicides avant l'invasion américaine, on en dénombre plus de 200 depuis 2003. Selon le professeur Robert Pape de l'Université de Chicago, qui a écrit un livre sur la question, *Dying to Win* (New York, Random House, 2005), le nombre des attentats suicides est nettement à la hausse partout dans le monde depuis l'invasion américaine d'Irak.

Les kamikazes sont le plus souvent des volontaires motivés par le fanatisme religieux, mais pas nécessairement islamistes. Les Tigres tamouls au Sri Lanka, qui utilisèrent eux aussi les bombes humaines, étaient hindouistes. Le mot kamikaze servait à qualifier durant la Deuxième Guerre mondiale les milliers de jeunes aviateurs japonais volontaires qui se sont sacrifiés dans des attaques suicides contre la flotte américaine par fidélité à l'empereur Hirohito. Ils se conformaient à une antique tradition japonaise d'esthétique de la souffrance propre au shintoïsme (le Japon est le pays des suicides rituels hara-kiris). Leur sacrifice fut efficace, mais inutile. Lors de la bataille d'Okinawa en avril 1945, 2 000 kamikazes lancèrent leurs avions bourrés d'explosifs sur plus de 300 navires de la U.S. Navy, tuant 5 000 marins américains dans l'affrontement naval le plus coûteux de l'histoire des États-Unis.

L'attentat suicide est l'arme des faibles contre les puissants. C'est souvent la tactique de dernier recours quand les autres méthodes de combat ont échoué. L'arme de prédilection des guerres asymétriques contemporaines, selon le Pr Pape. Qu'est-ce qui pousse les terroristes kamikazes à agir? C'est d'abord et avant tout un sentiment collectif d'injustice historique, d'inféodation politique et d'humiliation sociale face à l'Occident et aux États-Unis, soutenu par une certaine conviction religieuse. Contrairement à ce que pensait le président Bush, ce n'est pas la pauvreté, l'ignorance et la haine de la liberté américaine qui motivent les auteurs d'attentats suicides. En général, les terroristes suicidaires sont des individus avec un bon niveau d'éducation, de classes moyennes ou aisées dans leur société. Pas des personnalités déviantes. Pas de psychopathologie évidente. Un rapport sur «la sociologie et la psychologie du terrorisme» préparé pour la CIA conclut qu'il n'y a pas d'attribut psychologique particulier qu'on puisse utiliser pour décrire un terroriste ou un type de personnalité spécifique qui serait plus disposé aux attaques suicides.

L'économiste palestinien Basel Saleh compila des informations sur 87 kamikazes tués en action durant la seconde intifada, en 2000-2003. La majorité des militants était des hommes célibataires entre 20 et 29 ans, venant de familles avec leurs deux parents vivants et avec de 6 à 10 frères et sœurs. Ils avaient fait des études secondaires ou fréquenté l'université. Nasra Hassan, un Pakistanais travaillant pour une organisation humanitaire internationale, a interviewé à la fin des années 1990 près de 250 Palestiniens, recruteurs et entraîneurs de commandos suicides, ainsi que des volontaires kamikazes. Il a noté dans un rapport: «Aucun d'eux n'était sans instruction, ni désespérément pauvre, simple d'esprit ou déprimé... Ils semblaient tous être des membres tout à fait normaux de leurs familles.» Cependant tous avaient de solides convictions religieuses, croyant leurs actions approuvées par la religion divinement révélée de l'islam.

Des études menées par le psychologue israélien Ariel Merari qui, avec son équipe, a interviewé 32 familles de kamikazes palestiniens indiquent qu'ils reflètent parfaitement la population palestinienne en termes d'éducation, de statut socioéconomique et de types de personnalité (introverti/ extroverti). Les kamikazes témoignent bien sûr de croyances religieuses comme la population palestinienne en général. Merari a aussi découvert que les terroristes kamikazes ne sont pas des mésadaptés socioaffectifs et n'ont pas de symptômes suicidaires qui les auraient poussés à agir. Ils n'expriment aucun « désespoir », aucun sentiment de « n'avoir rien à perdre. » Comme le souligne la presse arabe, si les martyrs n'avaient rien à perdre, leur sacrifice n'aurait pas de sens : « Celui qui se suicide se tue pour son propre bénéfice, celui qui commet le martyr se sacrifie pour sauver sa religion et sa nation... Le Mujahed est plein d'espoir. »

Alors qu'est-ce qui les fait agir ? Selon Merari, les organisations politico-religieuses qui les recrutent, comme le Hamas, les incorporent dans des petits groupes de trois à six membres où des entraîneurs charismatiques cultivent intensément leur engagement mutuel à mourir. La loyauté au groupe d'individus pareillement motivés et à sa société est l'un des facteurs qui déterminent le comportement du terroriste suicidaire. Étape ultime avant l'attentat suicide, le membre du groupe choisi pour l'accomplir enregistre un testament vidéo qui devient en quelque sorte un contrat social informel par lequel il offre sa vie à la collectivité et la prend à témoin de son geste.

Il n'y a pas d'exemple de terrorisme suicide religieux ou politique résultant de l'action isolée d'un poseur de bombe mentalement instable ou même de quelqu'un agissant entièrement de sa propre autorité et sous sa propre responsabilité comme le terroriste suicidaire américain Timothy McVeigh responsable de l'attentat d'Oklahoma City. Les représailles massives des Israéliens contre le Hamas et le Hezbollah n'ont eu aucun effet négatif sur le recrutement des volontaires. Au contraire. Dans un groupe de 1 179 Palestiniens de Cisjordanie et de Gaza interrogé au printemps 2002, 66 % affirmèrent que les opérations de l'armée accroissaient leur appui aux attentats suicides. De 70 à 80 % des Palestiniens approuvaient les « opérations martyrs ».

Sauf la reconnaissance sociale qui n'arrive qu'après la mort, il y a peu de bénéfices tangibles pour les kamikazes... sauf le paradis d'Allah. Mais pour les organisations qui commanditent les attentats suicides, comme le Hamas, et leurs leaders qui ne considèrent quasi jamais de se tuer eux-mêmes (en dépit de déclarations dans lesquelles ils se disent prêts à mourir), il est certain que les opérations de martyre leur permettent de réaliser des objectifs politiques et militaires importants à de faibles coûts opérationnels. De plus, les kamikazes sont rentables pour les organisations terroristes qui les utilisent. Le succès des attentats suicides du Hamas palestinien lui assure d'importantes entrées de fonds provenant d'autres pays arabes. Après l'attentat à la bombe d'un supermarché à Jérusalem par une femme palestinienne de 18 ans, un téléthon saoudien recueillit plus de 100 millions de dollars pour soutenir la lutte armée palestinienne, l'« l'Intifada Al-Quds ». Peu après le 11 septembre, une étude des services de renseignements américains portant sur des Saoudiens éduqués âgés de 25 à 41 ans conclut que 95 % d'entre eux soutenaient al-Qaida.

Il y a les sacrificateurs et les sacrifiés. Les imams (leaders religieux) et les émirs (chefs de guerre) qui incitent les militants aux attaques suicides se considèrent comme directement inspirés par Allah. Ceux qui leur sont soumis sont aussi persuadés qu'ils sont le relais d'une volonté divine. Essentiellement, il y a trois usines de fabrication de bombes humaines : al-Qaida et ses diverses succursales nationales, dont celle fondée par Al-Zarqaoui en

Irak, le Hamas palestinien et le Hezbollah libanais. Il leur faut environ 18 mois d'endoctrinement intense pour transformer un jeune musulman ordinaire en « martyr ». Pour réussir une mission suicide, comme un responsable le note cyniquement, il faut « un jeune homme volontaire... des clous, de la poudre, un interrupteur et un câble court, du mercure (qui s'obtient facilement à partir de thermomètres), de l'acétone... l'article le plus cher est le transport dans une ville israélienne ». Le coût total est de 150 US $. Quand la télévision israélienne a demandé à un fabricant de ceintures d'explosifs emprisonné pourquoi il ne s'était pas lui-même sacrifié, il a répondu : « Chacun son travail. Le mien est de concevoir et de fabriquer des gilets explosifs ; celui des kamikazes, de les mettre en action. »

L'étude la plus surprenante sur le terrorisme et les sociétés musulmanes provient de l'institut de sondage américain Pew Research Center qui a interrogé 15 000 personnes dans 21 pays. Les résultats de cette vaste enquête démontrent que les populations qui soutiennent Oussama Ben Laden et ses actions terroristes sont favorablement disposées envers la démocratie, l'éducation, l'économie et les libertés individuelles telles que pratiquées aux États-Unis. Un sondage d'avril 2002 de l'institut de sondage Zogby sur les impressions arabes concernant l'Amérique confirme les résultats de Pew. Des études menées par le politologue palestinien Khalil Shikaki arrivent à des conclusions parallèles et aussi étonnantes : même si la majorité des Palestiniens approuve les attentats suicides, plus de 80 % d'entre eux expriment leur admiration pour la forme de gouvernement d'Israël et des États-Unis.

Ce ne sont pas les libertés et la culture américaines que ces gens n'aiment pas, mais les interventions militaires extérieures et la politique étrangère de Washington. En 1997, un rapport du US Department of Defense Science Board affirme que « les données historiques montrent une forte corrélation entre l'implication américaine dans les situations internationales et l'augmentation des attaques terroristes contre les États-Unis ». Les islamistes haïssent les Américains parce qu'ils soutiennent des régimes despotiques musulmans et qu'ils apportent un appui inconditionnel à Israël.

Le spécialiste des questions de terrorisme Robert Pape explique que les attentats suicides sont, en Palestine comme en Irak, une réponse à une occupation étrangère et non une manifestation d'intégrisme musulman. La tentative américaine de transformer des sociétés traditionnelles musulmanes par la force ne va qu'augmenter le nombre des volontaires. Dans les pays arabo-musulmans, du Maroc à l'Indonésie, en passant par l'Afghanistan et les quartiers « musulmans » des grandes villes européennes, l'offre de candidats kamikazes va largement dépasser la demande dans un avenir prévisible.

MARQUIS

Québec, Canada

RECYCLÉ
Papier fait à partir
de matériaux recyclés
FSC® C103567

100%

PERMANENT